D1206789

Ciudadanía múltiple y migración
Perspectivas latinoamericanas

COYUNTURA Y ENSAYO

Ciudadanía múltiple y migración

Perspectivas latinoamericanas

Pablo Mateos

Editor

CIDE CIESAS

www.cide.edu

Primera edición, 2015

Biblioteca del CIDE – Registro catalogado

Mateos, Pablo

Ciudadanía múltiple y migración. Perspectivas latinoamericanas / Pablo Mateos (ed.) . – México, D.F. : Centro de Investigación y Docencia Económicas, Centro de Investigaciones y Estudios Superiores en Antropología Social, 2015.

Primera edición

296 p. ; 23cm. Colección Coyuntura y ensayo

Índice – Introducción / Pablo Mateos – Primera parte: Debates sobre ciudadanía y migración. – I. Migración y teorias de la ciudadanía / Thomas Faist – II. Ciudadanía a la carta: La emigración y el fortalecimiento del Estado soberano / David FitzGerald – Segunda parte: Ciudadanos euro-latinoamericanos. – III. Ciudadanía múltiple y extraterritorial: Tipologías de movilidad y ancestría de euro-latinoamericanos / Pablo Mateos – IV. Ciudadanos españoles producto de la Ley de la Memoria Histórica: motivos y movilidades / Antonio Izquierdo y Luca Chao – V. El pasaporte del abuelo: Orígenes significado y problemática de la ciudadanía múltiple / David Cook-Martín – Tercera parte. La ciudadanía múltiple en América Latina y Estados Unidos. – VI. Derechos extraterritoriales y doble ciudadanía en América Latina / Cristina Escobar – VII. Migración y ciudadanía. El caso norteamericano / Jorge Durand – VIII. Migración de retorno y ciudadanía múltiple en México / Agustín Escobar – Conclusión: La doble nacionalidad como herramienta geopolítica, régimen de movilidad y forma de capital / Yossi Harpaz – Sobre los autores.

Incluye referencias bibliográficas.

ISBN 978-607-9367-46-6

1. Citizenship
2. Citizenship – Europe – Case studies
3. Dual nationality – American Latin
4. Dual nationality – United States
5. Dual nationality – Mexico

I. Centro de Investigación y Docencia Económicas
II. Centro de Investigaciones y Estudios Superiores en Antropología Social

I. Título.
K7128.D8 M38 2015

Dirección editorial: Natalia Cervantes Larios

D. R. © 2015, CIDE, Centro de Investigación y Docencia Económicas, A. C.
Carretera México-Toluca 3655, Lomas de Santa Fe, 01210, México, D.F.
www.cide.edu   publicaciones@cide.edu

Impreso en México – *Printed in Mexico*

Índice

Introducción

Pablo Mateos*

Si observamos una imagen de nuestro planeta desde el espacio no apreciamos ni países ni división administrativa alguna sobre las masas continentales; sin embargo, todos sabemos que la tierra está claramente parcelada en países soberanos —unos 206 actualmente— que no se superponen ni territorial, ni legalmente. De manera conjunta, estos conforman el sistema de Estados-nación soberanos por el que se rige el mundo contemporáneo desde al menos la segunda mitad del siglo XIX, un sistema que surgió del tratado de Westfalia en 1648 (Faist, capítulo I de este volumen).

La unidad básica de dicho sistema, el Estado-nación, está definido por tres ingredientes fundamentales: un territorio, una población y un sistema de derechos (Joppke, 2010; Sassen, 2006). Este sistema asume que cada persona tiene derecho a ser ciudadano de un país, es decir a "pertenecer" legalmente a una nación.[1] De esta manera, se supone que, al igual que el territorio parcelado en 206 países, los siete mil millones de habitantes del planeta quedarían también nítidamente clasificados en, y defendidos por, esas unidades nacionales. Por ejemplo, la Declaración Universal de los Derechos Humanos de 1948 asume esa relación unívoca entre una persona y un Estado-nación.

Sin embargo, hoy en día, en la era de la globalización, este simplista sistema decimonónico lleva haciendo aguas durante al menos las últimas dos décadas. Los límites del mencionado trinomio del Estado-nación

---

* Profesor e investigador, CIESAS Occidente.

[1] Aunque el concepto de ciudadanía es más amplio que el de nacionalidad, en la literatura anglosajona ambos términos se utilizan con frecuencia de manera intercambiable (vg. Bauböck, 2006)), denotando "membresía formal" de un Estado-nación. A no ser que se indique lo contrario, en este libro se utilizarán también de manera intercambiable y con esta acepción.

(territorio-población-sistema de derechos) se van difuminado y superponiendo a través de diversos procesos relacionados con la migración internacional, la globalización y un incipiente sistema internacional de derechos. Este libro aborda uno de dichos procesos: las crecientes prácticas de nacionalidad o ciudadanía múltiple[2] desde la perspectiva de la migración. Este fenómeno altera dicho trinomio al producir poblaciones que "pertenecen" legalmente a varios de ellos.

Los grandes flujos de migración internacional observados en las últimas décadas ciertamente no son nuevos, e históricamente han alterado dicho trinomio fundacional del Estado-nación. En la era de las grandes emigraciones europeas de finales del siglo xix y principios del xx, la solución dada a esta anomalía fue la naturalización de los migrantes permanentes en el país de destino y la renuncia a su nacionalidad de origen (Cook-Martín, capítulo V de este volumen). En el caso de matrimonios entre personas de distinta nacionalidad, la solución era obligar a la mujer a adoptar la nacionalidad del marido y renunciar a la propia, para asegurar la mono-nacionalidad de la familia y su descendencia patrilineal, al igual que todavía ocurre en muchos países con el apellido.

Durante siglo y medio, numerosos acuerdos y convenciones internacionales perseguían los casos de nacionalidad múltiple, ya que eran considerados tan proscritos como la misma poligamia. Por ejemplo, la "Convención para reducir los casos de nacionalidad múltiple" del Consejo de Europa de 1963 pretendía tratar de evitar a toda costa rupturas en dicha relación unívoca entre las personas y los Estados. Se consideraba como una aberración que se saltaba las leyes naturales de fidelidad y lealtad de una persona a "su nación"; ¿por qué país iba a luchar en una guerra un ciudadano con doble nacionalidad?, ¿a qué país pertenecerían sus hijas e hijos?, ¿qué intereses económicos y políticos iba a defender?

La realidad hoy en día es muy distinta, y ha cambiado en muy pocos años, un fenómeno que Harpaz (conclusión de este volumen) llama "la revolución de la doble ciudadanía". Desde 1990, con el final de la Guerra Fría y el comienzo de la era de las migraciones globales (Castles y Miller, 2003), el número de personas con ciudadanía múltiple se ha incrementado

---

[2] Por "ciudadanía múltiple" o "nacionalidad múltiple" en este libro entendemos la posesión de más de una nacionalidad por parte de un mismo individuo. Dichos términos incluyen el concepto de "doble ciudadanía" o "doble nacionalidad", que algunos autores de este libro utilizan en referencia a la situación clásica más común de posesión de dos nacionalidades, aunque el número de personas con tres o más nacionalidades está creciendo rápidamente.

muy rápidamente en todo el mundo (Blatter, 2011). Esta tendencia ha estado facilitada por reformas legales en aproximadamente la mitad de los países del mundo que hoy posibilitan o toleran la ciudadanía múltiple, bien desde el punto de vista de la emigración o bien de la inmigración (Escobar, capítulo VI de este volumen; Harpaz, conclusión de este volumen; Blatter, Erdmann, y Schwanke, 2009). Los Estados facilitan o cierran el acceso a la ciudadanía múltiple a través de tres vías generales: el derecho de la sangre o la ancestría (*ius sanguinis*) el derecho de suelo por nacimiento (*ius soli*) y la naturalización por residencia o inversión económica.

Los principales factores que han contribuido a la expansión de la ciudadanía múltiple (Faist y Kivisto, 2007) son los siguientes: los grandes flujos migratorios y su creciente circularidad, el incremento de las tasas de naturalización sin necesidad de renunciar a la nacionalidad de origen, el uso de las disposiciones *ius sanguinis* para recuperar la ciudadanía de ancestros o vecinos "co-étnicos", el creciente número de descendientes de parejas mixtas internacionales, la expansión del derecho a la ciudadanía por nacimiento en el suelo (*ius soli*), la equidad de género en la transmisión de la ciudadanía, la descolonización, el final de la Guerra Fría, la ausencia de conflictos violentos entre la mayoría de las naciones, la desaparición del servicio militar obligatorio, un cambio en las percepciones sobre los emigrantes "de traidores a héroes", la ampliación del régimen internacional de derechos humanos, y el auge de la ética individual neoliberal. Pese a la importancia del fenómeno, ningún país del mundo sabe con certeza cuántos de sus ciudadanos lo son también de otros países.

En este libro proponemos que el auge de la ciudadanía múltiple debe ser visto como un proceso que se opone a —e incluso surge como consecuencia de— el incremento de políticas restrictivas hacia a los inmigrantes "no deseados" en el mundo desarrollado durante las últimas dos décadas. Así, mientras "el otro" queda excluido, los Estados generan o refuerzan mecanismos de inclusión en el "nosotros", a través de disposiciones en las políticas de nacionalidad que se exponen en los siguientes capítulos. Este doble juego de inclusión y exclusión, o de des-etnización y re-etnización de la ciudadanía (Joppke, 2003), se articula a través de la institución de la ciudadanía como herramienta de "cercamiento social" que pretende preservar la estabilidad social y la exclusividad al interior de una nación (Walzer, 1983).

Por lo tanto, en este libro argumentamos que la política de nacionalidad se ha convertido claramente en una herramienta de política migratoria poco estudiada en las ciencias sociales desde las prácticas concretas de los migrantes y ciudadanos múltiples. En particular, proponemos que, como respuesta a las cada vez más restrictivas políticas migratorias de los países más desarrollados, un creciente colectivo de ciudadanos múltiples está desarrollando nuevas prácticas de movilidad y vinculación con varios Estados sin necesariamente implicar la residencia permanente o asentamiento definitivo. Es obvio que, mediante el uso de varios pasaportes, estos "ciudadanos múltiples" tienen acceso a migración fluida, turismo y negocios sin visado, así como a educación y servicios públicos en varios países, o a la salida del país en momentos de crisis. Estas oportunidades permanecen cerradas, o son de muy difícil acceso, para las personas que sólo cuentan con una nacionalidad. Por eso Bauböck (2010) ha llamado a la adquisición de la ciudadanía "el derecho permanente de retorno", el mejor estatus migratorio que se puede conseguir, porque además de permanente es heredable a los descendientes y otorga nuevos derechos en todo el mundo, a diferencia de un permiso de residencia permanente que es individual, se puede perder y generalmente sólo otorga derechos en el país de residencia.

Uno de los principales derechos más anhelados de la ciudadanía múltiple es un incremento en las opciones de movilidad global. Como Zygmunt Bauman argumenta, "en el mundo contemporáneo la movilidad se ha constituido en uno de los factores de estratificación [social] más poderosos y codiciados" (Bauman, 1998: 9); mientras las élites globales con cierto "capital-red" (Elliott y Urry, 2010) tienen la habilidad de cruzar fronteras según su voluntad, se espera que los pobres se queden en casa, denegada su oportunidad de prosperar, a través de mecanismos de exclusión migratoria que ocultan nuevas formas de "racismo transnacional" (Castles, 2005). Dicho racismo opera abiertamente, por ejemplo, en las leyes de transmisión intergeneracional de la ciudadanía en Europa, de las cuales, como veremos en este libro (capítulos III, IV y V), se benefician algunos ciudadanos con ancestros europeos recientes, una suerte de capital étnico heredado (Mateos y Durand, 2012). Mientras tanto, para otras personas sin ancestros europeos, la única opción de acceder a la ciudadanía múltiple es capitalizar un tiempo de residencia legal en Europa para obtener la naturalización, y así construir nuevas formas de capital familiar. Todas estas formas de capital inherentes a la ciudadanía múltiple pueden facilitar la movilidad geográfica y con ella transformarse en otras formas de capital (humano, financiero, social). La adquisición de la ciudadanía múltiple puede verse así como un proceso de acumulación de capital para suplir deficiencias de la ciudadanía "de origen".

No obstante, pese a formar ya parte incuestionable de la realidad contemporánea, dichas prácticas de ciudadanía plurinacional, flexible y pragmática, están muy poco estudiadas desde una perspectiva comparada más allá de una lógica binacional. Es decir, la literatura académica y las políticas públicas sobre migración y ciudadanía tienden a ser de carácter muy normativo, concebidas "de arriba a abajo", desde las leyes de nacionalidad de cada nación y justificadas de manera aislada "país por país", o como mucho en pares de países origen-destino pero asumiendo movimientos migratorios unidireccionales y permanentes. Sin embargo, se desconoce en gran medida cómo los individuos y familias se apropian en la práctica de la ciudadanía múltiple (Bloemraad, Korteweg y Yurdakul, 2008), y construyen trayectorias de movilidad y de ciudadanía dentro de un marco de estrategias de adaptación y supervivencia (capítulos II, III, IV y V de este volumen). Así, la premisa fundamental de partida de este libro es la constatación de que, por la vía de los hechos, un creciente colectivo de personas está adoptando nuevas prácticas de ciudadanía múltiple y pragmática asociadas a nuevos patrones de movilidad e identidad intergeneracional. Éstas, pronto cambiarán la concepción de la pertenencia al Estado-nación como una "comunidad ancestral con un destino común" (Zolberg, 1999), para modificar radicalmente el significado del concepto de ciudadanía en el sentido de nacionalidad.

Por todo ello, este libro parte de la necesidad —ya apuntada por autores como Bloemraad, Korteweg y Yurdakul (2008)— de analizar dichas prácticas de ciudadanía múltiple y pragmática asociadas a nuevos patrones de movilidad, de manera rigurosa y en distintos escenarios geográficos del mundo para esclarecer sus motivaciones, oportunidades y retos planteados para las políticas en esta área. Dentro de esta óptica, este libro se propone comenzar a solventar ciertas carencias de conocimiento de dichas prácticas para el caso del creciente colectivo de ciudadanos múltiples latinoamericanos, un área del mundo muy poco estudiada en investigaciones sobre ciudadanía múltiple y migración.

América Latina fue uno de los subcontinentes de destino más importantes para los emigrantes europeos en los siglos XIX y XX, el número de emigrantes entre 1800 y 1930 se estima en 12 millones (Baily y Miguez, 2003). Por otro lado, hoy en día los latinoamericanos constituyen uno de los mayores colectivos de migrantes a escala global, principalmente en

Estados Unidos pero con una importancia creciente en la Unión Europea (Eurostat, 2014; OCDE, 2014). Además, en años recientes se ha observado una clara tendencia de los Estados latinoamericanos a reconocer la doble nacionalidad como una estrategia para mantener vínculos activos con su diáspora (C. Escobar, capítulo VI de este volumen), lo cual ha generado un rápido aumento de la ciudadanía múltiple entre migrantes latinoamericanos, y auspiciado importantes cuestionamientos acerca de la soberanía nacional (Calderón Chelius, 2003).

Uno de los principales factores del reciente y renovado interés en la transmisión intergeneracional de la ciudadanía en América Latina ha sido el actual incremento de la renta per cápita de los países de emigración histórica (España, Italia y Portugal) y el deterioro o estancamiento económico en los países de inmigración histórica en América Latina. Es decir, de alguna manera al revertirse los papeles que jugaron estas regiones históricamente, se generó un fuerte incentivo para que los descendientes de emigrantes europeos intenten recuperar un pasaporte de la Unión Europea a través de sus ancestros, como una "estrategia de salida" en tiempos de crisis económica. Finalmente, si bien estos flujos migratorios se han vuelto a revertir parcialmente a raíz de la crisis económica desatada desde 2008, para muchos migrantes la posesión de una ciudadanía de un país desarrollado es un objetivo clave a asegurar antes del retorno, capitalizando la experiencia migratoria en un activo que podrá ser transmitido intergeneracionalmente y facilitará futuras migraciones o movimientos a escala global.

El caso de los latinoamericanos con ciudadanía múltiple está conformado por una compleja geografía de prácticas de cambio de estatus legal y de movilidad que entrelazan países e historias migratorias moduladas por la residencia, la ancestría, la etnicidad y las trayectorias migratorias flexibles. En este libro estudiamos los dos principales colectivos: "euro-latinoamericanos" y "latinoamericano-estadounidenses", cuyas prácticas rehúyen ser sometidas a una visión simplista binacional y unidireccional de la relación entre ciudadanía y migración.

Consideramos que la perspectiva de la ciudadanía múltiple de latinoamericanos hacia Europa apenas ha sido estudiada fuera del Cono Sur del subcontinente o la naturalización en destino, mientras que la mayoría de los estudios en el continente se centran en cuestiones de naturalización en Estados Unidos, y visiones nacionales hacia su diáspora de emigrantes, como las leyes de no-pérdida de la nacionalidad y el voto en el extranjero. Hasta donde hemos podido indagar, no existen estudios que abarquen el fenómeno de la ciudadanía múltiple y la migración uniendo las literaturas norteamericana, europea y latinoamericana. Sin embargo, a un nivel empírico encontramos que los latinoamericanos con ciudadanía múltiple entre estas regiones sí tienen muy claro cómo vinculan sus vidas y pasaportes entre varias naciones e incluso continentes. Por todo ello, con este libro pretendemos comenzar a hacer aportaciones teóricas y empíricas acerca de las características y significados de la ciudadanía múltiple de estos dos colectivos de latinoamericanos.

Entre las preguntas de investigación que articulan el conjunto de problemas abordados en este libro se encuentran las siguientes: ¿Qué diferencias existen entre las prácticas de ciudadanía múltiple por parte de latinoamericanos en Europa y en Estados Unidos?, ¿y entre naciones latinoamericanas?; ¿qué factores influyen en las diversas actitudes de cada país ante la ciudadanía múltiple y los derechos de sus ciudadanos en el exterior?; ¿cómo están cambiando las prácticas de ciudadanía múltiple el concepto de la ciudadanía y del Estado-nación en las tres regiones de estudio?; ¿qué tipos de discriminación generan las políticas preferenciales hacia "nuevos ciudadanos"?, ¿en qué países y hacia qué colectivos?; ¿qué efecto tiene la ciudadanía múltiple en la integración social de inmigrantes?; ¿qué nuevas prácticas de movilidad y vida transnacional posibilita la ciudadanía múltiple?; ¿qué retos teóricos y metodológicos plantea el estudio de la ciudadanía múltiple desde el punto de vista del estudio de la migración en las ciencias sociales?

El establecimiento de un diálogo fructífero en idioma español entre académicos de múltiples disciplinas (ciencias sociales y políticas, estudios legales y humanidades), y entre diversos países de Europa y América es por tanto urgente y necesario para comenzar a resolver éstas y otras preguntas de investigación en torno a este nuevo y creciente fenómeno. Este libro representa un primer esfuerzo en esta dirección con la colaboración de diez autores expertos en ciudadanía múltiple y migración, con fuertes vínculos con varios países de América (Argentina, Colombia, Cuba, Ecuador, Estados Unidos, México, Venezuela, Perú y República Dominicana), Europa (España, Italia, Reino Unido, Alemania, Hungría, Rumania y Serbia) y Oriente Cercano (Israel), así como desde diversas perspectivas académicas (sociología, antropología, ciencias políticas, historia y geografía). A través de este libro se pretende acercar posturas entre dichas disciplinas y algunos países, así como documentar una serie de casos emblemáticos de las mencionadas prácticas y trayectorias de ciudadanía múltiple y migración de latinoamericanos observadas en diversos países de América y Europa que superan las carencias arriba mencionadas. Mediante este esfuerzo, el libro comienza a resolver algunas de las preguntas de investigación planteadas y conjuntamente perfila las bases para una agenda de investigación futura que permita el estudio comparativo de dichas prácticas en varias regiones del mundo. A la luz de los hallazgos empíricos y teóricos que aquí se exponen, y de manera explícita en la conclusión de cada capítulo y en el detallado capítulo de conclusión, se ofrecen las claves para esbozar dicha agenda de investigación.

El libro se divide en tres partes que organizan sus ocho capítulos centrales, además de una conclusión extensa que los integra. La primera parte, "Debates sobre ciudadanía y migración", recopila los principales debates teóricos sobre ciudadanía y migración a ambos lados del Atlántico, especialmente Estados Unidos, México y Europa, con el fin de contextualizar la obra dentro de la literatura reciente sobre ciudadanía y migración, en particular ciudadanía múltiple y migración. La segunda parte, "Ciudadanos euro-latinoamericanos", analiza el emergente colectivo de latinoamericanos con ciudadanía europea, particularmente de España, Italia y Reino Unido, comparando trayectorias y países a ambos lados del Atlántico y proponiendo tipologías de "euro-latinoamericanos". La tercera parte, "La ciudadanía múltiple en América Latina y Estados Unidos", se enfoca en la ciudadanía múltiple entre estas dos regiones de América, en ella se revisa las experiencias de los principales países y se presta especial atención al caso de la ciudadanía México-Estados Unidos, el mayor colectivo potencialmente binacional del mundo. Finalmente, el capítulo de conclusión aborda con profundidad una serie de temáticas comunes que emergen de los capítulos individuales, para vincularlos entre sí y apuntar los retos metodológicos y cuestiones clave para la conformación de una futura agenda de investigación en el tema de la ciudadanía múltiple y la migración, con implicaciones a escala mundial.

La primera parte, "Debates sobre ciudadanía y migración", se abre con una reflexión teórica de Thomas Faist titulada "Migración y teorías de la ciudadanía". En este primer capítulo se ofrece una visión general acerca de los debates y teorías contemporáneas sobre ciudadanía y migración en el mundo. Faist aborda cómo las políticas de integración de la población inmigrante, así como la extensión hacia los emigrantes, están modificando la institución de la ciudadanía en el mundo y creando tensiones entre tendencias contrarias de disgregación y repliegue de la nación. En particular, ahonda en dos nuevas formas de la ciudadanía: la ciudadanía "anida-da" de la Unión Europea y la ciudadanía múltiple, dos ejes fundamentales que sirven de soporte teórico a varios de los capítulos del libro.

En el capítulo II, "Ciudadanía a la carta: La emigración y el fortaleci-miento del Estado soberano", David FitzGerald propone el concepto de la "ciudadanía a la carta". El autor sostiene que, lejos de menoscabar la sobe-ranía de los Estados-nación, en un mundo descrito por algunos como "posnacional", los esfuerzos de los países de origen para incluir institucio-nalmente a sus ciudadanos emigrantes y grupos étnicos afines que residen en el extranjero, representan la solidez del sistema de Estados-nación basa-do en el principio westfaliano de la soberanía territorial. Y con ello ofrecen un "menú de opciones" de ciudadanía "a la carta", que pone el énfasis en los derechos sobre las obligaciones, con intrigantes consecuencias para el futuro del Estado entendido como una comunidad de solidaridad nacio-nal. Muchas de las implicaciones de dicha disimetría entre derechos y obligaciones en las prácticas de ciudadanía múltiple emergen en el resto de los capítulos del libro, por lo tanto el capítulo II aporta un buen contexto teórico con el cual interpretar dichas asimetrías en el resto del libro.

La segunda parte, "Ciudadanos euro-latinoamericanos", inicia con el capítulo III, "Ciudadanía múltiple y extraterritorial: Tipologías de movi-lidad y ancestría de euro-latinoamericanos", de Pablo Mateos. Este trabajo propone el término "*multizens*" para denominar al colectivo de ciudada-nos múltiples, centrándose en el caso de la Unión Europea. Se propone una tipología de trayectorias hacia la ciudadanía múltiple europea en un marco global de escenarios alternativos de movilidad, naturalización y an-cestría. Estas trayectorias se presentan junto con la escasa evidencia esta-dística disponible y se ilustran con ejemplos cualitativos del colectivo euro-latinoamericano en España, Reino Unido y los países de origen (principalmente Argentina, Bolivia, Colombia, Cuba, Ecuador, México y República Dominicana). Se trata por lo tanto de un primer intento de delinear el volumen, las trayectorias legales y las geografías de movilidad de los diferentes perfiles de *multizens* euro-latinoamericanos. El capítulo III sirve además para enmarcar los dos casos representativos de dichas trayectorias de euro-latinoamericanos que se abordan con profundidad en los dos siguientes capítulos.

El capítulo IV, "Ciudadanos españoles producto de la Ley de la Memo-ria Histórica: motivos y movilidades", de Antonio Izquierdo y Luca Chao aborda el caso de los "nuevos españoles" que se acogieron a la denominada

Ley de la Memoria Histórica entre 2008 y 2011. La mayoría de este colectivo de medio millón de ciudadanos múltiples procede de países latinoamericanos, principalmente Cuba, México y Argentina. El capítulo ahonda en la justificación política y social de dicha ley en un contexto expansionista de derechos y *boom* económico, pero con ciertos tintes re-etnizadores (Joppke, 2003). Finaliza con el esbozo de una serie de perfiles demográficos, identitarios y de movilidad de ciudadanos múltiples que emergen por las características de dicha ley y la historia reciente de la emigración española en el siglo XX.

El capítulo V, "El pasaporte del abuelo: Orígenes, significado y problemática de la ciudadanía múltiple", de David Cook-Martín, aborda cómo la competencia entre tres países —Argentina, España e Italia— por un mismo grupo de migrantes, desde finales del siglo XIX y a lo largo del siglo XX, ha resultado en políticas que, ya sea en la ley formal o en la práctica, hoy en día permiten la ciudadanía múltiple. Desde la óptica de la etnografía, analiza el caso de argentinos que tienen o buscan una nacionalidad ancestral europea, cuestionando los análisis que dan por sentado la validez normativa de las perspectivas estatales y unilaterales de la ciudadanía. Con ello propone un replanteamiento de las maneras de entender los referentes y niveles políticos de la ciudadanía europea en un contexto transnacional e inter-generacional.

La tercera parte, "La ciudadanía múltiple en América Latina y Estados Unidos", abre con el capítulo VI, "Derechos extraterritoriales y doble ciudadanía en América Latina", de Cristina Escobar, en el cual se presenta una exhaustiva revisión sobre la tendencia hacia la permisividad de la doble ciudadanía en toda Latinoamérica en los últimos 25 años, centrándose en la relación con la migración de la región hacia Estados Unidos. Analiza comparativamente la legislación en materia de nacionalidad de 16 países latinoamericanos (leyes de no-pérdida de nacionalidad), en paralelo con la ampliación de los derechos políticos para sus migrantes en el exterior. Concluye que, de estar prohibida en 1994, actualmente todos los países analizados permiten algún tipo de ciudadanía múltiple. Establece una clasificación de países según sus modos de acceso a la ciudadanía múltiple, determinados por las características de la migración en cada país, la especificidad de sus sistemas políticos y electorales, la relación histórica entre el Estado y sus ciudadanos y las presiones de Estados Unidos hacia los inmigrantes no-nacionales y el incentivo de la naturalización. El capítulo VI aporta por lo tanto un excelente marco normativo que, al comparar los casos latinoamericanos, permite entender los siguientes capítulos VII y VIII y con el que se puede comparar el caso euro-latinoamericano abordado en la segunda parte.

El capítulo VII, "Migración y ciudadanía. El caso norteamericano", de Jorge Durand, presenta una revisión histórica acerca de cómo se ha ido moldeando el concepto de ciudadanía en Estados Unidos a través de la migración, esclavitud, grupos indígenas y definición tardía de fronteras con Canadá y México en el contexto geopolítico de Norteamérica y el Caribe. Durand demuestra cómo el concepto de ciudadanía ha tenido que adaptarse y ajustarse a la migración, la etnicidad y el movimiento de fronteras de maneras dinámicas y poco conocidas. A partir de este contexto histórico, analiza tendencias contemporáneas en la relación entre ciudadanía, etnia y territorio, como la restricción del derecho por nacimiento en el territorio (*ius soli*) propuesto en Estados Unidos, y aprobado en República Dominicana y en varios países europeos. Así, el capítulo VII aclara el desarrollo histórico de una serie de conceptos clave asociados a la noción de la ciudadanía y nos ayuda a interpretar ciertas tendencias actuales propias de la ciudadanía múltiple y de la migración con una mayor profundidad temporal.

El capítulo VIII, "Migración de retorno y ciudadanía múltiple en México", de Agustín Escobar, aborda el caso de los ciudadanos mexicano-estadounidenses. Frente al consenso de las ventajas de la ciudadanía múltiple con respecto a la ampliación de los derechos y capacidades para manejar distintos ámbitos normativos y territorios, Agustín Escobar se centra en una perspectiva apenas estudiada: las restricciones y dificultades que dicho colectivo ha sufrido en ambos lados de la frontera, en especial a la hora de hacer valer sus derechos como nacionales cuando retornan a México. Este capítulo, en consecuencia, presenta un contrapunto al valor positivo de la ciudadanía múltiple y las estrategias para conseguirla, que predomina en el resto del libro, al ser el único que se centra en su utilización pragmática en el país de origen, o el país de los padres, de los ciudadanos múltiples. Con ello delata que la ciudadanía múltiple o dual no es simétrica, ni produce necesariamente un acceso automático a los derechos para los que estos ciudadanos son elegibles. Por el contrario, median diversos obstáculos administrativos que son clave para entender la carencia de derechos y que convierten a algunos ciudadanos múltiples en apátridas *de facto*.

El libro cierra con un extenso capítulo de conclusión titulado "La doble nacionalidad como herramienta geopolítica, régimen de movilidad y forma de capital", de Yossi Harpaz. En él, el autor compara con destreza las implicaciones de las principales tendencias teóricas y empíricas acerca de la ciudadanía múltiple abordadas en los distintos capítulos. En esta síntesis confronta los casos de "euro-latinoamericanos" con los de los "latinoamericano-estadounidenses", en particular con los "mexicano-estadounidenses", contrastándolos con otras zonas del mundo que Harpaz ha estudiado (Israel y Europa del Este). Así, logra establecer una densa trama de vínculos muy relevantes entre capítulos, teorías, países y modalidades de ciudadanía múltiple, que no adelantamos aquí para que el lector pueda disfrutar el final del libro. Harpaz concluye planteando una serie de preguntas que permanecen sin respuesta, y con ello esboza una agenda futura de investigación para conocer cómo opera la ciudadanía múltiple en el mundo —utilizando las palabras del propio autor— como "herramienta geopolítica estatal, régimen internacional de movilidad y forma de capital personal".

A través de los conceptos, tendencias, patrones, contradicciones, consecuencias y vínculos entre los trabajos establecidos en los ocho capítulos centrales del libro más la conclusión, emerge claramente un cuerpo de conocimiento que permitirá a futuros investigadores monitorear la evolución de este creciente fenómeno de la ciudadanía múltiple. Esperamos, por lo tanto, haber abierto un nuevo campo de investigación multidisciplinar en ciencias sociales y humanidades en idioma español que entrelace perspectivas desde Europa, Norteamérica y Latinoamérica e incluya planteamientos que partan desde las experiencias de los ciudadanos múltiples del sur global.

Tome el lector los hallazgos y contradicciones planteados por este libro, así como las nuevas preguntas que emanan de sus capítulos, como un punto de partida, y no de destino, en un fascinante viaje en el que lo invitamos a elaborar sus propias interpretaciones. Sin lugar a dudas, en las próximas décadas las prácticas de ciudadanía múltiple irán cambiando el sistema de Estados-nación que conocimos en el siglo XX, para revelar las contradicciones de un orden excluyente y de instintos "primarios" enraizados en las nociones tribales de "sangre y territorio", o etnia y fronteras. De las tensiones que emerjan entre una concepción cosmopolita, superpuesta, acumulativa e inclusiva de la ciudadanía, y otras más exclusivas, étnicas, locales e individuales, emanará un nuevo orden mundial que sustituirá a la actual manera en la que "etiquetamos" a los habitantes del planeta Tierra con pasaportes nacionales, y con ello determinamos sus opciones en la vida (Shachar, 2009). Esperamos que las identidades traslapadas que aporta la ciudadanía múltiple hagan que dicho nuevo orden mundial sea más justo y universal que el que actualmente tenemos y, como describe Faist (capítulo I de este volumen) fomenten la voluntad de redistribuir bienes entre "otros" anónimos a través de formas de reciprocidad desinteresada o solidaridad difusa.

Bibliografía

Baily, S. y E. Miguez. 2003. *Mass Migration to Modern Latin America.* Wilmington: Jaguar Books.

Bauböck, R. 2006. *The Acquisition and Loss of Nationality in Fifteen EU States. Results of the Comparative Project NATAC.* Disponible en: http://diversity.commedia.net.gr/files/studies/meletes/Nationality-in-15-EU-states.pdf [consultado el 20 de octubre de 2010].

_____. 2010. "Compound Citizenship: Empirical and Normative Perspectives on Migration", en *Symposium - Migrations, Interdisciplinary Perspectives.* Viena: Symposium Migrations: Interdisciplinary Perspectives, julio 1. Wien Universität.

Bauman, Z. 1998. "Globalization: The Human Consequences". Nueva York: Columbia.

Blatter, J. 2011. "Dual Citizenship and Theories of Democracy". *Citizenship Studies* 15(6-7), pp. 769-798.

Blatter, J.K., S. Erdmann y K. Schwanke. 2009. *Acceptance of Dual Citizenship: Empirical Data and Political Contexts.* Lucerna. Disponible en: http://www.alexandria.unisg.ch/EXPORT/DL/51171.pdf [consultado el 1 de noviembre de 2011]

Bloemraad, I., A. Korteweg y G. Yurdakul. 2008. "Citizenship and Immigration: Multiculturalism, Assimilation, and Challenges to the Nation-State". *Annu. Rev. Sociol.*, 34, pp. 153-179.

Calderón Chelius, L. 2003. *Votar en la distancia. La extensión de los derechos políticos a migrantes, experiencias comparadas.* México: Instituto Mora.

Castles, S. 2005. "Nation and Empire: Hierarchies of Citizenship in the New Global Order". *International Politics*, 42(2), pp. 203-224.

Castles, S. y M.J. Miller. 2003. *The Age of Migration.* Basingstoke: Palgrave Macmillan.

Elliott, A. y J. Urry. 2010. *Mobile Lives.* Abingdon: Routledge.

Eurostat. 2014. *Population by Sex, Citizenship and Broad Group of Country of Birth Tabla* [migr_pop5ctz], Bruselas. Disponible en: http://ec.europa.eu/eurostat/statistics-explained/index.php?title=Migration_and_migrant_population_statistics&oldid=203739

Faist, T. y P. Kivisto. 2007. *Dual Citizenship in Global Perspective: From Unitary to Multiple Citizenship*. Basingstoke: Palgrave Macmillan.

Joppke, C. 2003. "Citizenship between De- and Re-Ethnicization". *European Journal of Sociology*, 44(03), pp. 429-458.

_____. 2010. *Citizenship and Immigration*. Londres: Polity.

Mateos, P. y J. Durand. 2012. "Residence vs. Ancestry in Acquisition of Spanish Citizenship; A 'netnography' approach". *Migraciones internacionales*, 6(4), pp. 9-46.

Organización para la Cooperación y el Desarrollo Económicos (OCDE). 2014. *International Migration Database*. París. Disponible en: http://stats.oecd.org/Index.aspx?DataSetCode=MIG

Sassen, S. 2006. *Territory, Authority and Rights: From Medieval to Global Assemblages*. Princeton: Princeton University Press.

Shachar, A. 2009. *The Birthright Lottery: Citizenship and Global Inequality*. Cambridge: Harvard University Press.

Walzer, M. 1983. *Spheres of Justice: A Defence of Pluralism and Equality*. Oxford: Blackwell.

Zolberg, A. 1999. "Matters of State: Theorizing Immigration Policy", en A.J. DeWind, C. Hirschman y P. Kasinitz (eds.), *The Handbook of International Migration*. Nueva York: Russell Sage Foundation. pp. 71-93.

PRIMERA PARTE

Debates sobre ciudadanía y migración

I. Migración y teorías de la ciudadanía*

Thomas Faist**

En décadas recientes, la ciudadanía ha llegado a ocupar un lugar central en las ciencias sociales. Se ha vuelto un punto focal para un amplio abanico de discusiones sobre los rumbos de la democracia en una sociedad cada vez más transnacional; sobre el futuro de los Estados de bienestar y la integración en la sociedad tanto de los migrantes recién llegados como de ésta en su totalidad. La movilidad de las personas a través de las fronteras de los Estados nacionales y sus consecuencias están imbricadas en marcos más amplios de transacciones transfronterizas de bienes, servicios, capital, ideas y esfuerzos incipientes por lograr la gobernanza transnacional, que se han convertido en tópicos estratégicos de investigación para las fronteras políticas cambiantes.

En particular, la migración es un fenómeno que de modo especial cuestiona la ciudadanía, ya que la movilidad transfronteriza plantea preguntas acerca de la inclusión y exclusión en términos de ciudadanía, así como sobre el significado amplio de la pertenencia parcial y total en comunidades políticas. De hecho, muchos o incluso la mayoría de los migrantes internacionales no son —por lo menos al principio— ciudadanos del país al que migran. El proceso de adquirir la ciudadanía no sólo es largo y muchas veces arduo, sino que los debates públicos y los conflictos políticos en torno a la ciudadanía de los inmigrantes son indicativos de tendencias más amplias en torno a la ciudadanía. De hecho, tanto la ciudadanía como la migración son consideradas características importantes de nuestro tiempo. Existe la creencia generalizada de que estamos vivien-

* Traducción del original inédito en inglés de Cindy McCulligh y Edith Carrillo.
** Profesor de Relaciones Transnacionales y Sociología del Desarrollo y deán de la Facultad de Sociología de la Universidad de Bielefeld, Alemania.

do en lo que el sociólogo y ex presidente brasileño, Fernando Henrique Cardoso ha denominado "una época de ciudadanía" (véase Kivisto y Faist, 2007), y lo que el sociólogo Stephen Castles y el politólogo Mark Miller (2003) han nombrado la "era de la migración". Sin embargo, teóricos sociales y políticos empiezan a divergir cuando se trata de: *1)* especificar de qué maneras la ciudadanía es considerada importante para la integración de los inmigrantes; *2)* establecer las implicaciones de la migración para la ciudadanía y para los propios migrantes; *3)* identificar los factores y cambios que se piensa están transformando —para bien o para mal— el significado y carácter de la ciudadanía en una era migratoria.

El análisis que sigue ofrece un resumen de las teorías de ciudadanía, utilizando como foco la migración y la incorporación de los "recién llegados" para discutir algunos aspectos destacados de la membresía, que son también relevantes para cualquier tratamiento general de la ciudadanía.

La proliferación en la literatura de adjetivos que buscan describir las características peculiares de la ciudadanía hoy en día subraya el esfuerzo por captar aquello que se considera novedoso de la situación actual. Así, encontramos abordajes de la ciudadanía mundial (Heater, 2002), ciudadanía global (Falk, 1994), ciudadanía universal (Young, 1989), ciudadanía cosmopolita (Linklater, 1999), ciudadanía múltiple (Held, 1995), ciudadanía posnacional (Soysal, 1994), ciudadanía transnacional (Bauböck, 2003), ciudadanía anidada (*nested citizenship*) (Faist, 2001), ciudadanía multinivel (*multi-layered citizenship*) (Yuval-Davis, 2000), ciudadanía multicultural (Kymlicka, 1995), 'ciberciudadanía' (Tambini, 1997), ciudadanía ambiental (Jelin, 2000), ciudadanía feminista (Lister, 1997), ciudadanía de género (*gendered citizenship*) (Seidman, 1999), ciudadanía flexible (Ong, 1999), ciudadanía íntima (Plummer, 2003) y ciudadanía protectora (Gilbertson y Singer, 2003). Algunos de los términos se han adoptado explícitamente para captar el nexo entre migración y ciudadanía, tales como la ciudadanía dual, posnacional y flexible, mientras que otros se refieren a concepciones más amplias, como la ciudadanía global, ambiental y feminista. Todas estas formas de ciudadanía ponen en tela de juicio dos suposiciones centrales de la teoría clásica de la ciudadanía: primero, la congruencia entre el territorio de un Estado, un pueblo (nación) y la autoridad estatal (un referente clásico es Jellinek, 1964; véase la adaptación de Sassen, 2006, para distinguir entre territorio, autoridad y derechos) y, segundo, la homogeneidad de la población, principalmente en torno a características como clase y nación. Con relación a esta última, se debe extender la ingeniosa formulación de T.H. Marshall (1964) con respecto a la ciudadanía social como un acuerdo histórico de clase en torno a los resultados del mercado, con base en los principios de contrato y solidaridad, en un colectivo denominado nación. Lo más importante, con relación a la suposición de una relativa homogeneidad, es que las nuevas formas de ciudadanía, ya mencionadas, son una señal del mayor énfasis puesto por los teóricos de la ciudadanía en la heterogeneidad y la creciente diversidad entre las personas. Esto es, características heterogéneas como el género, la religión, la edad y otras, que se han vuelto más relevantes social y políticamente.

En el gran y creciente corpus de trabajos académicos sobre la ciudadanía, principalmente desde las disciplinas interrelacionadas de la sociología, ciencia política, filosofía y estudios culturales, podemos distinguir dos discursos principales sobre el tema. El primero está interesado en la expansión de la ciudadanía y, el segundo, en su erosión, en los marcos de los Estados nacionales. Sin embargo, estos discursos han prestado menor atención a la doble extensión de la ciudadanía, tanto transnacional como global. Comparativamente, también se ha dedicado menor esfuerzo a la reformulación de la ciudadanía a la luz de procesos transfronterizos que tienen un impacto en lo que podemos considerar la ciudadanía local y a los cambios en los recursos socio-morales que subyacen a la ciudadanía, esto es, la reciprocidad y la solidaridad, y en el concepto de ciudadanía cívica.

Finalmente, en todas sus formas, excepto en la global, la ciudadanía funge como una suerte de "cierre social" hacia todos aquellos que no pertenecen a la entidad política predefinida. Lo que está en juego no es simplemente el surgimiento de nuevas formas de ciudadanía, tales como la ciudadanía transnacional o la ciudadanía global, sino la globalización interna de las formas existentes de ciudadanía y la consecuente transformación de la ciudadanía nacional; por lo tanto, es necesario explorar los límites del concepto de ciudadanía como medio de inclusión política y social.

Hacia una definición de ciudadanía

Antes de demostrar cómo la migración presenta un reto para la ciudadanía, es necesaria una discusión más general del término. La ciudadanía es un concepto disputado y normativo (Walzer, 1989); hoy en día se refiere generalmente a la pertenencia plena a un Estado nacional. No existen definiciones ampliamente aceptadas del término. Según la tradición aristotélica, la ciudadanía constituye una expresión de la plena pertenencia de las personas a una comunidad política, con la meta final de la libertad política igualitaria, sin importar si los ciudadanos son gobernantes o gobernados (Aristóteles, 1962: III.1274b32-1275b21). En general, se puede distinguir de manera útil entre un concepto legal —la ciudadanía legal o "nacionalidad" (por ejemplo, *nationality, nationalité, Staatsangehörigkeit*) — y un concepto político de la ciudadanía.

La ciudadanía como concepto legal significa la membresía plena a un Estado y el correspondiente vínculo con la ley estatal y el sometimiento al poder del Estado. La función interestatal de la nacionalidad es definir a un pueblo dentro de un territorio claramente delimitado y proteger a los ciudadanos de un Estado contra las amenazas del mundo externo, a veces hostil. La función intraestatal de la nacionalidad es definir los derechos y deberes de sus ciudadanos. De acuerdo con el principio de *domaine réservé* —ámbito reservado o competencia exclusiva— cada Estado decide los criterios requeridos para acceder a la ciudadanía, dentro de los límites de la autodeterminación. Una condición general de la pertenencia es que los nacionales tengan algún tipo de vínculo cercano con el Estado en cuestión, un "vínculo genuino" (Faist, 2007).

En cambio, la ciudadanía vista como un debatido concepto político tiene que ver con la relación entre el Estado y la democracia: "Sin un Estado, no puede haber ciudadanía; sin ciudadanía, no puede haber democracia" (Linz y Stepan, 1996: 28).[1] En esencia, la ciudadanía se basa en la autodeterminación colectiva, esto es, en la democracia, y se compone esencialmente de tres dimensiones mutuamente condicionadas: primero, el estatus de igualdad y libertad política y la autodeterminación democrática, legalmente garantizados; segundo, iguales derechos y obligaciones para todos los miembros de pleno derecho y, tercero, la afiliación a una comunidad política.

1. *Democracia*: se relaciona con el principio de legitimación política en el establecimiento y aceptación de reglas. En esta primera y básica dimensión, la ciudadanía consiste en prácticas, esto es, las maneras como se dan las relaciones entre los ciudadanos y la comunidad política como un todo a lo largo del tiempo y, más específicamente, cómo los ciudadanos negocian y dan forma a su ciudadanía. Así, la ciudada-

---

[1] Todas las citas textuales se han traducido del inglés al español.

nía significa, sobre todo, el principio de la unidad tanto de los que gobiernan como de los gobernados (Rousseau, 1966: 76), cualesquiera que sean los procedimientos democráticos que cada Estado adopte en detalle. Idealmente, los ciudadanos dotados de libertad política obedecen las leyes en cuya creación han participado y cuya validez confirman. Sin procedimientos democráticos que guíen la autodeterminación política de los ciudadanos, la ciudadanía significaría poco más que un conjunto de miembros de comunidades políticas sujetas a un soberano.

2. *Derechos y deberes*: la ciudadanía se basa en el principio del Estado de derecho que garantiza el derecho a la ciudadanía y a los derechos asociados con ésta, así como en la responsabilidad del Estado de establecer políticas públicas que otorguen un mínimo de bienestar. En general, los derechos de los ciudadanos caen en varios ámbitos: derechos civiles o restrictivos de la libertad, como el derecho a un juicio justo; derechos a la participación política tales como los derechos a votar y a asociarse, y derechos sociales; este último tipo incluye el derecho a prestaciones sociales en el caso de enfermedad, desempleo, vejez, y el derecho a la educación (Marshall, 1964). A los derechos de los ciudadanos corresponden deberes, como el deber de servir en las fuerzas armadas para proteger la soberanía del Estado en contra de amenazas externas; mientras que a nivel interno están deberes como los de pagar impuestos, reconocer los derechos y las libertades de otros ciudadanos y aceptar las decisiones democráticamente adoptadas por las mayorías.

3. *Afiliación colectiva*: la ciudadanía implica la afiliación a una comunidad política, frecuentemente entendida como la "nación" en los siglos XIX y XX. La ciudadanía descansa en la afinidad de los ciudadanos con ciertas comunidades políticas, en la identificación parcial con, y por lo tanto una lealtad hacia, un colectivo que se gobierna a sí mismo (véase Weber, 1980: 242-244). Tales colectivos afirman establecer un equilibro entre, por una parte, los intereses individuales y los comunes y, por la otra, los derechos y responsabilidades dentro de una comunidad política. La afiliación a un colectivo, ya sea una nación u otra entidad, expresada como un conjunto de vínculos sociales y simbólicos relativamente continuos de ciudadanos de otra manera anónimos unos hacia otros, está ligada a la dimensión de estatus de la ciudadanía ya que, a semejanza de un contrato social, existen obligaciones recíprocas de los miembros en una comunidad política.

Las tres dimensiones están intrincadamente conectadas. Existe una codificación doble de la ciudadanía (véase Habermas, 1998): el acceso al estatus legalmente garantizado y los derechos en una democracia (primera y segunda dimensiones), que generalmente implican pertenecer a una comunidad políticamente definida (tercera dimensión). En forma importante, la ciudadanía no sólo descansa sobre el estatus de los vínculos Estado-ciudadano sino también sobre los vínculos entre ciudadanos. La ciudadanía forma una serie continua de vínculos institucionalizados entre ciudadanos (Tilly, 1996). Con frecuencia, los análisis políticos tienden a enfocarse en el aspecto del estatus y a ignorar el aspecto de los vínculos sociales. En particular, la ciudadanía denota la institucionalización de una reciprocidad generalizada y una solidaridad difusa entre los miembros de una comunidad política —como un contrato social (Dahrendorf, 1988: 116)—. La reciprocidad generalizada significa que nuestros pares pueden ser vistos como un grupo (por ejemplo, una nación) en lugar de como actores particulares. Implica apegarse a estándares de comportamiento normalmente aceptados. La solidaridad difusa se relaciona con la empatía hacia otros y, como la reciprocidad generalizada, también tiene que ver con formaciones sociales más grandes en las cuales los participantes y miembros por lo general carecen de contacto cara a cara (Faist, 2001). Numerosos derechos sociales y las políticas correspondientes, sobre todo aquellos con un efecto redistributivo, requieren vínculos de reciprocidad generalizada entre los ciudadanos. Éste es el caso del llamado "acuerdo entre generaciones" para los esquemas de pensiones no-diferidas, es decir, aquellos basados en el acuerdo de que la generación económicamente activa paga las pensiones de la generación que ya se jubiló con la esperanza de que la siguiente generación haga lo mismo. Otros mecanismos redistributivos que necesitan una base de solidaridad difusa son, por ejemplo, los esquemas que aseguran un ingreso básico mínimo financiados por los ingresos fiscales generales.

A lo largo del último siglo, se pueden identificar tres tendencias principales en el desarrollo de la ciudadanía, las cuales han contribuido a darle forma. Éstas son: expansión —a través de la inclusión continua de nuevos grupos dentro de Estados (naciones) —, erosión —a través de la disminución en la participación política de los miembros o ciudadanos en la esfera política— y extensión —a través de la separación parcial de la tríada autoridad, población y territorio estatales, y de la transnacionalización general de los procesos sociales.

La expansión de la ciudadanía: de la exclusión a la inclusión y la lucha por los derechos

Los teóricos de la expansión ven la ciudadanía como dinámica y susceptible de reinvención en respuesta a las exigencias de los retos contemporáneos. Sobre esta cuestión existen dos discursos distintos, aunque a veces interconectados.

En uno de éstos, la expansión de la ciudadanía es vista en términos de la inclusión progresiva de grupos hasta entonces marginados y excluidos. Por ejemplo, el funcionalismo evolucionista de Talcott Parsons (1971) sugiere que entre las tendencias dominantes que dan forma a las sociedades modernas están el interés y la capacidad creciente en la inclusividad. Desde esta perspectiva, la ciudadanía funge como un modo particularmente significativo de identidad y solidaridad en sociedades pluralistas. Esta teoría presta especial atención a varios aspectos de la heterogeneidad, como etnicidad, raza, género, estatus migratorio o experiencia. Un aspecto tiene que ver con la adquisición de la ciudadanía, y otro con la extensión de derechos ciudadanos a grupos hasta entonces excluidos, incluidos los migrantes. La adquisición de la ciudadanía se constituye por criterios relacionados con el país de nacimiento. Los dos principios más difundidos para niños nacidos en un Estado son *ius sanguinis* como el principio de transmisión intergeneracional, que existe en casi todos los países y, además, *ius soli*, el principio de territorialidad, más incluyente con respecto a los hijos de recién llegados. Los criterios para recién llegados también podrían ser el tiempo de su estancia en el país para poder ser naturalizados, los conocimientos lingüísticos, una cierta prueba de alfabetismo cívico y la demostración de recursos materiales o habilidades deseadas en el mercado. En Europa se observa la tendencia a que converjan los criterios que regulan la adquisición de la ciudadanía legal por nacimiento o por naturalización; por ejemplo, hay una creciente difusión del principio de *ius soli*, o la adopción generalizada de reglas explícitas, como exigir el conocimiento del idioma oficial del país de naturalización como un requisito para adquirir la ciudadanía (véase Joppke, 1999). Estudios empíricos han interpretado tales tendencias medibles como una señal de aumento en la inclusividad (Waldrauch, 2001). Según la teoría política normativa, buena parte del ímpetu hacia un mayor grado de inclusión de los migrantes y sus hijos puede derivarse del principio democrático de congruencia entre los derechos que puede tener la población legalmente residente y la población habitante *de facto*. Los residentes sujetos a las leyes deben tener voz en la elaboración de dichas leyes —esto es una emanación directa de la primera dimensión de la ciudadanía, la cual afirma la libertad política igualitaria—. No obstante, aun desde esta perspectiva quedan preguntas como ¿deben los migrantes comprobar, de alguna manera, que se han incorporado social o culturalmente, antes de que se les permita naturalizarse y así tener acceso a derechos plenos? O, ¿la ciudadanía plena representa, más bien, el inicio del proceso de integración, una especie de prerrequisito necesario para la incorporación plena? El segundo aspecto se relaciona con el hecho de que algunos (sub-)grupos de migrantes o minorías nacionales se caracterizan por raza o etnicidad. Aquí, el enfoque no está en los recién llegados sino en ciudadanos plenos a quienes se les ha privado de adquirir los derechos plenos o de poder ejercerlos. La inclusión a través de extender los derechos universales (por ejemplo, derecho al voto para todos, como en el caso del movimiento por los derechos civiles en Estados Unidos) u otorgar derechos específicos (por ejemplo, el derecho a la representación para minorías religiosas o étnicas), muchas veces se justifica con base en la discriminación en el pasado o el presente (por ejemplo, políticas de acción afirmativa), o en el interés por asegurar que los miembros de minorías puedan aprovechar su herencia cultural. En aquellos Estados con un alto grado de derechos para minorías o derechos multiculturales, características como género, etnicidad y raza han adquirido un peso importante en el proceso de determinar a quién se le debe otorgar ciudadanía plena en la entidad política.

Una de las preguntas interesantes tiene que ver con los efectos materiales de la extensión de la ciudadanía a migrantes. La ciudadanía y las oportunidades para su adquisición pueden también tener efectos muy tangibles en las posibilidades de vida de los migrantes, poniendo de relieve la relación entre la adquisición de la ciudadanía y la inclusión de los migrantes. La pregunta es si la ciudadanía podría ser usada como un instrumento para promover la integración de los migrantes o si (debe) funciona(r) como una recompensa para los migrantes con buen desempeño. Hallazgos recientes sobre este tema para países de la Organización para la Cooperación y el Desarrollo Económicos (OCDE) sugieren que la primera postura tiene mayor validez empírica que la segunda (Liebig y Von Haaren, 2011: 48-49).[2]

---

[2] Este estudio fue elaborado por la propia OCDE. Se construyeron modelos de probabilidad lineal para explicar diferencias en la probabilidad de estar empleado entre migrantes naturalizados o no por país de naturalización y género, controlados por país de origen y diferencias de edad y

Para empezar, los datos indican que aquellos migrantes que han adquirido la ciudadanía en el país de inmigración tienden a lograr resultados más favorables en el mercado laboral. Como era de esperar, los resultados positivos se derivan en parte de que hay una cierta selección positiva de los migrantes que obtienen la ciudadanía. Por ejemplo, es probable que los migrantes que adoptan la ciudadanía del Estado de inmigración tengan mayores niveles de educación y puestos más altos en el mercado laboral aun antes de la naturalización. La pregunta crucial, entonces, es si el hecho de tener la ciudadanía del país de inmigración puede, por sí solo, tener un efecto benéfico en los resultados de los migrantes en el mercado laboral. De hecho, parece que no sólo aumenta la probabilidad general de encontrar empleo, sino que también repercute en el nivel salarial y la mejor representación de migrantes en el sector público. Lo que es más, parece que los efectos son más fuertes para los migrantes en mayor desventaja en el mercado laboral.

La erosión de la ciudadanía: naturalización, cohesión social y neoliberalismo

Los teóricos de la erosión tienen dos preocupaciones diferentes, aunque a veces interconectadas, en relación con lo que se considera una disminución en la eficacia y pertinencia de la ciudadanía. Una variante está centrada en lo que se percibe como un continuo descenso en el involucramiento de personas ordinarias en la vida pública. Este tema en particular ha sido una de las principales preocupaciones de quienes están interesados en el destino de la esfera pública o la sociedad civil, de maneras diferentes y desde perspectivas distintas, como atestiguan los trabajos de Benjamin Barber, Robert Bellah, Amitai Etzioni y Robert Putnam (Kivisto y Faist, 2007). Con relación a los migrantes, uno de los temas clave son las condiciones y criterios de la naturalización. En este sentido, el temor es la "devaluación" de la ciudadanía, ya que los inmigrantes la pueden obtener con demasiada facilidad (Schuck y Smith, 1985). Otras preocupaciones frecuentemente expresadas están relacionadas con la adquisición interesada de la ciudadanía. Es decir, respecto a que se pueda tomar la ciudadanía sólo por motivos pragmáticos. Existe evidencia de que en países con políticas migratorias más restrictivas hay mayor incentivo para adquirir la ciu-

---

nivel educativo (Liebig y Von Haaren, 2011: 35). El estudio encuentra coeficientes de correlación positiva y significativa en la mayoría de los grupos, especialmente fuerte en Bélgica, Dinamarca y Alemania para ambos sexos y para hombres en Suecia.

dadanía; lo contrario también es cierto en cuanto a que hay incentivos menores para ciudadanos de otros Estados miembros de la Unión Europea (véase German Federal Office for Migration, 2012: 15).

La segunda variante en torno a la erosión aborda el animado debate sobre el asalto en contra de la ciudadanía social a partir del auge de regímenes políticos neoliberales desde los años setenta. Apropiadamente, este debate se enmarca, por lo general, en los términos del paradigma de T.H. Marshall (1964) respecto a la evolución de la ciudadanía vinculada con el surgimiento y la expansión del Estado de bienestar moderno. La expansión de la ciudadanía no es simplemente un proceso de expandir o contraer derechos individuales, sino un cambio en la relación entre éstos y su dimensión colectiva; por esta razón, el desarrollo de la ciudadanía no es congruente con el planteamiento neoliberal que pone en primer plano los derechos individuales (de propiedad), sino que en la formulación perspicaz de T.H. Marshall constituye más bien un estatus, basado en el entendimiento colectivo de contrarrestar los resultados inequitativos producidos por las fuerzas del mercado. En pocas palabras, la ciudadanía puede constituir un mecanismo para reducir las inequidades de clase; sin embargo, el impacto que tiene la reestructuración económica en la ciudadanía de los migrantes no es un tema mayor en las discusiones y los trabajos teóricos sobre la ciudadanía de los migrantes, lo cual representa un marcado contraste con los debates sobre "raza y clase" de los años setenta y ochenta. La agenda académica y de políticas públicas está dominada por los temas de cohesión e integración social vistos a través del lente de la cultura. Tomando un ligero desvío, este tema ha sido retomado por quienes han vuelto a ver las formas en que los migrantes se organizan para acumular y reproducir capital social en el ámbito político, esto es, a través de asociaciones de migrantes y la política asociada (véase por ejemplo, Fennema y Tillie, 2001).

Las dos líneas de pensamiento sobre la erosión coinciden con los críticos de la ciudadanía múltiple respecto a la "des-solidarización" de los ciudadanos en los Estados de bienestar como consecuencia de la ciudadanía múltiple. Otros argumentan que las políticas del multiculturalismo incitan al conflicto cultural y, de tal modo, aumentan los niveles de oposición a los derechos de los migrantes al fomentar la política de identidad por parte de los grupos mayoritarios (Sniderman y Hagendoorn, 2007). En contraste, los defensores del multiculturalismo sostienen que las políticas multiculturales han llevado a un aumento en la igualdad (Banting y Kymlicka, 2006). A pesar de las contundentes afirmaciones de críticos y defensores de la ciudadanía multicultural, es asombroso ver que la mayor parte de estos trabajos comparten una riqueza teórica que contrasta fuertemente con una pobre investigación empírica.

La extensión de la ciudadanía: ciudadanía múltiple como ciudadanía dual y supranacional

Las teorías de la erosión y la expansión suponen con frecuencia que la procedencia de la ciudadanía está en el Estado nacional. Esta presunción ha sido cada vez más cuestionada por investigadores que plantean preguntas en torno a la erosión de la eficacia del Estado nacional o, en forma más sofisticada, su transformación, mientras que simultáneamente se reflexiona sobre si varias entidades transestatales como la Organización de las Naciones Unidas (ONU) o, a nivel más regional, la Unión Europea (UE), puedan ser capaces de desarrollar nociones de ciudadanía que, en efecto, hacen estallar las fronteras del Estado nacional (Jacobson, 1996). En parte, el argumento dibuja un paralelo entre la procedencia premoderna y moderna de la ciudadanía. En la primera era la ciudad-Estado, mientras que en la segunda se convirtió en el Estado-nación. El supuesto que fundamenta este argumento es que, conforme entramos a lo que algunos consideran la modernidad tardía o avanzada (Giddens, 1990) y otros denotan como la posmodernidad (Harvey, 1989) se presenta un cambio similar en la procedencia de los regímenes de ciudadanía.

Diversas observaciones empíricas constatan que la ciudadanía se está volviendo cada vez más desagregada, en el sentido de que la identidad, los derechos de participación política y las prestaciones sociales —que en un momento estaban fuertemente agrupadas bajo la rúbrica de la ciudadanía nacional—, hoy están siendo desagregadas y ensambladas en nuevas y dinámicas configuraciones que se "salen de la pista" tradicional de la ciudadanía. Hoy en día, no es inusual que existan en un mismo territorio diversas estructuras de gobernanza, en parte traslapadas y en parte en competencia, con criterios de membresía divergentes. Puede servir de ejemplo el derecho de voto de ciertos residentes no ciudadanos en elecciones municipales en Europa. Algunos consideran que esta desagregación es una señal del fin de la democracia en nombre del capital, la fuerza de trabajo y el consumismo transnacionales. Otros sugieren que uno también puede ubicar en tal desagregación un sitio para un federalismo cosmopolita, del tipo pluralista, por el que abogaba Immanuel Kant (Benhabib, 2004).

Subyace a estas consideraciones el problema teórico fundamental respecto a si la ciudadanía puede ser conceptualizada en forma fructífera más allá del Estado nacional, o si la ciudadanía no puede ser —como mantiene, por ejemplo, Bryan Turner (1993)— transnacionalizada. Si bien es cierto esto último, también existe un peligro de "estiramiento" conceptual. Una tercera perspectiva rechaza ambas posturas y argumenta que la desagregación de derechos, territorios y autoridades no lleva a una yuxtaposición de antiguas formas nacionales con nuevas supranacionales o con formas globales de ciudadanía, ya que los procesos supranacionales y globales funcionan principalmente a través de un Estado nacional reconfigurado (Sassen, 2006). Básicamente existen dos formas de ciudadanía cuyo alcance está por encima y por debajo del Estado nacional. La primera es superpuesta, y se puede visualizar como la ciudadanía en forma de círculos que se traslapan; la ciudadanía dual o múltiple en Estados nacionales es un ejemplo prominente de esta forma. La segunda forma es anidada y consiste en círculos concéntricos: una persona puede ser ciudadana de Lisboa, Portugal y la Unión Europea; esta última forma se relaciona con la ciudadanía local o a nivel de ciudad.

La ciudadanía dual

La ciudadanía dual plantea preguntas similares a las que surgen de la expansión de la ciudadanía en general. Se suele legitimar la tolerancia de la ciudadanía dual en el país de inmigración al postular que la igualdad legal debe ser un requisito previo para la ciudadanía sustantiva, esto es, la plena participación en la vida económica, política y cultural en el lugar de residencia. Nuevamente, lo que está en el centro del problema es la congruencia entre la población de hecho y la población de derecho. En la práctica, esta afirmación parte de la observación de que aquellos Estados que toleran la ciudadanía dual, *ceteris paribus*, tienen proporcionalmente más migrantes naturalizados. Además, entra en juego la ciudadanía como un derecho humano. Primero, en el derecho internacional, ya que con frecuencia cada vez más se ha llegado a ver la ciudadanía como un derecho humano, como en el caso de las personas sin Estado (Chan, 1991). La equidad de género, como derecho humano, entró en el derecho internacional en la Convención sobre la Nacionalidad de la Mujer Casada en 1957 y después en las leyes de los Estados nacionales. De acuerdo con este corpus jurídico, las mujeres ya no tenían que dejar su ciudadanía legal al casarse con un cónyuge de otra nacionalidad. En un paso adicional, legitimado a través de un Convenio del Consejo de Europa (1993), los hijos de los llamados matrimonios binacionales tienen la ciudadanía dual o múltiple. Posteriormente, los países con una proporción significativa de población emigrante también han adoptado leyes de ciudadanía, encaminadas a la tolerancia de la ciudadanía dual, para el caso de sus ciudadanos en el extranjero. Sin embargo, en semejantes casos los factores antes mencionados han jugado un papel menor comparado con las preocupaciones prácticas de mantener y volver a forjar vínculos con (ex) ciudadanos en el extranjero (por ejemplo, Górny, 2007).

La creciente tolerancia a la ciudadanía dual, como membresía en todo el mundo (Faist y Gerdes, 2008), es reflejo de la pertenencia múltiple. Su expansión conduce a pensar en cómo superar a futuro las dicotomías conceptuales respecto de la incorporación de los migrantes. Muchas veces la inserción en el país de acogida no se acompaña, necesariamente, del desmantelamiento de vínculos con el país de origen. Así, la afiliación a familias, empresas y comunidades religiosas transnacionales no es una anomalía de los procesos de incorporación sino que es parte de los muchos caminos para la incorporación empleados por los migrantes.

La ciudadanía dual tiene implicaciones distintas para los diversos sistemas políticos, según sea su diseño federalista o centralista. Básicamente, la ciudadanía dual se deriva sobre todo de la adquisición de la ciudadanía por nacimiento (de padres de distintas nacionalidades o de la combinación de la transmisión *ius sanguinis* por el Estado de origen y la adquisición *ius soli* en el Estado de residencia). Más aún, cada vez más la ciudadanía dual es resultado de la naturalización sin la renuncia a otras ciudadanías adquiridas previamente. Mientras que la ciudadanía dual puede plantear ciertos problemas para los individuos y Estados involucrados, obviamente no viola los principios democráticos. Se podría pensar que la ciudadanía dual viola la igualdad de representación al dar dos votos a una persona. Sin embargo, aun suponiendo que también pueden votar por correo en un país donde no residen actualmente, los ciudadanos duales sólo cuentan con un voto en cada elección. Nunca se agregan estos votos separados en el proceso de elegir a representantes ni en un referéndum. Los ciudadanos duales tienen intereses en dos Estados distintos, pero sus votos no cuentan dos veces en ninguna decisión. Esto es diferente en sistemas federales (por ejemplo, Estados Unidos y Alemania) o protofederales, como la Unión Europea. Si una persona que es residente tanto de Alemania como de

Francia tuviera el derecho de voto en ambos países para las elecciones del Parlamento Europeo, significaría que su voto contaría dos veces para determinar la representación de estos países (más precisamente, distritos de estos países) en el Parlamento Europeo. Estas consideraciones, en principio, son también aplicables a otras formas de ciudadanía múltiple. Sin embargo, la ciudadanía dual no es de ninguna manera la única forma de ciudadanía múltiple. A nivel subestatal, existen formas de ciudadanía local y, a nivel supraestatal, existen formas como la ciudadanía en la Unión Europea.

Ciudadanía posnacional

La observación empírica de que la ciudadanía social y la política no coinciden, ha llevado a un debate más amplio y de mayor alcance sobre la naturaleza de la ciudadanía contemporánea. El punto de partida es que los residentes permanentes pueden tener acceso a casi todos los derechos sociales y, aun así, tener negado el derecho de voto ya que no son ciudadanos *de iure*, esto es, ciudadanos en el pleno sentido legal (Faist, 1995).

Una vertiente de la discusión trata del concepto de la ciudadanía posnacional, lo cual es especialmente pertinente para la UE y los Estados nacionales. Este concepto enfatiza la relevancia creciente de las políticas y los derechos genuinamente inter- y supraestatales. En general, los posnacionalistas afirman que los derechos humanos se han acercado más a los derechos ciudadanos. Desde su óptica, los Estados liberal-democráticos han llegado a respetar cada vez más los derechos humanos de las personas, sin importar su ciudadanía (Soysal, 1994). Los discursos de derechos humanos interestatales y las instituciones supraestatales como la UE han conducido a los Estados a otorgar derechos a ciertos grupos que, de esa manera, no se convierten en ciudadanos sino en habitantes (*denizens*) —inmigrantes con el estatus de residente permanente—, con acceso a casi todos los derechos sociales y civiles. Hasta cierto punto, el surgimiento de un gran colectivo de *denizens* contrarrestó una de las principales tendencias de la ciudadanía de los Estados nacionales, la cual privilegió la oposición binaria de "ciudadano" versus "extranjero", en contraste con las relaciones complejas entre individuos y comunidades en las sociedades del antiguo régimen (Fahrmeir, 2007). Estas categorías de personas incluyen a los residentes permanentes en Estados miembros de la UE, esto es, ciudadanos de "terceros" Estados que no ostentan la ciudadanía de la UE ("extracomunitarios"). Esto significa que las instituciones supraestatales como el Tribunal de Justicia de la Unión Europea (TJUE) han desarrollado derechos comunes para todos los residentes. Por esta razón, hoy en día existen muy pocas diferencias entre los derechos sociales para habitantes y ciudadanos de los Estados miembros de la UE. No obstante, los autores de la línea posnacional tienen poco que decir acerca de los ciudadanos, ya que el enfoque está en la divergencia entre derechos e identidad, la segunda y tercera dimensiones de la ciudadanía. Lo que más les preocupa es la brecha que se va cerrando entre los derechos de habitantes y ciudadanos (Jacobson, 1996), y no prestan ninguna atención a lo que es el cimiento y la primera dimensión de la ciudadanía, la libertad política igualitaria.

Además, es verdad que los derechos humanos y civiles básicos se han consagrado a nivel supraestatal en la UE, pero obviamente esto no es tan cierto para los derechos políticos y para nada es verdad para los derechos sociales. Una perspectiva posnacional desatiende la doble codificación de la ciudadanía. Descuida, por ejemplo, que los derechos sociales solidarios (o moralmente demandantes), como aquellos que involucran la redistribución de fondos, requieren el apoyo de fuertes vínculos sociales y simbólicos, como son la reciprocidad generalizada y la solidaridad difusa. Tales vínculos se limitan usualmente a categorías mucho más estrechas que la de la "población europea" como un todo. Por ejemplo, la reciprocidad generacional en sistemas de pensiones no se extiende de Finlandia a Portugal. Esto no quiere decir que la UE no haya tenido ningún impacto en los derechos sociales. Tomemos el ejemplo de los servicios de salud nacionales, donde las reglas de la UE han condicionado las opciones de los Estados de bienestar nacionales. Sin embargo, la UE ha implementado nuevos derechos sólo en áreas limitadas, como los derechos de ciudadanos móviles provenientes de Estados miembros de la UE, en la esfera de la equidad de género y con respecto a la salud y la seguridad laboral.

Asimismo, una perspectiva posnacional considera que el surgimiento de nuevos derechos a mitad de camino entre los derechos ciudadanos y los derechos humanos, como el *denizenship*, ya es una señal de que los derechos humanos de la persona se han vuelto más importantes que los derechos ciudadanos para ciertas categorías de personas como los migrantes. En la terminología de las ciencias sociales, *denizenship* se refiere a los residentes permanentes con derechos sociales y civiles casi equivalentes a los de los ciudadanos (Hammar, 1990). *Denizenship* implica que, cada vez más, los extranjeros adquieren derechos que anteriormente eran la prerrogativa de los ciudadanos. Sin embargo, la base del *denizenship* no está sólo en los derechos humanos sino que también incluye la participación en los sistemas funcionalmente diferenciados de la sociedad moderna, como la participación en los mercados laborales y, por lo tanto, en la seguridad social. Asimismo, uno tiene que desechar la idea inverosímil de que una protección eficiente de los derechos humanos se localiza en los discursos globales. Por lo tanto, uno puede eludir los supuestos cuestionables de la perspectiva posnacional e ir un paso más allá. En verdad tenemos que preguntar si la ciudadanía puede ser reconceptualizada supranacionalmente —pero no sólo como una réplica de la ciudadanía de los Estados nacionales.

Ciudadanía "anidada"

Una alternativa al análisis posnacional de la ciudadanía supranacional es el concepto de la ciudadanía "anidada" (Faist, 2001). El concepto de la ciudadanía anidada dice que la pertenencia a la UE tiene sitios múltiples y existe un sistema interactivo de política, directrices y derechos entre los niveles subestatal, estatal, interestatal y supraestatal. El tejido de las redes de gobernanza permite consagrar algunos nuevos derechos a nivel supraestatal e interconectarlos con derechos antiguos y —sobre todo— volver a adaptar derechos e instituciones existentes en Estados miembros. En el futuro cercano, es probable que la UE no se convierta en un sistema político federal como aquellos que se encuentran en sus Estados miembros, por consiguiente, no podemos hablar de la ciudadanía de la UE como una ciudadanía federal completa. Más bien, lo que ha evolucionado en la UE es una red extraordinariamente intrincada de autoridades superpuestas y sus derechos correspondientes.

Las características específicas de la ciudadanía anidada son las siguientes. Primero, la ciudadanía anidada implica múltiples niveles. Los actores políticos —incluyendo los Estados soberanos miembros, la Comisión Europea, el Consejo de Ministros, los grupos de cabildeo y las asociaciones de ciudadanos— están involucrados en actividades a diferentes niveles. Segundo, la ciudadanía anidada es una forma de ciudadanía federativa. No es una coexistencia sencilla de niveles diferentes. La ciudadanía de la UE como un todo está ubicada en diversos niveles de gobernanza. Una consecuencia importante es que la ciudadanía anidada no está evolucionando de manera fluida hasta ser una ciudadanía verdaderamente federal. La soberanía de los Estados miembros para otorgar la ciudadanía a nivel Estado tiene implicaciones trascendentes para la lenta evolución de una ciudanía más coherente de la UE, y la resistencia de los Estados miembros en contra de ella (véase el capítulo III de este volumen). Tomen el ejemplo del movimiento libre: argentinos con ascendencia española o italiana podrían haber reclamado la ciudadanía de sus ancestros y mudarse a la UE —pero no necesariamente al país de su ciudadanía en la UE (véanse los capítulos III, IV y V de este volumen)—. O consideren que Hungría extiende la ciudadanía a personas de la misma etnia en Serbia, o la aparente facilidad con la cual los moldavos puedan acceder a la ciudadanía rumana y, de esta manera, a la ciudadanía de la Unión Europea y el derecho de movilidad asociado. En todos estos casos, los demás Estados miembros han o podrían haber objetado dicha ampliación de la ciudadanía. Este estado de cosas constituye uno de los factores que disminuye el ritmo de armonización de las leyes de ciudadanía e incluso la unificación de la ciudadanía dentro de la UE. La habilidad de los Estados miembros para regular el acceso a la ciudadanía del Estado contrasta fundamentalmente con su creciente incapacidad de definir quién es considerado un "trabajador" y, así, quién es capaz de cruzar fronteras libremente e involucrarse en actividades económicas. El acceso a la ciudadanía de los Estados miembros es ahora un instrumento ejercido por Estados semisoberanos para aminorar la injerencia continua de la jurisprudencia de la UE en relación con la regulación del acceso a sus mercados laborales. Los Estados miembros intentan compensar sus pérdidas en soberanía en cuanto al libre movimiento de trabajadores a través de proteger su derecho exclusivo a la naturalización. La tercera característica de la ciudadanía anidada es que no puede ser pensada como una ciudadanía guiada por un centro de autoridad política coherente o centralizado. A diferencia de la ciudadanía en sistemas políticos federales, como la República Federal de Alemania (por no hablar de los sistemas centralistas), no se debe entender el nivel más alto de la UE como el centro principal de autoridad política encima de los sistemas subestatales. La red de gobernanza de múltiples niveles de la UE se entiende mejor como un sistema federal abierto.

Reformulaciones de la ciudadanía: ejemplos de ciudadanía local y cuasi-ciudadanía

El surgimiento de los Estados (nacionales) modernos significa la subordinación de la localidad en general, y de la ciudad en particular, a la nación como única comunidad política soberana (Isin y Wood, 1999). De esta manera, se ha subyugado la ciudadanía local a la ciudadanía nacional. Esto no es algo evidente, ya que la ciudadanía emergió en Atenas y Roma, las ciudades-Estado del Mediterráneo, y se volvió a inventar en las ciudades-república del Renacimiento. La encarnación nacional moderna surgió con las revoluciones urbanas que azotaron Europa de 1789 a 1848. En tiempos de transnacionalización y aun de globalización que en principio no han socavado los Estados nacionales, pero que han brindado nuevas oportunidades a otros niveles de organización política (por ejemplo, Held *et al.*, 1999), se plantea la pregunta de si vemos nuevas formas de ciudadanía local para el siglo xxi que difieran de los modelos de ciudadanía nacional de los siglos xix y xx. La importancia potencial de la ciudadanía urbana para la democracia cosmopolita no está en proporcionar una base alternativa a la federación territorial, sino en poder ser el origen de nuevas formas de identificación. Localidades culturalmente diversas podrían fomentar nuevas formas de identificación colectiva, que no correspondan cabalmente con las narrativas nacionales de homogeneidad cultural (Bauböck, 2003). La ciudadanía en ciudades no es necesariamente congruente con la ciudadanía nacional plena, ya que la primera podría incluir por igual a migrantes irregulares, residentes permanentes y ciudadanos. Ha habido una tendencia en toda Europa para incluir a los residentes permanentes en la población que puede votar en elecciones locales. Esto ha generado el debate de si la ciudadanía local o urbana también podría proveer un modelo de ciudadanía alternativo que, con el tiempo, podría ayudar a superar algunas de las características excluyentes de la ciudadanía nacional o aun ser un presagio del cosmopolitismo. En cualquier caso, la ciudadanía local plantea el interrogante acerca de en qué maneras la ciudadanía puede ser democratizada "desde abajo".

Los análisis tanto de la ciudadanía supranacional como de la local son especialmente pertinentes para entender la ciudadanía en sistemas políticos emergentes, ya que uno puede examinar los recursos necesarios para que los ciudadanos confíen unos en otros. Expansionistas y erosionistas hablan de normas altamente demandantes, en particular, la confianza entre ciudadanos, la reciprocidad generalizada y la solidaridad difusa, como los cimientos necesarios de la ciudadanía en Estados nacionales. Se podría decir que éstos son "recursos socio-morales" (Offe y Preuß, 1991) que permiten a la sociedad civil dar su consentimiento a derechos y obligaciones. Esto significa una fusión de la segunda dimensión —derechos y obligaciones— con la tercera dimensión —identificación colectiva— de la ciudadanía. Usualmente, estas observaciones se aplican a las formas nacionales de la ciudadanía. La pregunta clave es si la ciudadanía en el ámbito local y supranacional también requiere "formas espesas" de reciprocidad y solidaridad o si "formas más delgadas" también podrían asegurar que los ciudadanos respeten la libertad política de otros —la primera dimensión y la base de la ciudadanía.

Para poder captar las formas de ciudadanía entre ser forastero (*alienship*) y la plena ciudadanía en la UE, se han empleado diversos conceptos —*denizenship*, ciudadanía cívica y cuasi-ciudadanía—. Todos denotan una especie de estatus de residencia a largo plazo. El primer esfuerzo fue la reactivación del *denizenship* como un estatus distinto que captaba un estado intermedio a escala nacional. Después, el término "cuasi-ciudadanía" denotaba una versión mejorada de *denizenship* que "implica derechos casi idénticos a los que gozan los residentes nacionales, incluyendo el derecho al voto en algún nivel (local o nacional) o el acceso a ocupar cargos públicos, así como a la plena protección de la expulsión" (Bauböck *et al.*, 2006: 29). No obstante, no ha habido ninguna tendencia fundamental de liberalización: "Generalmente después de 2000, en la mayoría de los Estados miembros de la UE, se volvió más difícil el acceso al estatus de residente permanente, con la introducción de nuevas condiciones y barreras prácticas, o se introdujeron nuevos motivos para perder ese estatus" (Groenendijk, 2006: 405). La ciudadanía cívica, un concepto impulsado por la UE a principios de la década de 2000, denotaba un esfuerzo conceptual similar al de la cuasi-ciudadanía. Éste emergió de reportes de la Comisión Europea sobre una política de inmigración de la UE. Similar a *denizenship*, incluye a todos los residentes permanentes y está diseñada para aplicarse a todos los residentes extracomunitarios legales que han echado raíces en Estados miembros. Como residentes a largo plazo, gozan de acceso comparable a empleo, educación, prestaciones sociales, servicios de salud y vivienda. En varios Estados miembros de la UE se les permite a los residentes migrantes participar en elecciones locales al votar y presentarse como candidatos.

En resumen, la función principal de estos tres conceptos era o ha sido reflexionar sobre cómo se puede aumentar la solidaridad, la reciprocidad y un sentimiento de afiliación a un Estado entre migrantes y ciudadanos. Sin embargo, dadas las restricciones recientes para el acceso al estatus de residente permanente en muchos países europeos, no está claro si objetivamente —como es medido por científicos sociales— o subjetivamente

—según la percepción de los migrantes mismos— este estatus constituye un paso hacia la ciudadanía plena a través de la naturalización, o si es un tipo de ciudadanía de segunda clase. Además, el estatus legal de la residencia permanente genera una pregunta clave acerca de la comparación entre residentes permanentes (*denizens* o cuasi-ciudadanos) y ciudadanos de la UE: ¿cómo se pueden justificar las diferencias entre los derechos de los residentes permanentes y los de los ciudadanos de la UE? Por ejemplo, a los ciudadanos de la UE se les permite votar en otro país en elecciones locales y europeas inmediatamente después de adoptar la residencia, mientras que los nacionales de un tercer país tienen que esperar varios años o se les puede negar completamente el derecho de votar en elecciones locales. Además, a los ciudadanos nacionales se les permite moverse libremente entre los Estados miembros de la UE, mientras que los residentes permanentes extracomunitarios no gozan de este privilegio.

Los límites de la ciudadanía: la fricción entre derechos ciudadanos y derechos humanos

Como conclusión preliminar se podría apuntar que la ciudadanía nacional como concepto político-normativo no es un enfoque apto para entender los grandes temas, que van más allá de la naturalización y la inclusión política, ya que involucra tanto la admisión como la exclusión social. En cambio, vista desde una perspectiva global, en las democracias liberales occidentales la ciudadanía constituye uno de los mecanismos de reproducción de la inequidad social a escala global (Shachar, 2003). El predictor más significativo de las oportunidades de vida de las personas es su país de nacimiento. Por ejemplo, si se toma la (des)igualdad de ingreso como una medición de las oportunidades de vida, las diferencias en ingreso per cápita entre países son mayores que las diferencias al interior de los mismos países (Faist, 2009b). Además, una perspectiva desde los derechos humanos, aunque potencialmente sea más incluyente, también depende del Estado soberano como encargado principal de hacerlos cumplir. Ciertamente, existe una tendencia reciente a incorporar en la legislación nacional y local los derechos humanos consagrados internacionalmente, así como los debates de foros internacionales sobre temas como el derecho al desarrollo, los derechos colectivos de categorías como los pueblos indígenas, la protección ambiental, los derechos a la salud y los derechos laborales (especialmente de mujeres). Sin embargo, es igualmente cierto que la mayoría de los derechos enumerados en documentos prominentes como la Declaración Universal de los Derechos Humanos (1948), el Pacto Internacional de Derechos Civiles y Políticos (1966) y el Pacto Internacional de Derechos Económicos, Sociales y Culturales (1966) han sido sistemáticamente ignorados por Estados nacionales que siguen siendo los encargados principales de hacer cumplir los derechos humanos y ciudadanos. La supervisión legal y las sanciones en el ámbito internacional han sido mínimas. En contraste, la aplicación de los derechos de ciudadanía en los regímenes democráticos han estado caracterizados por una implementación relativamente eficiente.

A pesar de todas las deficiencias en la conceptualización y el análisis empírico, los teóricos de la ciudadanía posnacional han subrayado, justificadamente, el creciente impacto del discurso de derechos humanos sobre el tema de la integración de los inmigrantes. Siguiendo el argumento bastante cuestionable de una desvinculación entre derechos e identidad, ciertos teóricos hablan convincentemente de "membresía" en lugar de "ciudadanía" (Soysal, 1994). De esta manera, los derechos ciudadanos a nivel nacional son complementados por "nuevos" derechos ciudadanos en el ámbito de la UE, por ejemplo, derechos de género, que por lo general están más avanzados a escala supranacional que a nivel de los Estados miembros, y que son impulsados por el TJUE cuya jurisdicción tiene que ser incorporada en la legislación de los Estados miembros. Sin embargo, no sólo es una entidad supranacional muy específica de la UE, sin instituciones comparables en otras regiones del mundo, sino que lo más importante es que esos derechos suelen estar restringidos a ciudadanos de los Estados miembros. Los extracomunitarios, aun aquellos que son residentes legales en la UE, están restringidos en la mayoría de los casos a las leyes de los Estados miembros y no pueden beneficiarse de dichos derechos supranacionales en la UE. Este ejemplo en sí es indicativo de un límite a la extensión de los derechos ciudadanos hacia los extranjeros y, así, la elevación de los derechos humanos a derechos ciudadanos: la ciudadanía amplia no puede ser extendida a extranjeros extracomunitarios, particularmente a los extranjeros indocumentados, sin una reconfiguración fundamental de las unidades políticas en las que están incorporados. Por lo tanto, podemos preguntar si los derechos humanos podrían evolucionar aún más allá de los derechos civiles hasta incluir los derechos sociales y políticos —tal como lo hicieron los derechos ciudadanos en los últimos tres siglos, según los argumentos de T.H. Marshall— sin que, en esencia,

45

se conviertan en derechos de ciudadanía. Y, si se puede concebir semejante evolución, ¿cuáles son las instituciones necesarias para la gobernanza nacional-transnacional-global de los derechos ciudadanos?

Quizá tenga sentido hablar de los derechos, obligaciones, identidades y prácticas de membresía como una especie de continuo desde los derechos humanos hasta los derechos ciudadanos. Esto no significa seguir el camino usual de extranjero a residente (*denizen*) y a ciudadano, como si se tratara de una progresión natural en un mundo móvil. Los conceptos republicanos de la ciudadanía aún implican este camino como una serie de puertas por las que deben pasar los inmigrantes en condiciones ideales. Esta imagen evoca una progresión poderosa desde la entrada al territorio con pocos derechos hasta la plena inclusión en una comunidad política nacional, desde el punto de vista de los Estados nacionales. Al adoptar una perspectiva más global —o aun una que emplea conceptos como sociedad mundial para sugerir que a veces los actores sociales se refieren al horizonte normativo y objetivo de configuraciones económicas, políticas y culturales a escala global— la ciudadanía sigue siendo crucial para la plena inclusión a nivel sociedad-nación o Estado-nación. No obstante, como parece indicar la breve referencia a los migrantes indocumentados, varias categorías de personas geográficamente móviles pueden requerir oportunidades legales muy distintas para poder participar de manera significativa en la vida social. La ciudadanía es una de ellas, pero ciertamente no la única, ya que este concepto implica una distinción nítida entre nacionales y extranjeros y no una escala continua en sintonía con las necesidades de los migrantes transfronterizos.

¿Reconciliar derechos humanos y derechos ciudadanos? La ciudadanía mundial

Si están en conflicto los derechos humanos y los derechos ciudadanos a escala nacional y supranacional, ¿existe la posibilidad de reconciliar derechos humanos y derechos ciudadanos en el concepto más incluyente de ciudadanía mundial? A final de cuentas, se considera que al haber supuestamente trascendido el Estado nacional se abren las posibilidades de una ciudadanía mundial (Heater, 2002). Si bien buena parte de esta conversación tiene lugar a nivel filosófico, el impacto del sistema internacional de derechos humanos universales y la idea de que organizaciones como la ONU deban jugar un papel fundamental para asegurar la protección de estos derechos cuando alguna nación los viola, también le otorga evidencias en el mundo real que deben ser examinadas e interpretadas.

Para la conceptualización de la ciudadanía global como un horizonte de posibilidad existen dos tipos de enfoques, uno que se deriva de la filosofía político-normativa, y el otro de la sociología política, más específicamente de los supuestos teóricos de la diferenciación de la teoría de la sociedad mundial.

En la teoría político-normativa, a su vez, se pueden distinguir dos vertientes: una perspectiva —genuinamente cosmopolita— de la ciudadanía mundial, y una perspectiva cosmopolita nacional. En una perspectiva de ciudadanía genuinamente cosmopolita, los derechos civiles, políticos y sociales forman parte de una deseable ciudadanía mundial. Una perspectiva optimista puede hacer referencia a la historia social y económica de Max Weber (1980). Ésta argumentaría que la ciudadanía se concibió y practicó en primer lugar a nivel municipal en la Grecia antigua y la Europa medieval, antes de subir de nivel y convertirse, en congruencia con el derecho y los hechos, en la membresía de un Estado nacional territorial, caracterizado por una relación autoridad-población. Por lo tanto, la ciudadanía y los derechos de ciudadanía más allá del Estado nacional representarían un salto evolutivo hacia adelante (Heater, 2004). A la larga, sin embargo, esto requeriría una comunidad política global con recursos socio-morales disponibles según las necesidades. Esto sería una extensión amplia de la idea de Immanuel Kant sobre el derecho cosmopolita a la hospitalidad (Linklater, 1999), a través del desarrollo racional de identidades colectivas más allá del espacio nacional. Hoy en día semejante identidad política global puede ser concebida únicamente como una afiliación construida y transparente (Habermas, 1998). Sin duda, esta perspectiva sería atractiva en términos del reparto de oportunidades de vida de acuerdo con la ciudadanía legal. La ciudadanía mundial no reconocería ningún privilegio transmitido por descendencia o nacimiento dentro de cierto territorio. Formalmente, todos tendríamos el mismo estatus como miembros de una sociedad global que abarca a todos. Semejante comunidad, sin embargo, podría verse amenazada por una "tiranía de la mayoría" (De Tocqueville, 1986) debido a la no disponibilidad de opciones de salida y así socavar la primera dimensión de la ciudadanía. Aún más importante, ciertos tipos de derechos, como los derechos sociales, requerirían la voluntad de redistribuir bienes entre otros anónimos, esto es, una reciprocidad generalizada y una solidaridad difusa. Una versión sólida de esta noción es aún menos probable y menos concebible a nivel global que en la UE. Mientras estas cualidades pueden ser observadas cuando sucede un desastre, no tienen ningún estatus legal y ciertamente ningún componente regulatorio como la política social de la UE, por poner sólo un ejemplo.

Esta crítica del concepto de ciudadanía mundial resalta los elementos centrales de una versión republicana del cosmopolitismo nacional. La versión republicana comprende los derechos sociales principalmente como una forma cercana de solidaridad difusa a escala nacional. En consecuencia, las siguientes condiciones pueden cumplirse solamente en un Estado nacional: primero, sólo quienes ostentan la ciudadanía legal son contados como miembros válidos de una comunidad política determinada y, de esta manera, se asegura la base socio-cultural de la ciudadanía, a saber, la confianza entre ciudadanos. Segundo, una cultura común tiene el efecto de vincular a los ciudadanos y permitirles ponerse de acuerdo sobre los derechos y las obligaciones sustantivas que forman la base de su membresía. Tercero, la ciudadanía confiere derechos de participación y representación política. A final de cuentas, desde esta perspectiva, la ciudadanía mundial parece ser poco más que una vaga idea cosmopolita, en un mundo carente de consenso moral fundamental. Otra crítica es que, en el mejor de los casos, la ciudadanía mundial debilitaría los vínculos que unen a los ciudadanos de un Estado nacional. Y estos vínculos nacionales son lo único que asegura que los ciudadanos mantengan lazos con el resto de la humanidad (Walzer, 1996). Sin embargo, aun esta crítica del concepto de ciudadanía mundial es discutible, con base en hallazgos empíricos que sugieren que la ciudadanía mundial y la nacional no son necesariamente nociones de suma cero (Furia, 2005).

En algunas versiones del concepto de ciudadanía mundial o global hay tintes de una monocultura institucional. No obstante, aun un concepto global debe tomar en cuenta las diversas lecturas culturales de los términos ciudadanía y derechos. El tema aquí es si los conceptos de ciudadanía, derechos políticos, civiles, culturales y sociales del corredor de Europa y América del Norte pueden ser aplicados sin titubeos en otras regiones del mundo. ¿Qué consecuencias tiene, por ejemplo, eliminar los derechos sociales de un contexto estatal y considerarlos en relación con otras formas de gobierno político? En otras palabras, lo que está en juego no es simplemente el papel relativo de principios de orden social, como el Estado, el mercado, la familia y la comunidad, como es el caso en la literatura sobre regímenes del Estado de bienestar (véase Esping-Andersen, 1995), sino la propia constitución del gobierno político. Si, por ejemplo, el concepto de ciudadanía como se interpreta en Europa es transferido directamente a un contexto africano, entonces las dicotomías como ciudadanos-sujetos o modernismo-tradición surgirán de inmediato. Tales dicotomías tienen que ser escrudiñadas para analizar su contexto histórico como —en este caso— el colonialismo (Mamdami, 1996) y sus interpretaciones respectivas de modernidad y tradición. El problema se hace bastante evidente en discusiones acerca de la ciudadanía en América Latina, por ejemplo, en el debate sobre si las formas de participación política paternalistas y clientelistas —es decir ser cliente (*clientship*) en lugar de ciudadano— pueden ser consideradas una forma válida de ciudadanía democrática (Dagnino, 2003 versus Taylor, 2004). El tema central aquí es hasta qué punto el clientelismo, que permite arreglos de seguridad social a corto plazo, descarta la autonomía de individuos como ciudadanos en el largo plazo.

Conclusión: "Nosotros" y "otros", desligados en la diversidad

La ciudadanía con frecuencia ha implicado perspectivas dicotomizadas sobre el "nosotros", dentro de las comunidades políticas y aquellos "otros" externos; por lo tanto, acertadamente, uno puede hablar de la ciudadanía nacional como una forma de "cierre social" en torno a comunidades políticas. Sin embargo, como hemos visto, la discusión teórica sobre la ciudadanía conceptualiza los límites de la ciudadanía de maneras cada vez menos rígidas y ha empezado a explorar la misma formación de límites, sus constantes cambios y transformaciones. Esto implica que se preste más atención a categorías sociales que no sean las de clase y nación. Formas de ciudadanía múltiple, tales como la ciudadanía dual superpuesta y la ciudadanía anidada en la UE son ejemplos de discusiones que se han enfocado en el futuro de la ciudadanía. Esto, además de la embestida neoliberal observada en contra de la ciudadanía social y la preocupación por la participación de la ciudadanía en versiones republicanas de la ciudadanía nacional. Hemos visto también que las fronteras de la ciudadanía son puestas a prueba en casos cruciales de ciudadanía local o cuasi-ciudadanía y en lo que constituyen los recursos socio-culturales que sostienen la ciudadanía legal.

Si los límites de la ciudadanía no coinciden de manera sencilla con los territorios de los Estados, tampoco pueden ser discutidos sin ellos. Se deben evitar suposiciones previas acerca del nivel o la dimensión de la ciudadanía que tiene mayor estatus —nacional, global o local— o qué manera es la mejor para describir las formas contemporáneas —unitaria, superpuesta o anidada—. Apostar por las primeras dos formas, nacional y global, ejemplifica los peligros de seguir el camino actual. La ciudadanía mundial prioriza el discurso de justicia global. Esto, llevado a sus consecuencias lógicas, conduce hacia argumentos por fronteras abiertas y conceptos normativos de ciudadanía mundial. La ciudadanía nacional resalta la necesidad del cierre para poder fomentar comunidades democráticas en las cuales surjan discursos morales y políticos arraigados en dicho contexto. Esta perspectiva también podría terminar en un abordaje proteccionista que sostenga que la restricción de la inmigración es una condición *sine qua non* para sostener los Estados de bienestar altamente regulados (véase Freeman, 1986). Esta línea de pensamiento lleva finalmente a argumentos que afirman que no existe una distribución justa o injusta de la ciudadanía. Lo que una perspectiva tan unidimensional omite es que ya no vivimos en un mundo (si acaso alguna vez lo hicimos) donde podamos ver a los "otros" como completamente fuera de las fronteras de la propia comunidad política. Hoy en día, aquellos que viven en Estados pluralistas en Europa tienen, muchas veces, vínculos superpuestos con comunidades múltiples. Sus vínculos se extienden, de ida y vuelta, entre países de inmigración, de origen o donde habiten sus seres queridos. También implica que existe un vínculo con más de una comunidad política en un territorio dado. Una de las formas que refleja esta multiplicación es la ciudadanía dual como una forma de ciudadanía con membresías superpuestas en Estados nacionales distintos (véanse otros capítulos de este volumen). El equivalente en estructuras sociales son los espacios y formaciones sociales transnacionales, esto es, las familias, comunidades, redes y organizaciones transfronterizas que abarcan diferentes sitios, en contextos nacionales múltiples. Otra forma de membresía múltiple es la de ciudadanía anidada, como se ejemplifica en formas que existen actualmente de membresía en ciudades, Estados miembros de la UE, así como en la UE misma. Aquí, las comunidades políticas mismas se están extendiendo, anidadas en configuraciones supranacionales, creando así nuevas oportunidades para la ciudadanía subnacional, como la ciudadanía regional o local. La presencia continua de residentes no-ciudadanos, junto con la reactivación y surgimiento de formas no nacionales de ciudadanía, indican que existen diversos "otros" que viven permanentemente entre un "nosotros" definido territorialmente. En síntesis, "'el otro' no está en otra parte" (Benhabib,

2004). De hecho la diversidad, constituida socialmente, se ha incrementado rápidamente como resultado de la migración internacional y de debates acerca de la integración de los inmigrantes y la integración de las sociedades. Se podría decir, por tanto, que el "nosotros" de la ciudadanía cada vez incorpora distintos niveles de pertenencia cívico-social incluyendo poco a poco a los "otros", haciendo la línea divisoria entre ambos colectivos cada vez más difusa.

La ciudadanía es uno de los marcadores para distinguir entre "nosotros" y los "otros". Su pertinencia depende de la misma construcción de fronteras entre "nosotros" y "ellos". Dado que la ciudadanía es una forma democrática de pertenencia, existe un circuito de retroalimentación que está incorporado al mismo concepto de ciudadanía. Los límites de adhesión a la membresía, incluyendo la regulación de las fronteras, están sujetos a la deliberación democrática, un resultado lógico de las libertades políticas igualitarias. Esto lleva a la pregunta de quién decide las reglas del juego en el que se delibera sobre los límites y las fronteras. Como ha señalado Ivor Jennings, las demandas de autodeterminación democrática con relación a los límites de las comunidades políticas llevan a una paradoja: "el pueblo no puede decidir a menos que alguien decida quién es el pueblo" (Jennings, 1956: 56). Por lo menos, esto sugiere que "nosotros" y los "otros" son el resultado de decisiones que dependen de otros muchos factores. Además, la forma en la que "nosotros" hacemos la construcción del "otro" tampoco está más allá de los límites de nuestra deliberación democrática. Así, por ejemplo, el foro en el cual se debatan estos temas dista mucho de ser trivial —acuerdos políticos de trastienda, parlamento y discursos públicos en los medios masivos—. Mientras uno puede ser crítico de la calidad de los debates públicos y democráticos con relación al acceso a la membresía, no existen alternativas a las formas democráticas de impugnación. El futuro de las múltiples formas de ciudadanía dependerá no sólo de qué fuerzas políticas prevalezcan con relación a la expansión y la erosión, sino también de las diversas formas de extender la ciudadanía y de la reformulación de las preguntas fundamentales que le dan forma.

Bibliografía

Aristóteles. 1962. *The Politics*. Londres: Penguin Books.

Banting, K. y W. Kymlicka (eds.). 2006. *Multiculturalism and the Welfare State: Recognition and Redistribution in Contemporary Democracies*.

Oxford: Oxford University Press. Disponible en: http://www.oup.
com/uk/catalogue/?ci=9780199289189 authors

Bauböck, R. 1994. *Transnational Citizenship: Membership and Rights in International Migration*. Aldershot: Edward Elgar.

_____. 2003. "Reinventing Urban Citizenship", *Citizenship Studies*, 7 (2), pp. 139-160.

_____ *et al.* 2006. "Introduction", en R. Bauböck, E. Ersbøll, K. Groenendijk y H. Waldrauch (eds.), *Acquisition and Loss of Nationality. Volume 1: Comparative Analyses. Policies and Trends in 15 European Countries*. Amsterdam: Amsterdam University Press. pp. 15-34.

Benhabib, S. 2004. *The Rights of Others: Aliens, Residents and Citizens*. Cambridge: Cambridge University Press.

Castles, S. y M.J. Miller. 2003. *The Age of Migration*. Nueva York: Guilford Press.

Chan, J.M.M. 1991. "The Right to a Nationality as a Human Right: The Current Trend towards Recognition", *Human Rights Law Journal* 12, pp. 1-14.

De Tocqueville, A. 1986 [1835 y 1840]. *De la démocratie en Amérique*. 2 vols. París: Gallimard.

Dagnino, E. 2003. "Citizenship in Latin America", *Latin American Perspectives* 30 (2), pp. 3-17.

Dahrendorf, R. 1988. "Citizenship and the Modern Social Contract", en R. Holme y M. Elliot (eds.), *1688-1988. Time for a New Constitution*. Londres: Macmillan. pp. 112-125.

Esping-Andersen, G. 1995. *The Three Worlds of Welfare Capitalism*. Cambridge: Polity Press.

Fahrmeir, A. 2007. *Citizenship: The Rise and Fall of a Modern Concept*. New Haven: Yale University Press.

Faist, T. 1995. "Ethnicization and Racialization of Welfare-State Politics in Germany and the USA", *Ethnic and Racial Studies*, 18 (2), pp. 219-250.

_____. 2001. "Social Citizenship in the European Union: Nested Membership", *Journal of Common Market Studies* 39 (1), pp. 39-60.

Faist, T. 2009a, "Diversity —A New Paradigm for Integration?", *Ethnic and Racial Studies* 32 (1).

_____. 2009b. "The Transnational Social Question: Social Rights and Citizenship in a Global Context", *International Sociology*, 24(1), 7-35.

Faist, T. (ed.). 2007. *Dual Citizenship in Europe: From Nationhood to Societal Integration*. Avebury: Ashgate.

Faist, T. y P. Kivisto (eds.). 2007. *Dual Citizenship in Global Perspective: From Unitary to Multiple Citizenship.* Houndmills: Palgrave Macmillan.

Faist, T. y J. Gerdes. 2008. "Dual Citizenship in an Age of Mobility", en Bertelsmann Stiftung, Migration Policy Institute and European Policy Centre (eds.), *Delivering Citizenship. The Transatlantic Council on Migration.* Gütersloh: Verlag Bertelsmann Stiftung.

Falk, R. 1994, "The Making of Global Citizenship", en B. Van Steenbergen (ed.), *The Condition of Citizenship.* Londres: Sage. pp. 42-61.

Fennema, M. y J. Tillie. 2001. "Civic Community, Political Participation, and Political Trust of Ethnic Groups", *Connections,* 24 (1), pp. 26-41.

Freeman, G. 1986. "Migration and the Political Economy of the Welfare State", *The Annals of the American Academy of Political and Social Science,* 485, pp. 51-63.

Furia, P.A. 2005. "Global Citizenship, Anyone? Cosmopolitanism, Privilege and Public Opinion", *Global Society,* 19 (4), pp. 331-359.

German Federal Office for Migration (ed.). 2012. The Naturalization Behavior of Foreigners in Germany and Findings Concerning Optionspflichtige (Persons Required to Choose Between Two Nationalities). Results of the 2011 BAMF Naturalisation Study. Núremberg: Bundesamt für Migration und Flüchtlinge (BAMF).

Giddens, A. 1990. *The Consequences of Modernity.* Stanford: Stanford University Press.

Gilbertson, G. y A. Singer. 2003. "The Emergence of Protective Citizenship in the USA: Naturalization among Dominican Immigrants in the Post-1966 Welfare Reform Era", *Ethnic and Racial Studies,* 26 (1), pp. 25-51.

Górny, A. *et al.* 2007. "Selective Tolerance? Regulations, Practice and Discussions Regarding Dual Citizenship in Poland", en T. Faist (ed.), *Dual Citizenship in Europe: From Nationhood to Societal Integration.* Aldershot: Avebury. pp. 147-170.

Groenendijk, K. 2006. "The Status of Quasi-Citizenship in EU Member States: Why Some States have 'Almost Citizens'", en R. Bauböck, E. Ersbøll, K. Groenendijk y H. Waldrauch (eds.), *Acquisition and Loss of Nationality. Volume 1: Comparative Analyses. Policies and Trends in 15 European Countries.* Amsterdam: Amsterdam University Press. pp. 411-430.

Habermas, J. 1998. *The Inclusion of the Other.* Cambridge: Polity Press.

Hammar, T. 1990. *Democracy and the Nation-State: Aliens, Denizens, and Citizens in a World of International Migration.* Aldershot: Gower.

Harvey, D. 1989. *The Condition of Postmodernity: An Enquiry into the Origins of Cultural Change.* Oxford: Blackwell.

_____. 2002. *World Citizenship: Cosmopolitan Thinking and its Opponents.* Londres: Continuum.

_____. 2004. *A Brief History of Citizenship.* Nueva York: New York University Press.

Heater, D. 2002. *World Citizenship: Cosmopolitan Thinking and its Opponents.* Londres: Continuum.

_____. 2004. *A Brief History of Citizenship.* Nueva York: New York University Press.

Held, D. 1995. *Democracy and the Global Order: From the Modern State to Cosmopolitan Governance.* Cambridge: Polity Press.

Held, D. *et al.* 1999. *Global Transformations: Politics, Economics and Culture.* Cambridge: Polity Press.

Isin, E.F. y P. Wood. 1999. *Citizenship and Identity.* Londres: Sage.

Jacobson, D. 1996. *Rights Across Borders: Immigration and the Decline of Citizenship.* Baltimore: The Johns Hopkins University Press.

Jelin, E. 2000. "Towards a Global Environmental Citizenship", *Citizenship Studies,* 4 (1), pp. 47-63.

Jellinek, G. 1964 [1905]. *System der subjektiven öffentlichen Rechte.* Aalen: Scientia Verlag.

Jennings, I. 1956. *The Approach to Self-government.* Cambridge: Cambridge University Press.

Joppke, C. 1999. *Immigration and the Nation State: The United States, Germany and Great Britain.* Oxford: Oxford University Press.

Kivisto, P. y T. Faist. 2007. *Citizenship: Discourse, Theory and Transnational Prospects.* Oxford: Blackwell.

Kymlicka, W. 1995. *Multicultural Citizenship.* Nueva York: Oxford University Press.

Liebig, T. y F. Von Haaren. 2011. "Citizenship and the Socio-Economic Integration of Immigrants and their Children: An Overview across European Union and OECD Countries", en OECD (ed.), *Naturalisation: A Passport for the Better Integration of Immigrants?* París: OECD Publishing. pp. 23-65.

Linklater, A. 1999. "Cosmopolitan Citizenship", en K. Hutchings y R. Dannreuther (eds.), *Cosmopolitan Citizenship.* Londres: Routledge. pp. 35-59.

Linz, J.J. y A. Stepan. 1996. *Problems of Democratic Transition and Conso-*

lidation: Southern Europe, South America, and Post-Communist Europe. Baltimore: Johns Hopkins University Press.

Lister, R. 1997. *Citizenship: Feminist Perspectives.* Nueva York: New York University Press.

Mamdami, M. 1996. *Citizen and Subject: Contemporary Africa and the Legacy of Late Colonialism.* Princeton: Princeton University Press.

Marshall, T.H. 1964 [1950]. *Citizenship and Social Class.* Cambridge: Cambridge University Press.

Offe, C. y U.K. Preuß. 1991. "Democracy and Moral Resources", en D. Held (ed.), *Political Theory Today.* Cambridge: Polity. pp. 143-171.

Ong, A. 1999. *Flexible Citizenship: The Cultural Logic of Transnationality.* Durham: Duke University Press.

Parsons, T. 1971. *The System of Modern Societies.* Englewood Cliffs: Prentice-Hall.

Plummer, K. 2003. *Intimate Citizenship: Private Decisions and Public Dialogues.* Seattle: University of Washington Press.

Rogers, A. y J. Tillie (eds.). 2001. *Multicultural Policies and Modes of Citizenship in European Cities.* Aldershot: Ashgate.

Rousseau, J.J. 1966 [1762]. *Du contrat social: ou Principes du droit politique.* París: Garnier.

Sassen, S. 2006. *Territory, Authority, Rights: From Medieval to Global Assemblages.* Princeton: Princeton University Press.

Schuck, P.H. y R.M. Smith. 1985. *Citizenship without Consent: Illegal aliens in the American Polity.* New Haven: Yale University Press.

Seidman, G. 1999. "Gendered Citizenship: South Africa's Democratic Transformation and the Constitution of a Gendered State", *Gender & Society,* 13 (3), pp. 287-307.

Shachar, A. 2003. "Children of a Lesser State: Sustaining Global Inequality through Citizenship Laws", Nueva York: New York University, Law School. The Jean Monnet Working Papers, núm. 2/2003.

Sniderman, P.M. y L. Hagendoorn. 2007. *When Ways of Life Collide: Multiculturalism and Its Discontents in the Netherlands.* Princeton: Princeton University Press.

Soysal, Y.N. 1994. *The Limits of Citizenship.* Chicago: University of Chicago Press.

Tambini, D. 1997. "Universal Cybercitizenship", en R. Tsagarousiannou, D. Tambini y C. Bryan (eds.), *Cyberdemocracy: Technology, Cities, and CivicNetworks.* Londres: Routledge. pp. 84-109.

Taylor, L. 2004. "Client-ship and Citizenship in Latin America", *Bulletin of Latin American Research*, 23 (2), pp. 213-227.

Tilly, C. 1996. "Citizenship, Identity and Social History", *International Review of Social History*, Supplement 3. pp. 1-17.

Turner, B.S. 1993. "Contemporary Problems in the Theory of Citizenship", en B.S. Turner (ed.), *Citizenship and Social Theory*. Londres: Sage. pp. 1-18.

Waldrauch, H. 2001. *Die Integration von Einwanderern: ein Index der rechtlichen Diskriminierung*. Fráncfort: Campus.

Walzer, M. 1989. "Citizenship", en T. Ball, J. Farr y R.L. Hanson (eds.), *Political Innovation and Conceptual Change*. Cambridge: Cambridge University Press. pp. 211-220.

Walzer, M. 1996. *Thick and Thin: Moral Argument at Home and Abroad*. Notre Dame: University of Notre Dame Press.

Weber, M. 1980 [1922]. *Wirtschaft und Gesellschaft. Grundriss der verstehenden Soziologie*, J. Winckelmann (ed). Tubinga: J.C.B. Mohr (Paul Siebeck).

Young, I.M. 1989. "Polity and Group Difference: A Critique of the Ideal of Universal Citizenship", *Ethics*, 99, pp. 250-274.

Yuval-Davis, N. 2000. "Multi-layered Citizenship and the Boundaries of the Nation-State", *International Social Science Review*, 1 (1), pp. 112-12.

II. Ciudadanía a la carta: La emigración y el fortalecimiento del Estado soberano*

David FitzGerald**

Uno de los temas más críticos de la política contemporánea es la medida en que el Estado-nación puede controlar las fuerzas de la globalización que amenazan con abrumarlo. La gente, los bienes, las ideas están en movimiento. Tratados multilaterales y normas transnacionales limitan progresivamente la autoridad de los Estados para actuar a su antojo a nivel doméstico. Los torpes esfuerzos de los gobiernos para coordinar una respuesta a la crisis financiera global que comenzó en 2008 parecieron una evidencia más de que los Estados están "perdiendo el control". Muchos académicos que tipografían la velocidad y el volumen de estos movimientos han argumentado que una nueva era de la globalización está erosionando la soberanía del Estado-nación. Los académicos del transnacionalismo, en particular, argumentan que los países de emigración se han "desterritorializado" al tener a integrantes de la nación repartidos más allá de los límites territoriales del Estado para formar una "nación global".[1]

Este capítulo sostiene que, lejos de menoscabar la soberanía de los Estados-nación, los esfuerzos de los gobiernos de los países de migración de origen para "abarcar" institucionalmente a sus ciudadanos y miembros de grupos étnicos afines en el extranjero indican la solidez del sistema de Estado-nación basado en el principio westfaliano de la soberanía territorial.

---

* Este capítulo es una versión traducida de un artículo publicado en inglés como FitzGerald, D. 2012. "Citizenship à la carte: Emigration and the Strengthening of the Sovereign State", en P. Mandavilley T. Lyons (eds.), *Politics from Afar: Transnational Diasporas and Networks*. Nueva York: Columbia University Press. pp. 197-212. Traducción al español para este libro realizada por Carmen Díaz Alba, revisada y editada por el propio autor.

** Profesor de Sociología, University of California San Diego, Estados Unidos.

[1] Sobre desterritorialización véase Basch *et al.*, 1994; Jacobson, 1996: 126; Laguerre, 1998; Sherman, 1999; Smith, 2003 y Levitt y de la Dehesa, 2003. Sobre naciones globales véase Varadarajan, 2010.

En efecto, la soberanía westfaliana a comienzos del siglo XXI se está fortaleciendo de manera que muchos gobiernos de los países de origen de la migración tienen que renegociar los términos del contrato social entre emigrantes y el Estado emisor. Este nuevo contrato social enfatiza los lazos voluntaristas en lugar de ser coercitivamente "reglamentados", un menú de opciones para expresar la pertenencia, los derechos sobre las obligaciones, así como la legitimidad de una pluralidad de afiliaciones nacionales legales y afectivas.

¿La erosión de la soberanía?

La soberanía se puede definir de muchas maneras. La definición más clásica de la soberanía se refiere a la autonomía de los gobiernos para tomar decisiones sobre la gobernabilidad en su territorio sin la intervención de otros Estados. La soberanía como autonomía convencionalmente data del Tratado de Westfalia de 1648, que puso fin a la Guerra de los Treinta Años y condujo al sistema internacional moderno. La soberanía también puede ser pensada menos como autonomía de los Estados y más como la capacidad del Estado para controlar los flujos de bienes, capitales y personas a través de sus fronteras. Un tercer sentido de la soberanía es la jurisdicción del Estado sobre una persona en particular (Kratochwil, 1986; Krasner, 1995; Hollifield, 2005; Barry, 2006). Muchos globalistas ven la erosión de la soberanía en todos los usos del término.

Ciertamente, hay ámbitos en los que la soberanía parece estar debilitándose. Las corporaciones transnacionales trasladan sus operaciones y activos por todo el mundo para evitar los impuestos y forzar concesiones de los gobiernos nacionales. Cometer "crímenes contra la humanidad", incluso contra los ciudadanos del propio gobierno, se ha convertido cada vez más en motivo para la intervención legítima de otros Estados. Las denominadas "entregas extraordinarias" (*extraordinary renditions*) de sospechosos de terrorismo y juicios extraterritoriales de pedófilos y personas acusadas de cometer crímenes contra la humanidad erosionan aún más el principio de territorialidad (Held y McGrew, 2000; Urry, 2000; Sassen, 2006; Blakesley y Stigall, 2007). Los Estados débiles, a la sombra de sus poderosos vecinos, están limitados en la práctica de la autonomía que pueden ejercer. En el extremo opuesto de la jerarquía geopolítica del poder, la Unión Europea (UE) es el ejemplo más destacado de cesión parcial de la soberanía a nivel supranacional en áreas tan diversas como la banca, la regulación ambiental y las políticas de asilo, todas las cuales eran antes competencia exclusiva de cada Estado-nación. La UE permite la libre migración dentro de sus fronteras a los nacionales de los Estados miembros y cada vez adecua más sus políticas de inmigración y asilo hacia nacionales de países que no son de la UE (Geddes, 2003).[2]

En ningún lugar las cuestiones de soberanía son más importantes que en el estudio de la migración internacional. Los sociólogos Yasemin Soysal y David Jacobson argumentan que los inmigrantes gozan de los derechos universales basados en la persona (*universal rights of personhood*), lo cual minimiza la importancia de la ciudadanía nacional para disfrutar de los derechos humanos y civiles, e incluso de las prestaciones de los derechos sociales (Soysal, 1994; Jacobson, 1996). Con base en una revisión de los principales sistemas de migración alrededor del mundo, Douglas Massey y sus colegas hablan de la migración internacional como "inevitable", y en una encuesta de 2004 en 11 países, Wayne Cornelius y sus coautores destacan la creciente brecha entre el intento de políticas de control migratorio y sus fracasos en la práctica (Massey *et al.*, 1998: 290; Cornelius *et al.*, 2004). Saskia Sassen (1996, 1998) al cartografiar todos estos cambios, concluye que los gobiernos nacionales están "perdiendo el control" sobre los flujos de bienes, ideas y personas a través de sus fronteras.

Los estudiosos del "transnacionalismo" en migración comparten el objetivo de los "globalistas" de entender los procesos que trascienden las fronteras del Estado-nación. Si bien la globalización y el transnacionalismo no son necesariamente sinónimos, y el segundo se limita a menudo a procesos regionales más que a procesos mundiales, ambos conceptos comparten un énfasis en los procesos sociales que cruzan o van más allá de las fronteras entre Estados. Los transnacionalistas llaman a la reconceptualización de términos como "comunidad", "ciudadanía" y "Estado-nación". Muchos afirman que los países de emigración se están convirtiendo en "Estados-nación desterritorializados", dado que los ciudadanos en el extranjero son incorporados por sus países de origen a través de una gama de actividades más allá de los servicios consulares de costumbre. La "desterritorialización" significa la desconexión entre la residencia en un territorio y

---

[2] Al interior de la UE, las restricciones sobre el movimiento de nacionales de ocho de los diez países que se unieron a la UE en mayo de 2004 impuestas por los otros 15 Estados miembros variaban enormemente de país a país. Estas barreras se eliminaron en 2011 (*Migration News*, 2003a). Para una crítica del argumento de supranacionalización, véanse Schain, 2009 y Joppke, 2010.

la pertenencia a una comunidad política, y la incesante superación de fronteras políticas, culturales y geográficas.[3] En resumen, los globalistas y transnacionalistas sostienen que la soberanía de los Estados-nación se está deteriorando dramáticamente debido al debilitamiento de la autonomía de cada Estado para conducir sus asuntos al interior de su territorio sin injerencias externas, la disminución de su capacidad para controlar los flujos a través de sus fronteras y la desconexión entre la pertenencia a una comunidad política y la presencia en el territorio que supone la emigración.

Los escépticos de la globalización argumentan que hay poco nuevo en el sistema internacional. Y si hay algo nuevo, sería que con el fin del colonialismo y el colapso de la Unión Soviética, el mapa político del mundo se ve más que nunca como el tipo ideal de Westfalia. Las instituciones supranacionales de la UE son las excepciones que confirman la regla nacional en todas partes. Cuando se trata de la migración internacional, se habla mucho acerca de Estados que pierden el control de sus fronteras, pero en general, los Estados están por primera vez estableciendo un aparente control. A diferencia de la inmigración abierta del siglo XIX, la inmigración desde la Primera Guerra Mundial se ha restringido por un sistema sin precedentes de pasaportes, visas, vallas e interdicciones marítimas que impiden a la mayoría de los potenciales migrantes llegar cerca de su destino final pretendido (Krasner, 1995; Zolberg, 1999). La población de migrantes internacionales en relación con las poblaciones de sus países de origen y de destino fue en realidad menor a comienzos del siglo XXI de lo que fue un siglo antes (Hatton y Williamson, 1998).

Estados y emigrantes

En contra de los escépticos de la globalización que insisten en la continuidad, yo argumento que muchos Estados están creando nuevas formas de abrazar institucionalmente a los emigrantes en el extranjero. Sin embargo, las afirmaciones sobre la desterritorialización de los Estados expulsores de migrantes y el debilitamiento de la soberanía de los Estados de origen y destino de migrantes son infundadas. La soberanía no sólo es sólida, sino que es cada vez más fuerte en el ámbito de la migración. Es el fortalecimiento de la soberanía de Westfalia, en particular, uno de los principales

---

[3] Para una crítica de la literatura sobre transnacionalismo, véase Waldinger y FitzGerald, 2004 y una respuesta de Levitt y Glick Schiller, 2006.

factores que impulsan la reconfiguración de las relaciones entre los diversos Estados y ciudadanos móviles.

Los intentos de los Estados emisores de "abarcar" a sus emigrantes en el extranjero como actores fundamentales en el ámbito político, legal y económico del país de origen se debe en parte a la actual resistencia de la soberanía legal territorial. Los países emisores no pueden actuar sobre los emigrantes como lo hacen frente a los ciudadanos residentes, ya que los primeros viven en el territorio de otro Estado. Los esfuerzos por incluir a emigrantes —como la extensión del derecho de voto exterior *in absentia*— han creado una forma distintiva de ciudadanía extraterritorial, precisamente porque la territorialidad del sistema de Estado-nación impide el funcionamiento de la ciudadanía residencial "normal". Si bien los Estados pueden hacer reivindicaciones sobre los ciudadanos fuera del territorio, un proceso que a primera vista sugiere una extensión de la soberanía sobre las personas en detrimento de la soberanía territorial de Westfalia, la naturaleza de las reivindicaciones de muchos Estados por representar a sus ciudadanos en el extranjero demuestra fundamentalmente su debilidad para proyectar su poder fuera de su territorio. Los Estados no pueden gobernar con eficacia a sus ciudadanos súbditos que están en el extranjero. La jurisdicción del Estado sobre determinadas personas fuera del territorio del Estado depende en la práctica del consentimiento de los Estados de destino.

Los emigrantes y muchos de sus países de origen están negociando una nueva relación que yo llamo "ciudadanía a la carta". Ésta está cambiando las relaciones Estado-membresía hacia un amplio menú de opciones para la participación parcial; una relación mucho más voluntarista en la cual el equilibrio entre los derechos y las obligaciones se inclina aún con más fuerza hacia el lado de los derechos, y una situación en la que una pluralidad de afiliaciones nacionales son legítimas y, a veces, incluso deseables. Mientras que los Estados aseguran cada vez más su integridad territorial efectiva, la soberanía del país de origen sobre emigrantes particulares se está debilitando, aun cuando la soberanía del sistema de Westfalia se fortalece de manera importante.

México y Estados Unidos

En 2010 en el mundo hubo más de 200 millones de migrantes internacionales (ONU, 2010). El caso mexicano merece especial atención en términos tanto sustantivos como teóricos. En primer lugar, la migración mexicana a Estados Unidos es el "circuito de migración sostenida más grande en el mundo" (Massey *et al*, 1998: 73). En 2009 aproximadamente 11.5 millones de mexicanos vivían en Estados Unidos y representaban 11 por ciento de la población de México. Este colectivo representa 98 por ciento de todos los emigrantes mexicanos. En Estados Unidos viven más mexicanos que el número total de inmigrantes en cualquier otro país del mundo. Además, otros 16.8 millones de personas de origen mexicano nacieron en Estados Unidos.[4] El caso mexicano es útil en términos teóricos también debido a la gran relevancia de la cuestión de la soberanía. La aparente incapacidad de los gobiernos de Estados Unidos o México para controlar el flujo ilegal de personas a través de la frontera se cita regularmente como evidencia de que los Estados pierden el control sobre su soberanía.

En México, las experiencias y los temores de una intervención política, económica y militar extranjera han dominado la historia nacional. El actual suroeste de Estados Unidos constituyó el noroeste de México hasta 1848. Desde la independencia en 1821, México ha sufrido la invasión militar de Francia, España, Reino Unido y Estados Unidos, en este último caso en una fecha tan reciente como 1919.

En Estados Unidos, muchos proponentes de la restricción de la inmigración (en adelante "nativistas") afirman que México está impulsando una "reconquista" no violenta a través de la inmigración de los territorios perdidos en 1848. Cuando el gobierno mexicano en 2005 comenzó a distribuir un millón de ejemplares de una guía para los inmigrantes que incluía una sección con consejos prácticos acerca de cómo cruzar con seguridad el desierto sin documentos legales, los nativistas estadounidenses estaban furiosos y alegaron que México estaba socavando la ley estadounidense. Del mismo modo, los esfuerzos del gobierno mexicano y de otras instituciones para abarcar a los mexicanos en Estados Unidos también han aumentado la ira de los nativistas (FitzGerald, 2009).

Escritores como el ex candidato presidencial republicano Patrick Buchanan enmarcan las relaciones del gobierno mexicano con sus emigrantes como un asalto a la soberanía de EUA:

Ésta es entonces la estrategia Aztlán: la migración sin fin desde México hacia el norte, la hispanización del suroeste de Estados Unidos, y la doble ciudada-

---

[4] Véase la publicación del Pew Hispanic Center (2009) "Mexican Immigrants in the United States, 2008", véanse también Instituto Federal Electoral (2006) y Consejo Nacional de Población (2006).

nía para todos los estadounidenses de origen mexicano. Los objetivos: borrar la frontera. Crece la influencia, a través de los mexicano-americanos, sobre cómo Estados Unidos dispone de su riqueza y poder. Poco a poco circunscribir la soberanía de los Estados Unidos... Dicho sin rodeos, la estrategia Aztlán implica el final de los Estados Unidos como una república soberana, autosuficiente, independiente, la defunción de la nación americana. Vienen a conquistarnos (Buchanan, 2006).

Estas declaraciones son, ciertamente, alarmistas, y mucho de esto es evidentemente falso, pero revelan un sentido de lo que está en juego políticamente en los debates teóricos actuales. Sorprendentemente, a pesar de que Buchanan y la mayoría de los estudiosos del transnacionalismo son diametralmente opuestos en su ideología, comparten un entendimiento de que las prácticas de la ciudadanía emigrante están socavando la soberanía del Estado en formas nuevas y dramáticas. Muchos transnacionalistas siguen celebrándolo, los nativistas están furiosos, pero ambos coinciden en señalar que está sucediendo. Por mi parte, *grosso modo* argumento que la naturaleza de la ciudadanía emigrante está siendo transformada, pero que esto es resultado de la consolidación más que del debilitamiento de la soberanía estatal.

Ciudadanía a la carta

¿Cuál es el problema que enfrentan los Estados de origen cuando se trata de "abarcar" a los emigrantes en el entorno de Westfalia? Con el término "abarcar" (*embrace*), sigo la metáfora de John Torpey (2000) para describir cómo los Estados "atraen a su gente bajo su alcance" tanto para extraer sus recursos como para protegerlos. El problema para los Estados es que el monopolio de la coerción legítima termina en la orilla del agua ¿Qué hacen los Estados cuando los ciudadanos se van? Para utilizar la coerción se requiere la colaboración de las autoridades del país de destino, la adopción de medidas contra las familias o los bienes que los emigrantes dejan atrás, o esperar a que los emigrantes regresen y se pongan a disposición de la coerción. No pretendo afirmar que la coerción es el modo cotidiano de la acción del Estado en cualquier lugar. Hasta los Estados más totalitarios se dan cuenta de que el uso constante de la fuerza es costoso e ineficaz. El gobierno trabaja de manera más eficiente a través del ejercicio del poder ideológico, en el que los ciudadanos no sólo aceptan los impuestos, el servicio militar obligatorio y similares, sino que incluso ven estas actividades como obligaciones morales. Los gobiernos suelen utilizar las "zanahorias" en lugar de los "garrotes" para obtener la cooperación de los ciudadanos. El problema para los gobiernos de los países de origen de los migrantes es que por lo general tienen pocas "zanahorias" que ofrecer, lo cual precisamente es una de las razones por las que los migrantes se van.

Mientras que los ciudadanos residentes sólo pueden hacer elecciones limitadas sobre la proporción de sus recursos que están dispuestos a intercambiar por los beneficios del Estado, los emigrantes tienen mucha más flexibilidad. Los emigrantes se pueden llevar su negocio a otra parte y "votar con los pies" (demostrando su insatisfacción emigrando), lo cual les da poder para exigir nuevos términos de intercambio. El nuevo intercambio se basa en un menú mucho más flexible de opciones voluntarias para la participación parcial como ciudadano —una especie de "ciudadanía a la carta"—. El menú incluye las remesas colectivas, el voto de expatriados, los distritos electorales extraterritoriales, candidaturas emigrantes, cabildeo emigrante, cediendo a la "inclusión documental" del gobierno nacional, y la legitimidad de las afiliaciones múltiples, como la doble nacionalidad.

Remesas

En 2009 las remesas registradas que envían los migrantes de los países en desarrollo alcanzaron un estimado de 316 mil millones de dólares, una cantidad equivalente a las tres cuartas partes de la inversión extranjera directa (IED) y más del triple de la asistencia oficial para el desarrollo. Las remesas tienen la ventaja añadida de ser menos volátiles que la inversión extranjera directa. México fue el tercer mayor receptor de remesas en términos absolutos, después de India y China. México recibió un auge de 26.8 mil millones de dólares en remesas en 2007, que cayó a 23 mil millones en 2013. En términos relativos, países como Tayikistán y Moldavia son mucho más dependientes de las remesas, que constituyen un tercio o más de su producto interior bruto (PIB) (Banco de México, 2009; Ratha, Mohapatra y Silwal, 2010; Banco Mundial www.worldbank.org/migration).

Las remesas tienden a ser privadas, transferencias a nivel de los hogares que sólo pueden generar impuestos cuando circulan en la economía local. Muchos gobiernos han tratado de canalizar las remesas hacia proyectos colectivos. Los clubes de emigrantes o asociaciones de oriundos son un vehículo para canalizar estos fondos y los vínculos entre la institucionalización de los migrantes y el gobierno mexicano. Cada año, los clubes de migrantes envían alrededor de 22 millones de dólares para proyectos de infraestructura y productivos en sus lugares de origen a través del programa 3x1, que empata donaciones de migrantes con fondos municipales, estatales y federales, para una inversión total de 88 millones de dólares (Bada, Fox y Selee, 2006). Los niveles de las remesas colectivas son modestos en general, aunque pueden mejorar la calidad de vida en las zonas rurales más empobrecidas. Más importante aún, las remesas colectivas fortalecen los lazos más difusos de los emigrantes con sus pueblos de origen donde canalizan el enorme volumen de las remesas familiares.

Los migrantes que envían remesas son en cierto modo los ciudadanos perfectos: dan sus recursos al tiempo que exigen muy poco a cambio, pero participan en la economía de sus comunidades de origen cuando esto sirve a sus propios intereses. Al patrocinar proyectos filantrópicos en sus lugares de origen, los migrantes mejoran su estatus y afirman ser buenos miembros de la comunidad a pesar de su ausencia. Al promover las remesas, el Estado mexicano ha seguido el modelo de pertenencia de la Iglesia católica, donde los miembros voluntariamente ceden una parte de sus recursos a través del diezmo. Los migrantes suelen financiar proyectos de la Iglesia en sus lugares de origen, como el pago de una nueva capilla o renovaciones. Ahora el Estado está tratando de fomentar una especie de "diezmo secular" para pagar proyectos como la pavimentación de caminos en sus lugares de origen (FitzGerald, 2009).

La votación de expatriados

Los países permiten cada vez más a sus ciudadanos votar por correo o en los consulados desde el extranjero. Para el año 2007, 115 países y territorios independientes habían adoptado tal disposición (Ellis, 2007). México admitió el voto de expatriados por primera vez en la elección presidencial de 2006. Aproximadamente tres millones de los 10 millones de mexicanos en Estados Unidos tenían derecho a voto, sin embargo, tan sólo 57 mil trataron de registrarse, y menos de 33 mil emitieron un voto válido. ¿Por qué votaron tan pocos? Parte de la razón es que el interés emigrante en la política mexicana está muy extendido pero es muy superficial. Según una encuesta realizada en 2006 representativa de los adultos en Estados Unidos nacidos en México, el Pew Hispanic Center encontró que mientras 78 por ciento de la muestra se dio cuenta de que los mexicanos en el exterior podían votar, 55 por ciento no sabía que hubiera una elección ese año (Suro y Escobar, 2006). La relevancia actual de la frontera internacional es también parte de la explicación. Las autoridades mexicanas no llevaron a cabo el registro de votantes en el extranjero y la votación sólo se permitió por correo, en primera instancia para suprimir deliberadamente la participación, pero también para evitar provocar una posible reacción de los nativistas en Estados Unidos. Además hubo una prohibición de efectuar la campaña electoral en el extranjero bajo la lógica de que las autoridades electorales mexicanas no serían capaces de supervisar sus leyes electorales si los candidatos hacían campaña en otro país (Suro, 2005).[5]

Distritos electorales extraterritoriales

El lado inverso de la elegibilidad para votar desde el extranjero es la elegibilidad para ser candidato como representante de los votantes en el extranjero. En los distritos electorales extraterritoriales, creados para emigrantes colombianos, polacos e italianos, éstos eligen a sus representantes para los congresos nacionales (Ellis, 2007). Activistas emigrantes mexicanos han demandado un distrito así, pero sólo se ha aplicado a nivel subnacional en el estado de Zacatecas, donde los zacatecanos en Estados Unidos han elegido a dos senadores al Congreso del Estado desde 2003 (Moctezuma Longoria, 2003).

Candidatura emigrante

Una de las formas más dramáticas de la participación política de expatriados es ser candidato a un cargo público en el país de origen. Alrededor del mundo, ha habido casos importantes de candidaturas de expatriados, muchas de ellas exitosas. Después de casi 50 años en Estados Unidos, Valdas Adamkus regresó a Lituania pocos meses antes de ganar la presidencia en 1998. Andrés Bermúdez, "el rey del tomate", agricultor que vivía en el área de Sacramento, California, fue elegido alcalde de Jerez, Zacatecas, México en 2001, pero se le impidió asumir el cargo porque él no era un residente local. En respuesta, sus aliados en el congreso estatal

[5] Véase Smith, 2003 y 2008 para una convincente revisión sobre los límites de la inclusión extraterritorial en las políticas domésticas mexicanas y a Smith y Bakker, 2007 para una visión más optimista.

de Zacatecas aprobaron una ley en 2003 que permite a los residentes zacatecanos binacionales postularse para un cargo estatal y local. El "rey del tomate" fue posteriormente elegido de nuevo y sirvió su mandato (Smith y Bakker, 2007).

Cabildeo emigrante

La creación de un *lobby* mexicano en Estados Unidos se convirtió en uno de los objetivos principales de la política exterior de México a partir de la campaña de 1993 para aprobar el Tratado de Libre Comercio de América del Norte (TLCAN) en el Congreso de los EUA. Los consulados mexicanos también trabajaron con organizaciones políticas mexicano-americanas para tratar de derrotar la Proposición 187 de California en 1994, que restringía drásticamente el acceso de los inmigrantes no autorizados a los servicios sociales. En general, ha habido muy poco que mostrar como resultado del esfuerzo de dicho cabildeo, en parte porque los mexicanos en Estados Unidos tienden a sospechar mucho del gobierno mexicano (de la Garza y DeSipio 1998). Pero los países de origen de todo el mundo continúan promoviendo *lobbies* étnicos, a menudo teniendo el cabildeo sionista estadounidense como su modelo (de la Garza *et al.*, 2000; Suro, 2005).

Inclusión documental

La tarea del gobierno requiere saber quiénes son los ciudadanos, así como cierta información agregada sobre la población. Estos datos se recogen normalmente a través de los certificados de nacimiento, censos, tarjetas de identificación y similares. En la mayoría de los casos, los ciudadanos se ven obligados a ceder sus datos. Cuando se trata de ciudadanos en el extranjero, el gobierno mexicano no puede depender de su censo, que es obligatorio responder en México, pero no se aplica a los emigrantes. Una fuente alternativa de información proviene de la participación voluntaria en el registro consular. Los consulados mexicanos han emitido tarjetas de identificación (también denominada "matricula consular") a varios millones de mexicanos en Estados Unidos, la mayoría de los cuales son migrantes no autorizados. México está ofreciendo el documento de identificación consular en parte debido a que es una de las mejores maneras de recopilar datos agregados sobre su población en el extranjero, así como para documentar a determinadas personas.

Para el año 2003, un mosaico de 160 instituciones financieras estadounidenses y 513 gobiernos locales reconocían estos documentos de identidad mexicanos, mientras que otras agencias del gobierno de EUA no los reconoce de forma explícita (*Migration News*, 2003b). El politólogo de Harvard Samuel Huntington (2004: 282) ha afirmado expresamente que la aceptación de la tarjeta de identificación consular está erosionando la soberanía de EUA: "La aceptación de [la matrícula consular] por las instituciones públicas y privadas americanas cede al gobierno mexicano el poder de dar a los inmigrantes ilegales el estatus y los beneficios normalmente disponibles sólo para residentes legales. Efectivamente, un gobierno extranjero determina quién es norteamericano".

El éxito del programa del documento de identificación o matrícula consular, al atraer a varios millones de mexicanos a participar de forma voluntaria, es especialmente llamativo en comparación con la baja participación en el voto desde el extranjero en las elecciones mexicanas y el bajo número de mexicanos que han adoptado la doble nacionalidad. ¿La matrícula consular debilita realmente, o señala el debilitamiento, de la soberanía estadounidense? Por el contrario, la vida en Estados Unidos es difícil sin los documentos oficiales, por ejemplo para entrar en un edificio del gobierno, probar la propia identidad ante la policía, o abrir una cuenta bancaria. Estados Unidos no cuenta con un control perfecto de sus fronteras ni tampoco con una vigilancia perfecta sobre la población que vive dentro de sus fronteras. Sin embargo, esto no debe ocultar qué tan intensamente el gobierno de EUA está desarrollando la capacidad de regular la vida de los extranjeros y los ciudadanos por igual. Es la capacidad de expansión del gobierno estadounidense la que está llevando a la población migrante a los brazos del gobierno mexicano para conseguir uno de los recursos más útiles que los consulados tienen que ofrecer. El gobierno mexicano puede emitir esos documentos, ya que es parte de tratados internacionales de larga data, como la Convención de Viena de 1963 sobre Relaciones Consulares, que circunscribe un conjunto de funciones consulares que no violan la soberanía del Estado de acogida.

Afiliaciones plurales

Históricamente, la mayoría de los gobiernos ha considerado la nacionalidad plural como anatema. Para utilizar la metáfora de Rogers Brubaker (1992), la nacionalidad plural altera el uso de la nacionalidad como un sistema de archivo ordenado de la población mundial. Durante "la edad de oro" del modelo de "lealtad perpetua" en el siglo XIX, se esperaba que las lealtades nacionales fueran duraderas y exclusivas. Si bien durante la mayor parte del siglo XX la legitimidad del cambio de nacionalidad fue reconocida, el principio de sólo contar con una nacionalidad continuó siendo la norma. En muchos países, se ha producido un giro en las actitudes hacia la doble nacionalidad, especialmente desde la década de 1990. En América Latina, sólo cuatro países aceptaban la doble nacionalidad antes de 1991, pero seis más la reconocieron en los seis años siguientes (Jones-Correa, 2000). Los países de emigración como Turquía, India, República Dominicana, Brasil y El Salvador ahora promueven la doble nacionalidad entre los emigrantes, e incluso entre sus descendientes nacidos en el extranjero (Hansen y Weil, 2002; Faist y Kivisto, 2007).

Estados Unidos acepta la doble nacionalidad en la práctica, a pesar del juramento en la ceremonia de naturalización, donde el nuevo ciudadano renuncia a cualquier lealtad a príncipes o potentados extranjeros. El lenguaje suena anacrónico, ya que se basa en las preocupaciones que se han desvanecido sobre la quinta columna de un país extranjero o lealtad al papa. Los miedos sobre terroristas islamistas desde el 9/11 no son tanto sobre los agentes de un Estado extranjero —donde la doble nacionalidad podría ser hipotéticamente un problema si los malhechores llamaran la atención sobre sus afiliaciones extranjeras—, sino que se teme que sean miembros de organizaciones terroristas transnacionales explícitas.

Desde 1998, México ha reconocido la doble nacionalidad para los mexicanos que han nacido o se han naturalizado en el extranjero. El fortalecimiento de la soberanía territorial de México ayuda a explicar el cambio en la postura de México hacia la doble nacionalidad. Las constituciones desde 1857 han prohibido la mayoría de los casos de doble nacionalidad. La doble nacionalidad ha sido considerada como una posible manera de que mexicanos nacidos en el extranjero o "agringados" intervinieran en los asuntos mexicanos, compraran tierras y concesiones económicas en áreas estratégicas fronterizas y costeras, e invocaran el respaldo de los gobiernos extranjeros en disputas con las autoridades mexicanas (FitzGerald, 2005). Estos temores se expresaron en la única voz disidente contra la doble nacionalidad en los debates de 1997 en el Congreso mexicano:

No es posible que quienes han luchado en favor de la reforma agraria, ¡quienes han luchado por el artículo 27 constitucional!, quienes hemos estado empeñados en que en el país exista justicia para los campesinos, estemos ahora entregando el patrimonio histórico de todos los mexicanos para que los mexicanos-norteamericanos tengan la oportunidad también de entrar en la posibilidad de esos territorios que estaban reservados únicamente para los mexicanos (Declaraciones del diputado Tenorio Adame, del Partido de la Revolución Democrática).

El voto a favor de la doble nacionalidad fue de 405 a uno debido a que tales argumentos simplemente ya no son tan relevantes, dado que el nacionalismo dirigido contra Estados Unidos por lo general se ha desvanecido. A diferencia de los siglos xix y xx, el Estado mexicano está a salvo de invasiones por parte de un poder extranjero. Un argumento similar puede enarbolarse para otros países de América Latina, que se sienten más seguros ofreciendo la doble nacionalidad a sus emigrantes, que a menudo migran a Estados Unidos y España, en un momento en que "la diplomacia de los cañones" ya no es la norma. Estados Unidos sigue interviniendo periódicamente en América Central y el Caribe, pero las ocupaciones militares recurrentes de las tres primeras décadas del siglo xx ahora serían consideradas aberrantes.

Por supuesto, la doble nacionalidad no es del todo nueva. Muchos países han reconocido una cierta forma de doble nacionalidad desde hace generaciones. Ya en 1912, el gobierno italiano aceptó la realidad de los vínculos plurales de los "italianos móviles" como una concesión práctica para mantener algún tipo de relación Estado-emigrante, pero no animó a los emigrantes a adoptar vínculos duales (Pastore, 2001). La novedad de la ciudadanía emigrante contemporánea radica en el fortalecimiento de los derechos de los emigrantes en países particulares, la escala global de la aceptación de la doble nacionalidad y la promoción activa de la doble nacionalidad por los gobiernos de los países de origen.

Derechos por encima de las obligaciones

La ciudadanía emigrante (*emigrant citizenship*) se basa en la idea que se remonta a la época romana de que la ciudadanía es un derecho que se "posee" (Pocock, 1998). La comunidad debe protección a sus ciudadanos, y dicho derecho a ser protegido puede ser transportado. El jurista Kim Barry (2006: 23) señala con razón que de acuerdo con la lógica del derecho internacional, la intervención de los Estados de origen para proteger a los ciudadanos en el exterior "no es un derecho de los ciudadanos en el extranjero", sino más bien una prerrogativa del Estado de ese ciudadano, porque "el Estado ha sido herido vía el supuesto daño a sus ciudadanos y está afirmando su propio derecho al proteger a sus ciudadanos". Sin embargo, los debates públicos e incluso algunas leyes constitucionales implican el derecho del migrante a la protección por su Estado de origen. Por ejemplo, en un pasaje que consagra la política de mano de obra de exportación en el derecho constitucional, la Constitución de Filipinas de 1987 especifica: "El Estado debe brindar protección plena a los trabajadores, locales y en el extranjero". La Constitución española de 1978 establece: "El Estado velará especialmente por la salvaguardia de los derechos sociales y económicos de los trabajadores españoles en el extranjero".[6] Además, tanto el derecho a salir del país de nacionalidad como el derecho a regresar a él están consagrados en el derecho internacional. Mientras que los países de emigración están obligados a permitir el regreso de los repatriados, los ciudadanos tienen el derecho humano reconocido a abandonar sus países de origen y en muchos casos a renunciar a sus nacionalidades (Hannum, 1987). La soberanía de Westfalia crea un desequilibrio estructural en favor de los derechos que poseen los emigrantes por encima de sus obligaciones.

En un contexto de migración internacional, hay una disyuntiva respecto del principio aristotélico de que los gobernados deben ser los gobernantes. La mayor atención se ha centrado en el problema de los residentes de un territorio que no tienen una voz en el gobierno del Estado porque no son ciudadanos (Hammar, 1989). La segunda opción surge de la perspectiva de la ciudadanía extraterritorial: emigrantes que pueden votar, cabildear o postularse para un cargo pueden crear normas a las que no están sujetos directamente. Los ciudadanos residentes deben enfrentar las consecuencias de las acciones de emigrantes de manera más directa que los emigrantes, cuya huida de "los brazos" del Estado necesariamente inclina la balanza de derechos y obligaciones hacia los primeros. Los emigrantes pueden disfrutar de la esencia de la "ciudadanía a la carta" de su lugar de origen, desde un menú de derechos y obligaciones, mientras que los residentes deben aceptar derechos y obligaciones juntos y a un precio relativamente fijo. Los proponentes del comunitarismo, siguiendo la filosofía política de Rousseau, se han quejado históricamente de que la ciudadanía en general se inclina hacia los derechos y está demasiado lejos de las obligaciones colectivas. Esta inclinación se hace aún más pronunciada en el contrato social del Estado con los emigrantes.

---

[6] Constitución de Filipinas (1987), art. XIII; Constitución de España (1978), art. 42.

Conclusión

Nuevas y más flexibles características de la ciudadanía emigrante se han institucionalizado en México y muchos otros países de emigración. Sin embargo, estas características no son universales. ¿Qué factores inhiben la ciudadanía a la carta?

A nivel de país de origen, el fuerte nacionalismo dirigido por el Estado y una relación antagónica con los países de destino hace que sea más difícil para los gobiernos de los países de origen aceptar la doble nacionalidad. Por ejemplo, la India permite la doble nacionalidad para los estadounidenses, pero no para los paquistaníes (Varadarajan, 2010). Como se muestra en la gráfica II.1, en el país de destino existe una relación curvilínea entre el grado de asimilación-integración y la flexibilidad de los migrantes para escoger y elegir entre un amplio menú de prácticas. Por ejemplo, en el Golfo Pérsico, la naturalización y la mayoría de las formas de integración social son casi imposibles para la mayoría de los migrantes, por lo que no son capaces de aprovechar para su beneficio el hecho de tener los pies en dos países. En el otro extremo, la cultura política de los países altamente asimilacionistas como Francia hace ilegítimos los cabildeos étnicos (*ethnic lobbies*) existentes en EUA. Estados Unidos y Canadá, aun en mayor grado, alientan una forma pluralista de asimilación basada en una afinidad electiva con la doble nacionalidad y afiliaciones duales (FitzGerald, 2004; Morawska, 2003). A nivel individual, los inmigrantes no autorizados, aquellos que viven bajo el "estatus de protección temporal" o alguna otra categoría legal liminal, o los que tienen bajos niveles de diversos tipos de capital, tienen menos flexibilidad para definir su ciudadanía. Por el contrario, los profesionales y los empresarios están mejor posicionados para sacar múltiples ciudadanías, buscar ventajas fiscales y utilizarla como una "póliza de seguro" en caso de que se deterioren las condiciones de un país determinado. Ellos diversifican su "portafolio" de visas y pasaportes como medida de protección contra el riesgo de crisis económica y política en un determinado país.[7]

Aun así, las políticas en muchos países de emigración están convergiendo hacia este modelo más voluntarista y pluralista de la ciudadanía emigrante. Estos cambios no han sido impulsados por la inminente desaparición del sistema de Estados-nación, como han argumentado algunos

[7] Para una descripción de estas élites en la costa del Pacífico, véase Ong, 1998.

GRÁFICA II.1. Efectos del país de destino en el nivel de ciudadanía a la carta

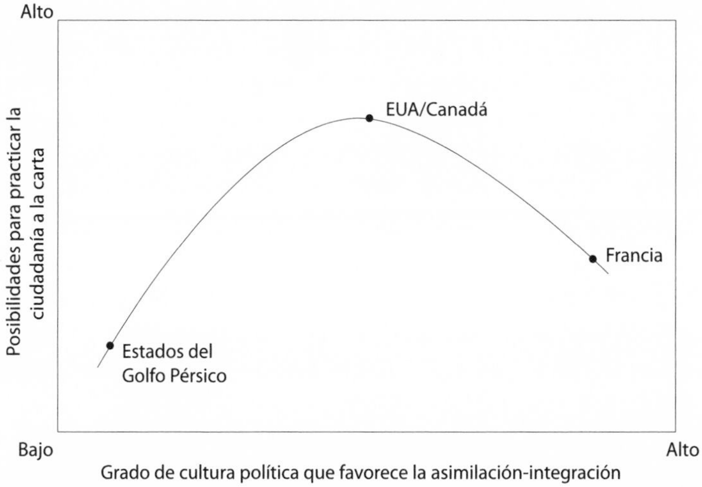

Fuente: Elaboración propia.

académicos globalistas y transnacionalistas. Más bien, las nuevas formas de ciudadanía y de estrategias para "abarcar" a los emigrantes son el producto de un sistema internacional que limita el alcance de los Estados *vis à vis* con sus ciudadanos fuera de su territorio. Además, tanto los Estados de origen como los de destino están cada vez más seguros de su integridad territorial, por lo que están dispuestos a permitir, e incluso promover, modelos más flexibles de membresía.

Bibliografía

Adamson, F.B. y M. Demetriou. 2007. "Remapping the Boundaries of State and National Identity: Incorporating Diasporas into IR Theorizing". *European Journal of International Relations*, 13 (4), pp. 489-526.

Aleinikoff, A. y D. Klusmeyer. 2001. "Plural Nationality: Facing the Future in a Migratory World", en A. Aleinikoff y D. Klusmeyer (eds.), *Citizenship Today: Global Perspectives and Practices*. Washington: Carnegie Endowment for International Peace. pp. 63-88.

Bada, X., J. Fox y A. Selee. 2006. *Invisible No More: Mexican Migrant Civic Participation in the United States*. Washington: Woodrow Wilson International Center for Scholars.

Basch, L., N. Glick Schiller y C. Szanton Blanc. 1994. *Nations Unbound: Transnational Projects, Postcolonial Predicaments and the Deterritorialized Nation-State.* Langhorne, Gordon and Breach.

Banco de México. 2009. "Las remesas familiares en 2008", enero 27. Mexico: Banco de México.

Barry, K. 2006. "Home and Away: The Construction of Citizenship in an Emigration Context". *New York University Law Review*, 81, pp. 11-59.

Blakesley, C.L. y D.E. Stigall. 2007. "The Myopia of US v. Martinelli: Extraterritorial Jurisdiction in the 21st Century", *George Washington International Law Review*, 39, pp. 1-45.

Buchanan, P. 2006. *State of Emergency: The Third World Invasion and Conquest of America.* Nueva York: Thomas Dunne Books.

Brubaker, R. 1992. *Citizenship and Nationhood in France and Germany.* Cambridge: Harvard University Press.

_____. 2005. "The 'Diaspora' Diaspora", *Ethnic and Racial Studies*, 28, pp. 1-19.

Castles, S. y A. Davidson. 2000. *Citizenship and Migration: Globalization and the Politics of Belonging.* Londres: Routledge.

Consejo Nacional de Población (Conapo). 2006. *La situación demográfica de México.* Mexico: Conapo.

Cornelius, W.A. *et al.* 2004. *Controlling Immigration: A Global Perspective.* Stanford: Stanford University Press.

Declaración del diputado Tenorio Adame, del Partido de la Revolución Democrática. 1996. diciembre 10. *Diario de los Debates.*

De la Garza, R.O. y L. DeSipio. 1998. "Interests Not Passions: Mexican-American Attitudes Toward Mexico, Immigration From Mexico, and other Issues Shaping U.S.-Mexico Relations", *International Migration Review*, 32 (2), pp. 401-422.

De la Garza, R.O. *et al.* 2000. "Family Ties and Ethnic Lobbies", en R.O. de la Garza y H. Pachon (eds.), *Latinos and U.S. Foreign Policy: Representing the "Homeland".* Lanham: Rowman y Littlefield. pp. 43-101.

Donner, R. 1994. *The Regulation of Nationality in International Law.* Irvington-on-Hudson: Transnational Publishers.

Dufoix, S. 2008. *Diasporas.* Berkeley: University of California Press.

Ellis, A. (ed.). 2007. *Voting from Abroad: The International IDEA Handbook.* Estocolmo: International Institute for Democracy and Electoral Assistance.

Faist, T. y P. Kivisto. 2007. *Dual Citizenship in Global Perspective: From*

Unitary to Multiple Citizenship. Londres: Palgrave Macmillan Hound-mills.

FitzGerald, D. 2004. "'For 118 Million Mexicans': Emigrants and Chicanos in Mexican Politics", en K. Middlebrook (ed.), *Dilemmas of Political Change in Mexico*. Londres: Institute of Latin American Studies, University of London. pp. 523-548.

_____. 2005. "Nationality and Migration in Modern Mexico", *Journal of Ethnic and Migration Studies*, 31, pp.171-191.

_____. 2006. "Rethinking Emigrant Citizenship". *New York University Law Review*, 81, pp. 90-116.

_____. 2009. *A Nation of Emigrants: How Mexico Manages Its Migration*. Berkeley: University of California Press.

Gamlen, A. 2008. "The Emigration State and the Modern Geopolitical Imagination". *Political Geography*, 27 (8), pp. 840-856.

Geddes, A. 2003. *The Politics of Migration and Immigration in Europe*. Londres: Thousand Oaks-Sage Publications.

Hammar, T. 1989. "State, Nation, and Dual Citizenship", en R. Brubaker (ed.), *Immigration and the Politics of Citizenship in Europe and North America*. Nueva York: University Press of America. pp. 81-95.

Hannum, H. 1987. *The Right to Leave and Return in International Law and Practice*. Londres: Martinus Nijhoff.

Hansen, R. y P. Weil. 2001. *Towards a European Nationality: Citizenship, Immigration, and Nationality Law in the EU*. Nueva York: Palgrave.

Hansen, R. y P. Weil. 2002. *Dual Nationality, Social Rights, and Federal Citizenship in the US and Europe: The Reinvention of Citizenship*. Nueva York: Berghahn Books.

Hatton, T.J. y J.G. Williamson. 1998. *The Age of Mass Migration: Causes and Economic Impact*. Nueva York: Oxford University Press.

Held, D. y A.G. McGrew. 2000. *The Global Transformations Reader: An Introduction to the Globalization Debate*. Malden: Polity Press.

Hollifield, J. 2005. "Migration and Sovereignty", en M.J. Gibney y R. Hansen, *Immigration and Asylum*. Oxford: ABC Clio.

Huntington, S. 2004. *Who Are We?: The Challenges to America's National Identity*. Nueva York: Simon & Schuster.

Instituto Federal Electoral (IFE). 2006. *Informe final sobre el voto de los mexicanos residents en el extranjero*. México: IFE.

Jacobson, D. 1996. *Rights across Borders: Immigration and the Decline of Citizenship*. Baltimore: The Johns Hopkins University Press.

Jones-Correa, M. 2000. "Under Two Flags: Dual Nationality in Latin America and Its Consequences for the United States". Cambridge: David Rockefeller Center for Latin American Studies, Harvard University.

Joppke, C. 2010. *Citizenship and Immigration*. Cambridge: Polity.

Krasner, S.D. 1995-1996. "Compromising Westphalia". *International Security*, 20, pp. 115-151.

Kratochwil, F. 1986. "Of Systems, Boundaries, and Territoriality: An Inquiry into the Formation of the State System". *World Politics*, 39, pp. 27-52.

Laguerre, M.S. 1998. Diasporic Citizenship: Haitians in Transnational America. Nueva York: St. Martin's Press.

Levitt, P. y N. Glick Schiller. 2006. "Haven't We Heard This Somewhere Before? A Substantive View of Transnational Migration Studies by Way of a Reply to Waldinger and FitzGerald". Center for Migration and Development. Working Paper núm. 06-01. Princeton University: Center for Migration and Development.

Levitt, P. y R. de la Dehesa. 2003. "Transnational Migration and the Redefinition of the State: Variations and Explanations". *Ethnic and Racial Studies*, 26 (4), pp. 587-611.

Martin, D.A. 2002. "New Rules for Dual Nationality", en R. Hansen y P. Weil (eds.), *Dual Nationality, Social Rights and Federal Citizenship in the U.S. and Europe: The Reinvention of Citizenship*. Nueva York: Berghahn Books. pp. 34-60.

Massey, D. *et al.* 1998. *Worlds in Motion: Understanding International Migration at the End of the Millennium*. Oxford: Clarendon Press.

Migration News. 2003a. julio 3. "Congress: Legalization, Naturalization", 10 (3).

Migration News. 2003b. octubre 16. "Mexico: Legalization, Elections, IDS", 10 (4).

Moctezuma Langoria, M. 2003. "La voz de los actores sobre la ley migrante y Zacatecas", *Migración y desarrollo*, 1, octubre. pp. 100-3.

Morawska, E. 2003. "Immigrant Transnationalism and Assimilation: A Variety of Combinations and a Theoretical Model They Suggest", en C.J. y E. Morawksa (eds.), *Integrating Immigrants in Liberal Nation-States*. Londres: Palgrave. pp. 133-76.

Organización de las Naciones Unidas (ONU). 2010. Department of Economic Affairs. Population Division. Disponible en: http://esa.un.org/migration/p2k0data.asp

Ong, A. 1998. *Flexible Citizenship: The Cultural Logics of Transnationality.* Durham: Duke University Press.

Østergaard-Nielsen, E. 2003. *International Migration and Sending Countries: Perception, Policies and Transnational Relations.* Londres: Palgrave.

Passel, J. 2004. "Mexican Immigration to the US: The Latest Estimates". Washington, D.C.: Migration Policy Institute.

Pastore, F. 2001. "Nationality Law and International Migration: The Italian Case", en R. Hansen y P. Weil (eds.), *Towards a European Nationality: Citizenship, Immigration, and Nationality Law in the EU.* Nueva York: Palgrave. pp. 95-117.

Pew Hispanic Center. 2009. "Mexican Inmigrants in the Unites States, 2008". Disponible en http://www.pewhispanic.org/2009/04/15/mexican-immigrants-in-the-united-states-2008/ [consultado: el 15 de abril de 2009].

Pocock, J.G.A. 1998. "The Ideal of Citizenship Since Classical Times", en G. Shafir (ed.), *The Citizenship Debates.* Minneapolis: The University of Minnesota Press. pp. 31-41.

Ratha, D., S. Mohapatra y A. Silwal. 2010. "Migration and Development Brief 12", Migration and Remittances Team, Development Prospects Group. World Bank. Disponible en: http://siteresources.worldbank.org/INTPROSPECTS/Resources/334934-1110315015165/MigrationAndDevelopmentBrief12.pdf

Ruggie, J.G. 1993. "Territoriality and Beyond: Problematizing Modernity in International Relations", *International Organization*, 47, pp. 139-174.

Sassen, S. 1996. *Losing Control? Sovereignty in an Age of Globalization.* NuevaYork: Columbia University Press.

_____. 1998. *Globalization and its Discontents.* Nueva York: The New Press.

_____. (2006). *Territory, Authority, Rights: From Medieval to Global Assemblages.* Princeton: Princeton University Press.

Schain, M.A. 2009. "The State Strikes Back: Immigration Policy in the European Union". *European Journal of International Law*, 20, pp. 93-109.

Sherman, R. 1999. "From State Introversion to State Extension in Mexico: Modes of Emigrant Incorporation, 1900-1997", *Theory and Society*, 28 (6), pp. 835-878.

Smith, M.P. y M. Bakker. 2007. *Citizenship across Borders: The Political Transnationalism of El Migrante.* Cornell: Cornell University Press.

Smith, R.C. 2003. "Migrant Membership as an Instituted Process: Migration, the State and the Extra-Territorial Conduct of Mexican Politics". *International Migration Review*, 37 (2), pp. 297-343.

_____. 2008. "Contradictions of Diasporic Institutionalization in Mexican Politics: the 2006 Migrant Vote and Other Forms of Inclusion and Control". *Ethnic and Racial Studies*, 31 (4), pp. 708-741.

Soysal, Y.N. 1994. *Limits of Citizenship: Migrants and Postnational Membership in Europe*. Chicago: University of Chicago Press.

Spiro, P. 2002. "Embracing Dual Nationality", en R. Hansen y P. Weil (eds.), *Dual Nationality, Social Rights, and Federal Citizenship in the US and Europe: The Reinvention of Citizenship*. Nueva York: Berghahn Books. pp. 19-33.

Suro, R. 2005. "Attitudes about Voting in Mexican Elections and Ties to Mexico". Washington, D.C.: Pew Hispanic Center.

Suro, R. y G. Escobar. 2006. "Survey of Mexicans Living in the U.S. on Absentee Voting". Washington, D.C.: Pew Hispanic Center.

Torpey, J.C. 2000. *The Invention of the Passport: Surveillance, Citizenship, and the State*. Cambridge: Cambridge University Press.

United Nations. Department of Economic Affairs. Population Division. 2010. Disponible en: http://esa.un.org/migration/p2k0data.asp

Urry, J. 2000. *Sociology beyond Societies: Mobilities for the Twenty-first Century*. Londres: Routledge.

Varadarajan, L. 2010. *The Domestic Abroad: Diasporas in International Relations*. Oxford: Oxford University Press.

Waldinger, R. y D. FitzGerald. 2004. "Transnationalism in Question", *American Journal of Sociology* 109, (5), pp. 1177-1195.

Zolberg, A.R. 1999. "Matters of State: Theorizing Immigration Policy", en C. Hirschman, P. Kasinitz y J. DeWind, *The Handbook of International Migration: The American Experience*. Nueva York: Russell Sage, pp. 71-93.

SEGUNDA PARTE

Ciudadanos euro-latinoamericanos

III. Ciudadanía múltiple y extraterritorial: Tipologías de movilidad y ancestría de euro-latinoamericanos

Pablo Mateos*

L a globalización desafía la concepción tradicional de los Estados-nación, definidos por la tríada "territorio, población y derechos" dentro de un mundo organizado en Estados-nación no superpuestos (Joppke, 2005). Los grandes flujos de migración internacional, las relaciones familiares transfronterizas y las prácticas de ciudadanía múltiple trascienden la coincidencia espacial entre los ciudadanos de un Estado y sus límites territoriales-jurisdiccionales (Sassen, 2005; Spiro, 2007). Como resultado, en las últimas dos décadas se ha producido un crecimiento sustancial en el número de ciudadanos externos —personas que viven fuera de su país de ciudadanía, un concepto propuesto por Baübock (2009)— así como quienes ostentan doble o múltiple ciudadanía, el tema de este libro. Esto ha supuesto un desafío al significado tradicional de la ciudadanía nacional (Faist y Kivisto, 2007). Por consiguiente, la delimitación de la "población" sujeta a un Estado, más allá del país de residencia, se ha convertido en una muy difícil y polémica tarea (Poulain y Herm, 2010) y, como se verá en este capítulo, especialmente en el contexto del espacio altamente integrado de la Unión Europea (UE).

A pesar de la importancia de estas nuevas tendencias, la investigación sobre ciudadanía y migración se ha centrado generalmente en "el punto de vista del destino" de estos procesos, según la cual la inmigración se concibe como un flujo unidireccional que termina en el asentamiento (*settlement*). Los migrantes ocupan una especie de "sala de espera" (Samers, 2009), en la cual permanecen hasta que, transcurrido un tiempo mínimo de adaptación a las costumbres del país de destino, se les otorga la ciudadanía o nacionalidad por naturalización, como premio a dicha integración. Durante

* Profesor e investigador, CIESAS Occidente, México.

las últimas dos décadas, se ha producido un creciente interés en el "punto de vista del origen", entendiendo el papel de los Estados de origen para establecer vínculos con sus diásporas a través de leyes de doble nacionalidad y voto en el exterior, y enfocándose en cómo se crean movimientos circulares y vínculos transnacionales (Levitt y Glick-Schiller, 2004).

Sin embargo, este capítulo parte de la premisa de que, en el contexto de la UE, la concepción binaria del origen-destino de la ciudadanía y migración y la actual preponderancia del interés en la "naturalización" en un único país de destino, donde se supone que los migrantes se establecen permanentemente (OCDE, 2011), no explican adecuadamente las complejas prácticas contemporáneas de movilidad y pertenencia en la UE, recogidas en el concepto de la ciudadanía de la UE. Tres factores clave explican esta brecha de investigación: *a)* los migrantes han sido típicamente percibidos sólo como inmigrantes y no como emigrantes (Wimmer y Glick-Schiller, 2003), *b)* el hecho de que el Estado no puede garantizar la igualdad de derechos a sus ciudadanos fuera de su territorio nacional (véase capítulo II de este volumen) y *c)* los "nuevos ciudadanos" por ancestría son considerados oficialmente ciudadanos por nacimiento y por lo tanto nunca como "inmigrantes" (Waldrauch, 2006).

La tesis fundamental que subyace en este capítulo es que en las últimas dos décadas un nuevo y creciente colectivo de migrantes con ciudadanía múltiple europea está llevando a cabo complejas prácticas de pertenencia nacional, migración circular y adopción transgeneracional de la ciudadanía poco estudiadas en ciencias sociales y legales. A través de dichas prácticas, este colectivo desarrolla estrategias de vida al vincularse con varios Estados sin necesariamente implicar migración o residencia permanente. Los ciudadanos múltiples tienen abierto ante sí un espacio de movilidad que utilizan de manera pragmática para maximizar sus oportunidades económicas, de turismo sin visado, estudio, matrimonio, negocios, etc., para sí o sus familias sin llevar a cabo necesariamente movimientos migratorios, o como "seguro de vida" que permite la salida del país en momentos de crisis.

Este trabajo tiene como objetivo auspiciar nuevas investigaciones sobre el colectivo poco estudiado de ciudadanos múltiples de la UE, que se encuentran fuera de la mencionada ruta clásica migración-naturalización-ciudadanía en un solo país de la UE de destino y asentamiento permanente. Para facilitar la referencia a este colectivo poco estudiado, en adelante se le denominará *multizens* (ciudadanos múltiples). En particular nos centraremos en personas nacidas fuera de la UE, que: *a)* ya tienen, o tienen el derecho y la intención de acceder a una ciudadanía de la UE a través de las disposiciones para no residentes (ancestros o conexión familiar) o, *b)* tienen la ciudadanía de la UE a través de un Estado miembro, pero residen fuera de ese Estado. Conocemos muy poco acerca del tamaño, características y motivaciones del colectivo *multizens*, así como de las estrategias legales y de movilidad mediante las cuales acceden y transmiten la ciudadanía de la UE a través de las generaciones y el espacio. También han sido poco investigadas las formas en las que ejercen su libertad de movimiento para circular dentro y fuera de la UE, un espacio global cerrado a una alta proporción de *denizens* de la UE (no-ciudadanos de la UE, pero que residen en ella).

Después de hacer una breve revisión de la literatura sobre las cuestiones aquí planteadas, el capítulo propone una tipología de cuatro grandes trayectorias del colectivo *multizens*, cada una de las cuales se aborda en una subsección (Movilidad intra-UE, Adquisición de la ciudadanía por nacimiento o ancestría, migración "a tres bandas" y migración de retorno y circular). En ellas se ilustran sus características clave a través de ejemplos, así como la recopilación de la escasa evidencia estadística disponible, como un primer intento de delinear el volumen y las geografías de los diferentes tipos de *multizens* de la UE. La conclusión reúne las ideas centrales del capítulo apuntando hacia nuevas vías para la investigación futura de este fascinante campo de estudio.

El crecimiento de la ciudadanía múltiple y extraterritorial

La adopción de la ciudadanía múltiple está aumentando rápidamente en todo el mundo (Sejersen, 2008), y en el futuro podría convertirse en la principal norma de afiliación política (Spiro, 2007). Tal como reflejan otros autores en este libro, hasta hace tres décadas dominaba en el mundo una fuerte aversión hacia la ciudadanía múltiple, ya que ésta cuestiona el derecho del Estado a ejercer el monopolio de la pertenencia sobre sus ciudadanos (Vertovec, 2006). Sin embargo, de acuerdo con varios autores, actualmente entre 30 y 58 por ciento de los países del mundo permite algún tipo de ciudadanía múltiple (Blatter, Erdmann y Schwanke, 2009).

La respuesta en algunos Estados ha sido selectiva hacia la ciudadanía múltiple. En las naciones que tradicionalmente han sido de destino de inmigrantes (generalmente en América y Oceanía), la ciudadanía múltiple y la naturalización tienen una larga historia y forman parte de las prácticas de sus primeros pobladores europeos, por lo que es mucho más tolerada. Por el contrario, las naciones tradicionales de emigrantes (incluyendo la mayoría de los países europeos) están en general más dispuestos a tolerar la ciudadanía múltiple de sus ciudadanos nativos que viven en el extranjero y a permitir la transmisión de la ciudadanía a sus descendientes, que a facilitar los requisitos de naturalización de los inmigrantes no-ciudadanos que viven en su territorio o a proporcionar automáticamente el derecho a la ciudadanía por nacimiento a sus descendientes (Bloemraad, Korteweg y Yurdakul, 2008). En varios de estos países europeos por ejemplo se ha introducido la reversibilidad de la naturalización si los "nuevos" ciudadanos residen permanentemente en el extranjero o comenten algún crimen. En general, la ciudadanía múltiple de emigrantes por naturalización en el país de destino ha sido apoyada crecientemente por los Estados de origen en las últimas décadas como una eficaz herramienta de política exterior, ya que los expatriados y las minorías transfronterizas se ven como promotoras de los intereses nacionales en el extranjero. Además, el derecho al voto en el extranjero se ha promulgado como instrumento para proporcionar representación política y promover las remesas y los vínculos transnacionales entre la diáspora y la "metrópoli" (véase el capítulo II de este volumen).

El crecimiento de la ciudadanía externa y múltiple (que tal vez podríamos denominar *multizenship*) tiene importantes implicaciones para la relación entre los derechos individuales y la soberanía del Estado. Por ejemplo, con frecuencia se plantea la pregunta de si la creciente tolerancia de la ciudadanía múltiple, ¿consolida o debilita la integración política y social de los inmigrantes?, ¿es la adquisición de la ciudadanía una condición necesaria previa o posterior a la integración?

Joppke (2010) y Spiro (2007) sorprendentemente concluyen que "la verdad irrefutable [...] es que el valor de una visa de inmigrante sobrepasa con mucho el de la ciudadanía formal" (Joppke, 2010: 12); sin embargo, la evidencia presentada en este trabajo claramente contradice esta afirmación. Es precisamente una mayor facilidad para la migración o la circulación (movilidad) lo que la mayor parte de los ciudadanos múltiples buscan, y por lo tanto los derechos asociados a la ciudadanía formal definitivamente superan por mucho el más generoso de los estatus de residencia permanente concedido por cualquier nación (estatus de por vida, derecho al retorno permanente, transmisión intergeneracional, agrupación familiar, etc.). Y ninguna otra ciudadanía tiene más valor en el ámbito global que un pasaporte de la Unión Europea (UE), como se discute en la siguiente sección.

El creciente valor de la ciudadanía de la UE

La integración política y económica de la UE es clave para entender el futuro de la ciudadanía en general, ya que constituye la única forma existente de la ciudadanía supranacional. Más que un modelo posnacional, se ha visto como un caso de "ciudadanía anidada" a varios niveles (Faist y Kivisto, 2007 y capítulo I, este volumen).

Dentro del sistema de derecho de la Unión Europea, el Tratado de Maastricht de 1992 creó el concepto legal de la ciudadanía europea, una especie de federación de nacionalidades de la UE que se obtiene automáticamente a través de la nacionalidad de cualquier Estado miembro. A raíz de este tratado, en los últimos veinte años se ha creado un espacio altamente integrado de libre circulación e igualdad de derechos para los connacionales de los actuales 28 países miembros, más otras cuatro naciones asociadas del denominado Espacio Económico Europeo (EEE).[1] Este espacio de 32 países representa un territorio de oportunidades de movilidad, educación, trabajo y entretenimiento que está totalmente vedado a los residentes legales que carecen de una nacionalidad UE. Esto ocurre incluso aunque tengan residencia permanente en un Estado miembro, ya que los derechos migratorios de los no-ciudadanos europeos no son portables de un país a otro. Pese a diversas propuestas de crear una tarjeta de residencia europea para los extranjeros residentes permanentes que facilite su movilidad intra-UE, también apodada "tarjeta azul", ésta no se ha materializado para la mayoría de las tipologías de migrantes (European Council, 2010).

La mayoría de la investigación sobre la movilidad interior de la UE se ha centrado principalmente en las poblaciones nacidas en la UE (sólo 29% de todos los migrantes), específicamente una élite cada vez mayor de jóvenes profesionales con alta movilidad o "eurostars" (Favell, 2008) educada como parte de la "generación Erasmus". Sin embargo, las implicaciones de largo alcance de la integración de la UE para los migrantes de fuera

---

[1] Para facilitar la comprensión, y a menos que se indique lo contrario, este trabajo utiliza indistintamente los términos "Europa", "UE" y "ciudadanía de la UE" para designar a todo el Espacio Económico Europeo y Suiza (32 países), en lugar de sólo los 28 Estados miembros de la UE o la totalidad del continente europeo (44 países).

de la UE (también conocidos como "nacionales de terceros países") han sido pasadas por alto en estudios de ciudadanía y migración.

Es obvio por lo tanto que exista un gran incentivo para que los inmigrantes no europeos adquieran la nacionalidad de uno de los Estados miembros de la UE, evitando de manera definitiva las restricciones de las distintas políticas migratorias nacionales en cada uno de los 32 países (Bauböck, 2006a). Qué nacionalidad particular de la UE se adquiera es realmente irrelevante, dada la absoluta intercambiabilidad entre las mismas, por lo que se adopta aquella del país que facilite la vía más rápida y sencilla para cada circunstancia personal (bien por ancestros, residencia o matrimonio) (Mateos y Durand, 2012). Esto está creando crecientes tensiones dentro de la UE, ya que, a través de la política doméstica (leyes de nacionalidad), cualquier Estado tiene la potestad de admitir a ciudadanos miembros de toda la Unión Europea. Con ello, cada Estado miembro tiene un poder *de facto* sobre la política migratoria de todos los demás miembros. Por ejemplo, las recientes leyes de ciudadanía de Hungría y Rumania han llevado al Reino Unido a quejarse ante Bruselas por promocionar la "ciudadanía étnica" e incrementar el tamaño de la población que tiene derecho a disfrutar de libertad de movimiento, trabajo y asentamiento dentro de la UE (*Daily Mail*, 2010).

A pesar de las preocupaciones sobre los altos niveles de inmigración a la Unión Europea, los ciudadanos de terceros países sólo constituían 4 por ciento de la población de la UE en 2010, es decir 20.2 millones de residentes, mientras que en términos de países de nacimiento, un total de 31.4 millones de residentes nacieron fuera de la UE (6.3% de la población de la UE) (Eurostat, 2010). La diferencia de 10.2 millones de personas entre estas dos construcciones alternativas de "inmigrantes no europeos" son aquellos residentes nacidos fuera de la UE pero que tienen la ciudadanía de un Estado de la UE. Una parte importante de este colectivo está probablemente compuesto por migrantes naturalizados y muchos otros han accedido a la ciudadanía de la UE a través de ancestros. Sin embargo, no existen estadísticas disponibles para distinguir entre estos dos tipos de acceso a la ciudadanía de la UE: naturalización y ancestría. Por último, se sabe poco sobre la otra cara de la "moneda migratoria", es decir, los ciudadanos de la UE que actualmente viven fuera de la UE, y que comprende a los "expatriados" nacidos en la UE, los migrantes naturalizados en la UE que han retornado a sus países o migrado a terceros países y algunos de sus descendientes.

Por lo tanto, en este capítulo sostenemos que la integración de la UE ha creado dos procesos distintos, muy poco estudiados hasta ahora. Por un lado, se han fomentado nuevas prácticas discriminatorias en el acceso a la ciudadanía que favorecen a los descendientes de emigrantes y "coétnicos" (miembros de grupos étnicos considerados afines a "la nación"), por encima de los residentes permanentes sin ciudadanía de la UE o *denizens* (Hammar, 1990). Por otro, se han creado fuertes incentivos para ostentar la ciudadanía externa, es decir, la residencia fuera de su país de ciudadanía de la UE.

No obstante, pese a importantes avances conceptuales y teóricos sobre los cambios en el significado y las vías de acceso a la ciudadanía europea (por ejemplo, véanse Bauböck, 2006; Vink y De Groot, 2010), éstos no han sido correspondidos con una suficiente evidencia empírica acerca de las prácticas de movilidad y las trayectorias reales hacia la ciudadanía múltiple adoptadas por los migrantes. Este trabajo pretende contribuir a esta brecha para el caso de los ciudadanos múltiples europeos y, en particular, los euro-latinoamericanos.

Multizens euro-latinoamericanos

América Latina fue uno de los subcontinentes de destino más importantes para los emigrantes europeos en los siglos XIX y XX, estimándose en 12 millones el número de emigrantes europeos a dicha región entre 1800 y 1930 (Baily y Miguez, 2003). Por otro lado, hoy en día los latinoamericanos constituyen uno de los mayores colectivos de migrantes a nivel global, principalmente hacia Estados Unidos, pero con una importancia creciente hacia la UE (Eurostat, 2010; OCDE, 2010). Además, en años recientes se ha observado una clara tendencia de los Estados latinoamericanos a reconocer la doble nacionalidad como una estrategia para mantener vínculos activos con su diáspora (véase el capítulo VI de este volumen), lo cual ha generado un rápido aumento de la ciudadanía múltiple entre migrantes latinoamericanos, lo que suscita importantes cuestionamientos acerca de la soberanía nacional (Calderón Chelius, 2003).

Tal y como se mencionó en la introducción a este volumen, a finales del siglo XX se revirtieron los papeles de países de emigración a receptores de inmigración en el sur de Europa, y de inmigración a emigración en Latinoamérica. Este fenómeno, junto con la aparición de la ciudadanía UE en los años 90 y el incremento en el valor de movilidad de un pasaporte UE, hizo que se incrementara drásticamente el interés en Latino-américa por adquirir una nacionalidad UE. Además, en varios países afectados por recurrentes dificultades político-económicas, el pasaporte UE se ha convertido en una herramienta clave como "estrategia de salida" en tiempos de crisis. Por ejemplo, en los años que siguieron al estallido de la crisis argentina de 2001, se recibieron más de 400 mil solicitudes de pasaportes españoles a través de los consulados en ese país (Relea, 2003).[2] En Cuba, donde se han recibido 113 mil solicitudes de nacionalidad española entre 2008 y 2010 (Barros, 2011), el acceso a un pasaporte extranjero es con frecuencia la única manera de salir de la isla. Finalmente, si bien estos flujos migratorios se han vuelto a revertir parcialmente a raíz de la crisis económica desatada desde 2008, para muchos migrantes la posesión de una ciudadanía europea es un objetivo clave a asegurar antes del retorno, para capitalizar la experiencia migratoria en un activo que podrá ser transmitido intergeneracionalmente y facilitará futuras migraciones o movimientos dentro de la UE. Asimismo, conservar o transmitir inter-generacionalmente la ciudadanía del país latinoamericano de origen también facilitará dichos movimientos futuros, tal como se observa hoy en países con economías emergentes, como Brasil, Chile y en menor medida México, que comienzan a limitar la migración extranjera incluyendo a europeos.

Frente a una concepción de dos colectivos aparentemente homogéneos internamente, ciudadanos europeos y latinoamericanos, se erige una compleja geografía de prácticas de ciudadanía múltiple que entrelazan países e historias migratorias moduladas por la ancestría, la etnicidad y las trayectorias migratorias flexibles. Estos colectivos de euro-latinoamericanos rehúyen ser sometidos a una visión simplista binacional y unidireccional de la relación entre ciudadanía y migración. Por tal motivo, este capítulo se centra en dicho colectivo para desentrañar algunos de los procesos poco estudiados que cuestionan la concepción tradicional de la ciudadanía formal y la identidad colectiva en el contexto de la Unión Europea y su relación poscolonial con América Latina.

---

[2] Esta cifra fue obtenida del periodista citado en entrevista con el consulado español en Buenos Aires en 2003 y no se ha podido corroborar mediante una fuente oficial, ya que el Ministerio de Asuntos Exteriores no publica cifras de solicitudes de pasaportes para esos años.

Una tipología de las trayectorias de la ciudadanía múltiple de la UE

Las trayectorias de migración y ciudadanía del colectivo de ciudadanos múltiples (*multizens*) se definen aquí como sus flujos entre países de residencia y entre estatus de ciudadanía formal. Estas trayectorias se componen de decisiones secuenciales de migración y ciudadanía por parte de actores individuales y familias, a través de distintos países y a lo largo de generaciones, siguiendo una combinación de comportamiento premeditado y adaptativo. Tal comportamiento es contingente en una combinación de circunstancias o factores, tales como los países de residencia y nacimiento, la historia de movilidad, de nacionalidad(es), orígenes de sus antepasados, género, ciclo de vida, composición del hogar, política de visados, información disponible sobre rutas legales y expectativas sobre el valor percibido de ciudadanía de la UE. Estos factores forman en realidad un espacio multidimensional similar al concepto de "constelaciones de ciudadanía" propuesto por Bauböck (2010). Se trata de una estructura de oportunidades en la que los individuos están al mismo tiempo vinculados a varias naciones y entidades políticas pero difieren en sus ubicaciones dentro de dicha estructura, así como en sus intereses y orientaciones individuales para elegir entre estatus alternativos de ciudadanía. La UE es un buen ejemplo de una de estas constelaciones de ciudadanía y para entender su configuración y uso pragmático por los *multizens*, debemos en primer lugar mapear las principales trayectorias migratorias y legales seguidas por éstos. Este trabajo tomará el ejemplo de los *multizens* euro-latinoamericanos, uno de los dos ejes principales del presente libro.

El cuadro III.1. muestra un diagrama hipotético con una matriz de las trayectorias seguidas por los *multizens* europeos alrededor de un "país de interés" particular de la UE (columna B, fila 2). Esta matriz se usará en el resto de este capítulo como una plantilla para describir una tipología de prácticas de ciudadanía múltiple. La matriz tiene dos dimensiones: el estatus de la ciudadanía o nacionalidad (dimensión vertical, filas 1, 2 y 3) y el lugar de residencia (dimensión horizontal, columnas A, B y C). Comenzando por el nacimiento en un país fuera de la UE (celda A1), el diagrama sigue las principales rutas posibles para acceder a la ciudadanía (filas 1, 2 y 3) y la migración (columnas A, B, y C) hacia, desde y dentro de la UE. La mayor parte de la investigación sobre inmigración y ciudadanía de la UE se enfoca solamente en dos procesos; el primero es la inmi-

CUADRO III.1. Diagrama de las trayectorias de ciudadanía y migración del colectivo *multizens* en torno a un país de la UE "de interés"

		Residencia		
		No-UE	**País UE de interés**	**Resto de la UE**
Nacionalidad	**No-UE**	1) No migrante • 1a. No ancestros ✱ 1b. Ancestros UE *d)* Nacimiento/registo ancestría	*a) Inmigración* → ▣ 2) Denizen *b)* Naturalización	
	País UE de interés	↓ 5) Descendiente ▲ no-migrante 8) Migrante ● de retorno	*e) Retorno étnico* ◉3) Naturalizado ▲ *c) Movilidad intra UE* *g) Migración de* 6) Descendiente *retorno* migrante	◉ 4) Movilidad posnaturalización
	Resto de la UE	*f) Migración a tres bandas*		7) Descendiente ▲ migrante a tres bandas

LEYENDA	**Nacimiento fuera de la UE de padres-ancestros de:** ● No-UE ✱ País UE de interés	**Tipo de nacionalidad** ☐ Residente extranjero (*denizens*) Adquisición de ciudadanía UE por: ◯ Residencia (naturalización) △ Nacimiento-ancestría	**Tipo de flujos** → Migración (horizontal-diagonal) ⋮ Cambios de estatus legal (vertical)

Fuente: Elaboración propia.

gración a un solo país de interés de la UE a través de una visa, permiso de trabajo, etc., sujeto a la política de inmigración (de la celda A1→B1 o proceso "a"), y el segundo es el derecho a acceder a la ciudadanía por naturalización (a partir de la celda B1→B2 o proceso "b"). Los debates académicos y públicos ignoran en gran medida los flujos intra-UE (B2→C2 o flujo "c") y los flujos de retorno y circulares fuera de la UE (flujos hacia A2 o "g"), así como el acceso a la ciudadanía vía ancestros (A1→A2, A2→B2 y A2→B3 o flujos "d" y "f"). Este capítulo se enfoca precisamente en estas trayectorias poco estudiadas tal como se ha justificado en las secciones previas.

Como resultado de esta matriz podemos distinguir la existencia de ocho tipos de *stock* de migrantes:

1. Personas no migrantes:
   1a. No tienen ancestros de la UE.
   1b. Tienen ancestros de la UE.

2. *Denizens.*
3. Residentes naturalizados.
4. Movilidad posnaturalización.
5. Descendientes no migrantes.
6. Descendientes migrantes.
7. Descendientes migrantes "a tres bandas".
8. Migrantes de retorno.

y siete tipos de flujos migratorios:

a. Inmigración (mediante visado).
b. Naturalización.
c. Movilidad intra-UE.
d. Nacimiento o ancestría.
e. Retorno étnico.
f. Migración "a tres bandas".
g. Migración de retorno.

El resto de este capítulo se enfocará en los cinco últimos flujos, conformados por las trayectorias de movilidad y ciudadanía menos estudiadas y de especial relevancia para las trayectorias de los *multizens*: *c)* movilidad intra-UE, *d)* de nacimiento o por ancestría, *e)* "retorno étnico", *f)* migración "a tres bandas" y *g)* migración de retorno. Los flujos "d" y "e" se combinan aquí, ya que el último es la continuación del primero. Cada uno de estos tipos de trayectoria se ilustra con una serie de ejemplos y evidencia estadística a partir de la escasa literatura y fuentes de información disponibles. Además nos centramos en el colectivo de euro-latinoamericanos que presenta cada vez más evidencias de estos tipos de trayectorias espaciales y legales, ilustrados con información primaria de tipo cualitativo. Las citas textuales usadas en este capítulo provienen de los resultados del análisis empírico realizado con dos grupos de migrantes latinoamericanos; un grupo de veinte residentes en Reino Unido con ciudadanía múltiple que fueron entrevistados en profundidad y otro de 2 860 personas que participaron en un foro de discusión en internet sobre nacionalidad española. La metodología detallada de ambos proyectos se describe en otros trabajos (Mateos y Durand, 2012; Mateos y McCarthy, 2014).

Movilidad intra-EU

Más allá de los flujos de inmigración y naturalización ampliamente estudiados por la literatura (a y b en el cuadro III.1), el tipo *c)* movilidad intra-UE, se enfoca en los denominados movimientos "posnaturalización". Debido a que los *multizens* que se naturalizan en un país de la UE tienen automáticamente el derecho a vivir y trabajar en cualquiera de los otros 32 países del Espacio Económico Europeo (EEE), un pequeño pero creciente subconjunto de estos migrantes naturalizados está haciendo uso de este derecho a través de flujos migratorios secundarios (flujos B2→C2 o flujo "c" en el cuadro III.1). El hecho de que los migrantes no europeos hayan manifestado siempre una mayor movilidad geográfica que los nativos de la UE (Kahanec y Zimmermann, 2010) sugiere que este tipo de *multizens* posnaturalización muy probablemente crecerá en el futuro próximo, sobre todo a partir de la crisis económica que ha afectado a algunos países de la zona del euro en la periferia de Europa.

Sin embargo, los ciudadanos naturalizados "desaparecen" de las estadísticas oficiales uniéndose a todos los demás nacionales al momento de adquirir el estatus de su nueva ciudadanía. Una opción para hacer un seguimiento de esta población esquiva de *multizens* sería combinar la información de ciudadanía y país de nacimiento a escala individual, pero desafortunadamente estos datos no están disponibles para la gran mayoría de los países de la UE.

Los análisis cualitativos de flujos intra-UE de inmigrantes naturalizados son muy útiles para ilustrar las trayectorias reales adoptadas por estos migrantes. Un caso estudiado hace poco involucra varias comunidades de refugiados somalíes, iraquíes y otros, que después de vivir durante varios años y naturalizarse en un primer país de refugio de la UE —por lo general Suecia, Holanda o Dinamarca— deciden después emigrar a Reino Unido (Lindley y Hear, 2007; Van Liempt, 2011). Otro ejemplo interesante es el de ciudadanos británicos nacidos en Colombia, quienes llegaron como refugiados a Reino Unido y algunos de los cuales más tarde se mudaron a España por razones familiares y culturales (INE, 2012). Este grupo también tiene un flujo opuesto, los ciudadanos naturalizados españoles nacidos en Colombia que se han mudado a Reino Unido por motivos de trabajo después de la crisis económica que golpeó a España (McIlwaine, Cock y Linneker, 2011). Además, en un estudio amplio sobre migrantes nacidos en América Latina que viven en Londres, 25 por ciento de los encuestados reportaban tener un pasaporte británico y 19 por ciento tenía una ciudadanía de la UE distinta de la británica (McIlwaine, Cock y Linneker, 2011). De hecho, los latinoamericanos son un colectivo creciente de migrantes en la UE que representan muy bien las intrincadas trayectorias de movilidad evaluadas en este capítulo.

Para los ciudadanos euro-latinoamericanos la cuestión de la movilidad intraeuropea posnaturalización es clave para entender qué ventajas ofrece la segunda ciudadanía europea y cómo se utiliza en la práctica. Nueve de los veinte entrevistados en Londres tenían pasaporte español, obtenido después de residir unos años en España; la mayoría de éstos provenía de tres países andinos (Colombia, Ecuador y Bolivia) y de la Republica Dominicana.

Como iberoamericanos, el periodo de residencia legal requerido en España para solicitar la naturalización es solamente de dos años, frente a los diez años exigidos por España para el resto del mundo (incluso migrantes de la UE), o cinco años de residencia permanente en Reino Unido. Pese a esto, el trámite para obtener la nacionalidad española se demora otros dos o tres años, por lo que los migrantes entrevistados llevaban más de media década en España, adonde llegaron desde países andinos con visado de turista, estuvieron una etapa como irregulares para después acogerse a una de las regularizaciones de principios de 2000. Con el permiso de trabajo en la mano, esperaron dos años para poder solicitar la nacionalidad española, y otro tanto para poder recibir el pasaporte. Tras el estallido de la crisis económica en España desde 2008, las opciones de trabajo se redujeron drásticamente, especialmente para los que trabajaban en el sector de la construcción o en servicios de baja cualificación. Es así como el pasaporte español se tornó en un importante activo de movilidad. Dejaron parte de sus familias en España para migrar a Reino Unido siguiendo una estrategia de adaptación o supervivencia. McIllwaine, Cock y Linneker (2011) han encontrado una corriente de migración masculina de latinoamericanos de España a Reino Unido, cuyo principal objetivo es enviar remesas a sus familiares que permanecen en España, sobre todo con el fin de pagar las hipotecas de las que no pueden desprenderse, a la vez que mantienen a sus hijos escolarizados en España.

Entre los entrevistados que han seguido esta trayectoria Latinoamérica-España-Reino Unido, ninguno planeó esta secuencia de eventos desde su país de origen, declarando que antes de llegar a España ni siquiera sabían que tenían derecho a la nacionalidad española por residencia; es decir, estas decisiones de migración y trayectoria legal hacia la ciudanía europea no forman parte de una estrategia predeterminada, ni de ningún "efecto llamada" de las amnistías, sino que forman parte de un comportamiento "adaptativo", que sigue los pasos marcados por otros migrantes por imitación, siempre maximizando las opciones disponibles en cada momento para cada circunstancia personal y familiar.

Así, Javier, un dominicano que trabaja en servicios de limpieza en Londres, explica cómo, tras varios meses sin trabajo en España y tener que pagar la hipoteca de su vivienda, decidió probar suerte primero en Nueva York, donde tiene familiares y adonde llegó con su pasaporte español como turista. Tras ahorrar unos mil dólares trabajando durante un mes, no le gustó esta opción

> porque allí [Estados Unidos] tienes que salir cada tres meses del país por la visa de turista, y está muy lejos de España así que se iría el dinero en entrar y salir. Desde aquí [Londres] es mucho más fácil viajar a España, cada vez que me dan cinco días me voy a España. Tengo hermanos en la Republica Dominicana, dos hijos en España, uno en Londres, dos hermanos en España y dos en Nueva York [...] No quiero quedarme aquí, no me gusta y todo es muy caro, pero por lo menos quiero aprender inglés (Javier, dominicano con pasaporte español residente en Reino Unido).

Este caso de familia transnacional es muy emblemático de la migración caribeña, que como en este caso utiliza las redes sociales del migrante junto con el capital del pasaporte europeo para maximizar sus opciones de movilidad y trabajo en tiempos de crisis económica. Otros migrantes entrevistados también viajaron a Estados Unidos tras obtener el pasaporte español y contemplaron quedarse como migrantes irregulares allá, pero prefirieron probar suerte en Reino Unido por la cercanía con España y tener un estatus legal que les permitiera entrar y salir. Es decir, valoraron primordialmente la movilidad fluida del pasaporte europeo.

A través de estos ejemplos de migrantes naturalizados intra-UE esperamos haber atraído un poco de atención a las trayectorias de los migrantes que no se ajustan a las tan desgastadas categorías bipolares de movimientos origen-destino establecidas en la literatura sobre migración y transnacionalismo. Quizá el concepto de circuito migrante transnacional (Rouse, 1991), pese a estar pensado para un movimiento entre dos países, se asemeje más a esta "reemigración" (*onward migration*) intra-UE. A pesar de la novedad de este flujo "c", la mayoría de los *multizens* en realidad se enmarcan dentro de los tipos discutidos en las siguientes subsecciones.

Adquisición de ciudadanía por nacimiento o ancestría y "retorno étnico"

La naturalización representa solamente una subsección del número total de adquisiciones de la ciudadanía de la UE. Waldrauch sugiere que "la adquisición 'automática' [por nacimiento] en algunos Estados [...] representa una proporción considerable de todas las adquisiciones" (Waldrauch, 2006: 278). Se refiere tanto a la ciudadanía por derecho de nacimiento (*ius soli*) —la cual no se aborda en este capítulo (véase Honohan, 2010)— como a aquellos que acceden a la ciudadanía a través de disposiciones familiares o de ancestría, tanto dentro como fuera de la UE (movimientos entre las celdas A1→A2 o flujo "d" en el cuadro III.1). Las estadísticas oficiales no suelen registrar el acceso a la ciudadanía "por nacimiento" debido a la premisa fundamental de que estos individuos son considerados ciudadanos desde el nacimiento, independientemente de la edad a la que formalicen o "recuperen" la ciudadanía de un Estado miembro de la UE. Por lo tanto, los registros de una parte sustancial de la adquisición o atribución de ciudadanía de la UE permanecen ocultos en acervos dispersos de información administrativa, como los mundanos libros de registro civil o las solicitudes de pasaporte o certificados de nacimiento en los consulados. Parte de este colectivo se encuentra dentro de los 10.2 millones de ciudadanos de la UE que viven en la UE pero que nacieron en países no pertenecientes a ésta, pero un número mucho mayor de estos *multizens* en realidad vive fuera de la UE. A continuación se reseña la escasa evidencia disponible sobre ellos.

Alemania otorgó la ciudadanía a 2.4 millones de descendientes de "alemanes étnicos" *(aussiedlers)* entre 1990 y 2005, la mayoría procedentes de la ex Unión Soviética, sumando un total de 4.48 millones desde 1950 (Jennissen, 2011). En los últimos años, Hungría, Rumania y Bulgaria, todos Estados miembros de la UE, han introducido leyes para conceder la ciudadanía a varios millones de "minorías de co-étnicos" (con parentesco cercano a "la nación"), muchos de los cuales viven fuera de la UE en Ucrania, Serbia, Rusia o Moldavia (Iordachi, 2010). Teniendo en cuenta los flujos históricos de emigración europea podríamos preguntarnos, ¿cuántos descendientes de los 60 millones de emigrantes europeos a América y Australasia entre 1815 y 1930 (Baines, 1995) tienen derecho a la ciudadanía de la UE hoy en día? En un artículo clásico titulado "Cómo 4.5 millones de inmigrantes irlandeses se convirtieron en 40 millones de irlandeses-americanos" Hout y Goldstein (1994) proponen modelos demográficos para explicar los procesos de cambio natural y de afiliación étnica en Estados Unidos que condujeron a los 150 millones de estadounidenses que en el censo de 1990 afirmaban tener lazos genealógicos con cuatro países europeos (Gran Bretaña, Irlanda, Alemania e Italia). Las últimas tres de estas naciones, junto con muchas otras naciones tradicionalmente de emigrantes a América y Australasia, como Grecia o Polonia, reconocen algún tipo de transmisión *ius sanguinis* de la ciudadanía a través de varias generaciones. Por lo tanto, sus descendientes estadounidenses, canadienses, australianos o latinoamericanos que pudieran estar interesados en vivir temporalmente en Europa encuentran que la ancestría es un camino mucho más fácil para el estatus legal que intentar extender la visa de trabajo, de turista o de estudiante (Anagnostou, 2011; Tintori, 2011; véase el capítulo V de este volumen).

Aun cuando Reino Unido sólo permite la transmisión de ciudadanía hasta una generación de descendientes de nacionales nacidos en el extranjero, se estima que 7.6 millones de personas que viven fuera de Gran Bretaña tienen elegibilidad para un pasaporte británico (Sriskandarajah y Drew, 2006). Cuando estas personas se añaden a los seis millones de ciudadanos británicos que viven en el extranjero, la diáspora de ciudadanos británicos (reales o potenciales) se eleva a 13.6 millones, lo cual representaría 22 por ciento de la actual población residente en Reino Unido (Sriskandarajah y Drew, 2006).

El caso italiano es aún más relevante para el colectivo *multizens*, ya que no hay límites generacionales a la transmisión de la nacionalidad italiana. La única restricción es tener un antepasado emigrante que haya muerto después de la creación del Estado italiano, el 17 de marzo de 1861, ya que antes de esta fecha no existía la nación italiana. Tintori (2009) calcula que hay más de 60 millones de personas con derecho a la nacionalidad italiana en el mundo, la mayoría en las Américas, una cifra mayor que la de la población actual de Italia, y equivalente a 12 por ciento de la actual población de la UE. Sin embargo, en la actualidad hay solamente 4.1 millones de ciudadanos italianos registrados en el extranjero (Ministero dell'Interno, 2012), y aunque muchos otros fuera de esta cifra se registran directamente en la comuna italiana donde sus ancestros nacieron (Tintori, 2009), no es probable que ocurra tal crecimiento masivo de ciudadanía italiana. Listas de espera extremadamente largas de hasta 20 años en algunos consulados (Tintori, 2009), aunado a la dificultad de localizar los documentos históricos requeridos (véase el capítulo V de este volumen), actúan en realidad como disuasivos prácticos para acceder a la ciudadanía italiana. Lo que es más, los descendientes deben verse ante una razón específica para superar los obstáculos involucrados en la obtención de un segundo pasaporte.

En muchos casos, el interés en encontrar una manera de obtener un pasaporte de la UE se inicia en una mera curiosidad por esclarecer el árbol genealógico familiar, principalmente a través de redes de investigación amateur y comercial en Internet, como hemos demostrado en el caso de los foros de discusión (Mateos y Durand, 2012). En otros casos, ligeros cambios en la legislación sobre la ciudadanía y la migración, así como la propia expansión de la UE genera un interés por elaborar pesquisas iniciales que permiten a unos migrantes pioneros obtener un nuevo pasaporte de la UE, generando un efecto en cadena que promueve dicho proceso. Por ejemplo, España aprobó en 2007 una ley que concede la ciudadanía a los nietos de españoles refugiados de la guerra civil que emigraron en los años 1930 y 1940, sobre todo a América Latina (véase el capítulo IV de este volumen). Durante el periodo de tres años abierto para recibir las solicitudes (2008-2011), se recibieron medio millón de solicitudes válidas y se atendieron 815 mil citas individuales de personas interesadas en los consulados españoles (Izquierdo Escribano, 2011). El hecho de que 30 por ciento de las aplicaciones hayan sido presentadas en Cuba es sintomático del valor antes mencionado de un pasaporte de la UE, ya que para la mayoría de los cubanos tener un pasaporte extranjero era la única opción legal de salir de la isla (al menos hasta enero de 2013). Además, la Ley de la Memoria Histórica provocó un interés en la ciudadanía española más allá de los beneficiados por la propia ley, generando la movilización de grandes comunidades de descendientes de españoles a través de Internet. A lo largo de este proceso, muchos de ellos descubrieron que ya tenían un derecho a la nacionalidad española por nacimiento de acuerdo con leyes preexistentes, por lo que se generaron nuevas solicitudes por los canales convencionales.

Irene, argentina con pasaporte italiano que reside en Londres, comenta que "todo el mundo en Argentina tiene algún abuelo europeo [...] yo tuve el pasaporte italiano antes que el argentino [...] a los doce años". A partir de la crisis económica de 2001, mucha gente dejó de ver el pasaporte europeo como una curiosidad familiar para concebirlo como una manera de escapar del país; "esa fue mi llave para irme al primer mundo. Es una herramienta, de alguna manera, para poder viajar a otros países" (Irene, argentina con pasaporte italiano residente en Reino Unido).

Además, cabe señalar que en muchos casos el interés en adquirir una nacionalidad europea es su transmisión intergeneracional, y no tanto para uso propio, tal como lo demuestra este caso del foro: "Tengo residencia en España por cinco años, pero estoy en Argentina. Quisiera tomar la ciudadanía española para transmitírsela a mis hijos" (Cristina, argentina, cinco años de residencia en España, 2003, citado en inglés en Mateos y Durand, 2012: 15).

Estos ejemplos ilustran los mecanismos a través de los cuales se concede el acceso por ancestría a la ciudadanía de la UE, sin necesidad de migración. Esto supone un cambio en el estatus legal (de la celda A1→A2 en el cuadro III.1) que facilita el posterior movimiento migratorio a la UE (A2→B2), pasando por alto las restricciones migratorias (B1). Esta ruta es indicativa de las potenciales implicaciones que tienen las generosas disposiciones tipo *ius sanguinis* en algunos países de la UE. También expone la naturaleza discriminatoria de las leyes nacionales de ciudadanía con respecto a los *denizens* residentes permanentes y los migrantes sin una conexión ancestral con Europa. Estas tendencias de reetnización de la ciudadanía (Joppke, 2003) constituyen un verdadero polvorín entre los Estados miembros de la UE que puede estallar en tiempos de dificultades económicas.

Migración "a tres bandas"

Algunos *multizens* usan la ciudadanía por ancestría para migrar directamente a países de la UE distintos del país que les otorgó la ciudadanía (rutas A2→B3 o flujo "f" en el cuadro III.1). Esta ruta puede denominarse "migración a tres bandas" (Durand y Massey, 2010), en la cual el país de ciudadanía es utilizado de manera instrumental o como "trampolín" para acceder a otros países.

La literatura sobre este tipo de flujo abarca ciudadanos israelíes que solicitan ciudadanía alemana o polaca para tener acceso a otras partes de la UE (Harpaz, 2013), migrantes africanos de ex colonias portuguesas que migran a Gran Bretaña después de acceder a la ciudadanía portuguesa (Almeida, 2006), o descendientes de migrantes griegos o chipriotas en Oceanía o América del Norte que recuperan la ciudadanía de sus ancestros para viajar o vivir en Europa noroccidental (Anagnostou, 2011).

Sin embargo, existe un creciente colectivo de migrantes latinoamericanos descendientes de italianos, españoles, portugueses o incluso alemanes, franceses o griegos, que han adquirido la nacionalidad de estos países para después migrar a un país de la UE distinto al que les otorgó el pasaporte (Almeida, 2006; Guarnizo, 2008; Tintori, 2009).

En muchos casos los ciudadanos múltiples latinoamericanos acceden a la ciudadanía europea a través de disposiciones *ius sanginis* en Italia, España o Portugal para después residir principalmente en estos países, junto con Reino Unido y otros (Almeida, 2006; Guarnizo, 2008; McIlwaine, Cock y Linneker, 2011). Tintori (2011) propone el término "italo-latinoamericanos"(LAIS en inglés) para nombrar al gran número de ciudadanos italianos nacidos en ese subcontinente, principalmente en el Cono Sur de América Latina, pero que residen o circulan por otros países distintos de Italia o el país de origen.

Además de las estadísticas ya citadas acerca de estas combinaciones de residencia y nacionalidad de euro-latinoamericanos (McIlwaine, Cock y Linneker, 2011), según la encuesta de población activa británica y el registro de población español, aproximadamente un tercio de los inmigrantes nacidos en Argentina que reside en España o en Reino Unido posee un pasaporte italiano (por lo tanto cuatro países están entrelazados en estas prácticas multiciudadanas). Visto de otra manera, 52 por ciento de los nacionales italianos que residen en España no ha nacido en Italia, mientras que 27 por ciento ha nacido en Argentina (Instituto Nacional de Estadística, 2012).

De hecho, este uso pragmático de la ciudadanía de la UE por estos *multizens* queda bien ilustrado en el mensaje publicitario de una compañía argentina que ayuda a obtener un pasaporte europeo: "completa tu árbol genealógico y encontraremos el camino más conveniente hacia la ciudadanía europea, la ruta más rápida y una ciudadanía que sea transferible a tus hijos" (disponible en: http://ciudadaniaseuropeas.com [consultado el 12 de junio de 2012]).

Entre los entrevistados en Londres, Emilio, mexicano con pasaporte francés por su abuela materna, reflexiona sobre cómo su madre mostró un repentino interés en solicitar el pasaporte francés a principios de los ochenta en México:

> Yo creo que ella pensó que el pasaporte francés te da una protección quizá de otro estilo, no sé, incluso diplomática, ¿no? […] más que una cuestión nacionalista, lo estaba viendo como una cuestión útil, sí, sí, sí, que fuera útil. Porque nosotros, es decir, lo que menos nos sentimos es franceses, ¿no? […] Después resultó ser útil para que yo me moviera, para que mi hermano se moviera, para… poder moverse sin miedo […] Por ejemplo vivía en Londres, surgió

una opción de estudio y fue muy fácil ir a vivir a Madrid, compré un boleto de 20 libras y me fui a Madrid y ya. Y me mudé de país y no tuve que pensar en nada más.

Otros ni siquiera tienen la intención de migrar sino que pretenden usar la ciudadanía de la UE para acceder a un espacio global de libre circulación, evitando así restricciones de visado de viaje en todo el mundo, por ejemplo, para viajar a Estados Unidos sin visado (Tintori, 2009).

Ante la pregunta de por qué decidieron naturalizarse o solicitar el pasaporte vía ancestros, todos los entrevistados en Londres invariablemente mencionaron las ventajas de movilidad asociadas con la ciudadanía europea. Estas ventajas las concretaron en la facilidad para viajar libremente y para sortear los regímenes de inmigración en varios países con un solo documento. "Uno tiene más movilidad. Eso es todo para mí, porque derechos no tiene más" (Paula, colombiana naturalizada británica). Estas ventajas no son necesariamente para viajar entre el país de origen y el de residencia, sino en muchos casos a terceros países que requieren visado de turista. El tema de viajar sin necesidad de visado parece tan fundamental para muchos migrantes, que en realidad se extrañan con la pregunta: "Claro, para viajar a otros países", responde Javier (dominicano naturalizado español); "con el pasaporte boliviano no puedo ir a Estados Unidos de vacaciones, y con el español sí", afirma contundentemente Pedro (boliviano naturalizado español).

Esta ventaja es especialmente valorada por latinoamericanos de países a los que se les requiere visado de turista para viajar a la "zona *Schengen*" de la UE (Colombia, Ecuador, Perú, Bolivia, Cuba y República Dominicana), a la cual no pertenece Reino Unido. Si uno quiere tomar el tren Eurostar a París o un vuelo *low cost* de Londres "al continente", un pasaporte europeo evita tediosos procesos de solicitud y renovación de visados *Shenghen* de seis meses, dando acceso al mismo nivel de movilidad y libertad de turismo del que disfruta la mayoría de los londinenses.

En verdad el pasaporte británico es útil especialmente en el tema de visas. Como peruanos, no es tan complicado como los colombianos, pero necesitamos visas para casi todos los países (Nicolás, peruano naturalizado británico).

Para nosotros los colombianos es bueno tener dos pasaportes. Cuando llegas a un aeropuerto inmediatamente piensan que tienes algo que ver con drogas, pero con el pasaporte británico simplemente pasas (Paula, colombiana naturalizada británica).

Por lo tanto, el régimen de visados de turista y el "grado de sospecha" que infunde un país en el mundo conforman una suerte de jerarquía de pasaportes en cuanto a sus derechos de movilidad. Los latinoamericanos de la región Andina (Perú, Bolivia, Ecuador y Colombia), más pobre y "más indígena", sufren más restricciones de movilidad que los países de "poblamiento blanco" o con una historia migratoria más cualificada hacia Europa (Argentina, Chile, Brasil y México) que pueden viajar sin visado. Dependiendo del lugar en el que el migrante latinoamericano se encuentre en dicha jerarquía de nacionalidades, los incentivos para adquirir un pasaporte europeo serán menores o mayores, exclusivamente en cuanto a las mejoras potenciales en derechos de movilidad.

Migración de retorno y circular

Finalmente, cada vez más flujos migratorios circulares entre países de la UE y fuera de la UE (flujos "g" a la celda A2 en el cuadro III.1.) están creando un creciente contingente de población *multizen* externa en todo el mundo. Como ya hemos analizado, el interés en la obtención de la ciudadanía europea es pragmático. Se pretende asegurar un paquete de derechos de movilidad, que incluye el derecho a residencia y trabajo en 32 países, pero también la opción de retorno y la circularidad.

Los pocos estudios recientes disponibles muestran que existe una creciente población de varios millones de ciudadanos de la UE en el exterior (Anagnostou, 2011; Almeida, 2006; González Enríquez, 2012; Sriskandarajah y Drew, 2006; Tintori, 2009). Dicho colectivo es muy difícil de medir debido a la premisa fundamental de que los ciudadanos en el extranjero están fuera del alcance jurisdiccional del Estado y el registro en los consulados es generalmente voluntario. Hay dos enfoques metodológicos disponibles: *1)* el punto de vista del país de origen, el cual implica el uso de registros de ciudadanos en el extranjero, emisión de pasaportes y estadísticas de emigración, pero muy incompletas o no disponibles, y *2)* el punto de vista del país de destino, el cual implica el uso de estadísticas de población de no-nacionales o población nacida en el extranjero publicada por los Estados de destino. Incluso dentro del espacio de movilidad altamente coordinado de la UE, la conciliación de las estadísticas de migración de origen y destino ha demostrado ser una tarea pendiente y con retos de enormes proporciones (Poulain y Herm, 2010). Además, la información sobre nacionalidad no se ha recabado junto con la de país de nacimiento de manera sistemática

CUADRO III.2. Ciudadanos, *denizens* y *multizens* en las estadísticas españolas, 2012

Ciudadanía	País de residencia	País de nacimiento			
		España	Nacido en el extranjero	Otro / No disponible	Total
No-ciudadanos	España	406 814	5 344 673		5 751 487
Ciudadanos españoles	España	40 105 840	1 333 166		41 439 006
	UE/EEE	320 624	236 608	44 385	601 617
	Fuera de la UE/EEE	333 771	821 122	60 325	1 215 218
Total		41 167 049	7 735 569	104 710	49 007 328

Fuente: Instituto Nacional de Estadística 2012 y 2012a.

hasta hace muy poco, principalmente en la ronda de censos 2010-2011. En algunos países, los datos relativos a las nacionalidades múltiples de los encuestados también han sido recabados en dicho censo y esto dará lugar sin duda a nuevas cuestiones sobre conteo doble de las mismas personas cuando se compilan estadísticas transnacionales de ciudadanía. Estas estadísticas del censo probablemente arrojarán nuevas luces sobre las combinaciones cada vez más complejas del curso de vida desde el punto de vista geográfico, de residencia y estatus legal (para una comparación sobre la migración y las variables de identidad del censo en 20 países, véase Mateos, 2014).

España es un buen caso de estudio para explorar las complejas características de los *multizens* europeos, ya que gracias al Instituto Nacional de Estadística (INE) está disponible una amplia gama de estadísticas respecto a los ciudadanos en el extranjero, desglosadas por país de nacimiento (INE, 2012 y 2012a). En el cuadro III.2 se proporciona un resumen de éstas. Hay un total de 1.2 millones de ciudadanos españoles que viven fuera de la UE, y notablemente 68 por ciento de ellos en realidad han nacido en el país donde residen, mientras que otro 5 por ciento nació en otros países fuera de España. Es decir, 73 por ciento de estos ciudadanos en el extranjero son descendientes de emigrantes españoles o "migrantes de retorno" naturalizados. Es decir, no se trata de los típicos "expatriados" de primera generación o emigrantes españoles "nativos", que en los últimos años repiten hasta la saciedad los medios de comunicación españoles describiendo el fenómeno de los llamados "refugiados del euro" y el nuevo éxodo español. Además, estas cifras sólo incluyen a los ciudadanos que se han registrado voluntariamente con los consulados españoles y, por lo tanto, las cifras reales son probablemente mucho más altas (González-Ferrer, 2013). Por último, el INE también desglosa la población residente en España por ciudadanía y país de nacimiento, como se muestra en las dos primeras filas del cuadro III.2. Unidos ambos colectivos (españoles residentes y no residentes en España) esta tabla muestra los fuertes contrastes entre los grupos de población que se encuentran en distintos lados de las fronteras legales y nacionales; 49 millones de personas con diferentes tipos de vínculos con España. Destacan por ejemplo, los 0.4 millones de personas que nacieron y viven en España pero tienen una nacionalidad extranjera (casi uno por ciento de la población residente), y que han sido privados de la ciudadanía *ius soli* por ser hijos de padres extranjeros. Estos ciudadanos de "tercera clase" contrastan con los 1.3 millones de residentes nacidos en el extranjero que son ciudadanos españoles y los más de un millón de españoles que nacieron y residen en el extranjero. Este último colectivo de *multizens* ha aumentado muy rápidamente, y como se muestra en la gráfica III.1, representa la mayor parte del crecimiento anual de la ciudadanía española en el extranjero desde que se comenzaron a reportar estas estadísticas en 2009 (7.8% de crecimiento medio anual). Este crecimiento indica dos procesos distintos en los últimos cuatro años, un incremento de los inmigrantes naturalizados que "retornan" o emigran a un tercer país como resultado de la crisis económica, y un crecimiento del acceso a la ciudadanía por ancestría, provocada por los acontecimientos antes mencionados, así como por la Ley de la Memoria Histórica de 2007 (véase el capítulo IV de este volumen). Las tabulaciones cruzadas mostradas en el cuadro III.2 son un buen ejemplo del tipo de estadísticas acerca de ciudadanía, lugar de nacimiento y de residencia que deberían estar disponibles en el futuro para toda la UE, teniendo una definición amplia de toda la "población de la UE".

Muchos migrantes muestran cierta prisa por asegurar la ciudadanía en cuanto cumplen los requisitos de tiempo de estancia. Felipe nos dice; "en cuanto me den la ciudadanía [británica] me regreso a México" (Felipe, mexicano residente siete años en Londres). En cierta forma lo perciben como una manera de capitalizar sus años de experiencia migratoria, para no perder los derechos acumulados durante los años de residencia y no como un documento para la "integración" y el asentamiento definitivo. Al contrario, muchas veces el pasaporte europeo es anhelado como una "carta blanca" que permite el retorno a su país o mudarse a un tercer país, especialmente en el caso español tras el estallido de la crisis económica. Estas evidencias contradicen muchos de los argumentos y debates políticos

GRÁFICA III.1. Número de ciudadanos españoles residentes en el extranjero por país de nacimiento, 2009-2013

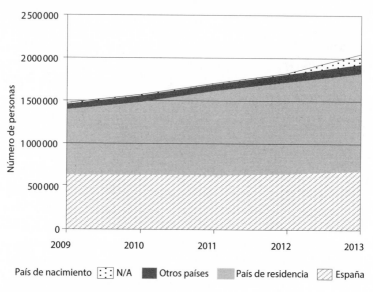

Fuente: Instituto Nacional de Estadística, 2013.

acerca del significado del proceso de naturalización y la integración en un solo país de destino.

Algunos migrantes en el foro de Internet muestran su preocupación de perder la nacionalidad española si regresan a vivir a su país de origen. También sorprende encontrar cómo establecen un vínculo estrecho entre nacionalidad, residencia y acceso a beneficios de seguridad social:

> Hola. Soy colombiano y tengo la nacionalidad española con DNI y todo y ahora resido en Colombia, la pregunta es, ¿puedo perder la nacionalidad por residir en Colombia y no en España? Y si es así, ¿qué tengo que hacer para no perderla? Si decido regresar a España ¿tendré problemas por no haber cotizado a la seguridad social, o ya como español no tendré problemas? (Claudio, colombiano, migrante retornado en Colombia, 2007, citado en inglés en Mateos y Durand, 2012: 35).

Conclusiones

Este capítulo ha expuesto una serie de nuevas prácticas de ciudadanía múltiple y externa en la UE, centrándose en un subconjunto poco estudiado de ciudadanos de la UE denominado aquí como *multizens*. Se trata de un creciente colectivo de ciudadanos de la UE cuyas trayectorias no se ajustan a las concepciones tradicionales de adquisición de ciudadanía, a través de la ruta esperada de migración unidireccional, asentamiento y naturalización. Aunque estas prácticas son cada vez más comunes en todo el mundo, se argumenta que en el contexto de una UE altamente integrada tienen implicaciones de largo alcance para el futuro de la institución de la ciudadanía y el Estado-nación, y que han sido poco estudiadas por las ciencias sociales.

La visión dominante en la investigación de migración y ciudadanía, basada en una perspectiva binaria de origen-destino y flujos migratorios permanentes no es suficiente para explicar los nuevos y complejos procesos de movilidad global y pertenencia plurinacional del colectivo de ciudadanos múltiples. En este trabajo nos hemos centrado en aquellos latinoamericanos con ciudadanía múltiple de la UE. Como hemos argumentado, si bien el éxito del concepto de ciudadanía europea ha alterado profundamente esta visión bilateral de la migración, la afiliación nacional y la ciudadanía en un contexto transnacional, sus implicaciones no han sido estudiadas adecuadamente desde una óptica plurinacional e intergeneracional, es decir, más allá de una concepción dual y "residencial" de las relaciones de los "nuevos ciudadanos" con los Estados. Tampoco han sido abordadas las profundas injusticias que la integración europea ha creado para con los residentes permanentes que no son ciudadanos de la UE, quienes se enfrentan a los problemas derivados de un variado mosaico de legislaciones nacionales en materia de inmigración y diversas tendencias hacia la re-etnización de la ciudadanía (Joppke, 2003).

Todo ello crea enormes incentivos para la adquisición de una ciudadanía de la UE, pero no necesariamente la del país en el que se reside o al que se pretende migrar, dada la absoluta intercambiabilidad entre las mismas. Ésta es una característica fundamentalmente distinta de la de otras nacionalidades de países desarrollados como la estadounidense (véase el capítulo VI de este volumen), canadiense o australiana, y en principio genera más incentivos para acceder a la ciudadanía múltiple y externa. Dicho contraste presenta nuevos retos para las poblaciones de migrantes que, como en América Latina, fluyen a Europa y Estados Unidos. La realidad que observamos para estos *multizens* euro-latinoamericanos es la adopción de trayectorias flexibles de migración y adquisición de la ciudadanía que son en gran medida independientes de, y a veces contradicen o evitan, los objetivos de las políticas migratorias y leyes de nacionalidad y naturalización de cada Estado miembro de la UE. Sin embargo, las diferentes políticas nacionales y gran parte de la literatura parecen ignorar la mayoría de dichas prácticas y trayectorias de sus ciudadanos múltiples y externos, tal como se han resumido en el presente capítulo.

En el capítulo se ha propuesto una tipología de trayectorias de ciudadanía múltiple europea, dimensionadas con algunas estadísticas generales e ilustradas mediante testimonios de migrantes latinoamericanos en entrevistas y en un foro de discusión en Internet. Cinco trayectorias distintas, aunque interrelacionadas, han sido identificadas: *c)* movilidad intra-UE, *d)* adquisición de ciudadanía por nacimiento o ancestría; *e)* retorno étnico, *f)* migración a tres bandas y *g)* migración de retorno y circular. Este ejercicio indica claramente que hay una falta de conocimiento respecto a dos procesos distintos: *1)* adquisición automática o por nacimiento de la ciudadanía, independientemente del país de residencia, y *2)* migración intra-UE y extra-UE de nuevos ciudadanos de la UE tras la naturalización. Este vacío presenta importantes implicaciones de largo alcance para las políticas de inmigración e integración social de la UE, ya que en gran parte se desconoce realmente cómo operan los mecanismos que definen a quién se considera ciudadano europeo y cómo interpretan los migrantes dichas políticas en su uso práctico.

Una larga lista de preguntas de investigación sobre los *multizens* de la UE permanece sin respuesta: ¿cuál es su geografía de constelaciones de "ciudadanía, migración y residencia" (Bauböck, 2010)? ¿Cuáles son sus principales características y escenarios a futuro? ¿Cómo navegan el sistema legal y recuperan información genealógica para construir estrategias de migración y ciudadanía? ¿Para qué utilizan realmente la ciudadanía de la UE? ¿Tener un pasaporte de la UE fomenta los flujos circulares en vez del asentamiento permanente? ¿Los inmigrantes y sus descendientes ostentan una "ciudadanía de segunda clase" incluso cuando obtienen la ciudadanía de la UE (Bloemraad, Korteweg y Yurdakul, 2008)? En los dos siguientes capítulos de este libro, Antonio Izquierdo, Luca Chao y David Cook-Martín abordan algunas de estas preguntas. De manera conjunta, los tres capítulos de esta parte II constituyen una primera contribución para crear una agenda de investigación sobre el tema de la ciudadanía múltiple y migración de euro-latinoamericanos.

Específicamente, en este capítulo se ha tratado de hacer una pequeña contribución al estudio de la creciente disociación de la relación "monogámica" entre el Estado-nación y sus ciudadanos, a través del ejemplo del colectivo *multizens* de la UE y en particular de los *multizens* euro-latinoamericanos. Este colectivo constituye un claro testimonio de la creciente separación entre la residencia y la pertenencia política en el concepto de ciudadanía. Es sin duda muy ilustrativo del creciente proceso de fragmentación espacio-temporal entre la pertenencia nacional, residencia, soberanía, jurisdicción territorial, nacionalidad e identidad que está en marcha en la UE y en todo el mundo. Las consecuencias futuras de estos procesos de ciudadanía múltiple bajo condiciones de movilidad, migración circular y transmisión intergeneracional de la nacionalidad, para las instituciones de la ciudadanía y el Estado-nación, son de largo alcance y en gran parte desconocidas. Es prioritario que los científicos sociales propongamos nuevos conceptos y metodologías para abordar dichos procesos emergentes en distintas regiones del mundo, superando las inercias del nacionalismo metodológico y de distinciones dicotómicas entre ciudadanos y extranjeros.

Bibliografía

Almeida, J.C.P. 2006. "Citizens of the World: Migration and Citizenship of the Portuguese in the UK". *Portuguese Studies*, 23 (2), pp. 208-229.

Anagnostou, D. 2011. "Citizenship Policy Making in Mediterranean EU States: Greece. Florence". Comparative Report, RSCAS/EUDO-CIT-Comp. 2011/2 EUDO Citizenship. Florencia: European University Institute. Disponible en: http://eudo-citizenship.eu/docs/EUDO-Comp-Greece.pdf

Baily, S. y E. Miguez. 2003. *Mass Migration to Modern Latin America*. Wilmington: Jaguar Books.

Baines, D. 1995. *Emigration from Europe, 1815-1930*. Cambridge: Cambridge University Press.

Barros, M. 2011. "El consulado de La Habana ya ha recibido más de 113 mil solicitudes de nacionalidad". *España Exterior*. Disponible en: http://www.espanaexterior.com/seccion/Emigracion/noticia/212360-El_Consulado_de_La_Habana_ya_ha_recibido_mas_de_113.000_solicitudes_de_nacionalidad

Bauböck, R. 2006. *The Acquisition and Loss of Nationality in Fifteen EU States. Results of the Comparative Project NATAC*. Ámsterdam: Imiscoe Policy Brief.

_____. 2006a. mayo. "Who Are the Citizens of Europe?". *Eurozine*.

Disponible en: http://www.eurozine.com/articles/2006-12-23-bau-bock-en.html

_____. 2009. "The Rights and Duties of External Citizenship". *Citizenship Studies*, 13 (5), pp. 475-499.

_____. 2010. "Studying Citizenship Constellations". *Journal of Ethnic and Migration Studies*, 36 (5), pp. 847-859.

Blatter, J., S. Erdmann y K. Schwanke. 2009. *Acceptance of Dual Citizenship: Empirical Data and Political Contexts*. Lucerna: Institute of Political Science. Working Paper Series, *Glocal Governance and Democracy*. Disponible en: http://www.alexandria.unisg.ch/EXPORT/DL/51171.pdf

Bloemraad, I., A. Korteweg y G. Yurdakul. 2008. "Citizenship and Immigration: Multiculturalism, Assimilation, and Challenges to the Nation-state", *Annual Review of Sociology*, 34, pp. 153-179.

Calderón Chelius, L. 2003. *Votar en la distancia. La extensión de los derechos políticos a migrantes, experiencias comparadas*. México: Instituto Mora.

Cook-Martín, D. 2013. *The Scramble for Citizens: Dual Nationality and State Competition for Immigrants*. Palo Alto: Stanford University Press.

Daily Mail. 2010. agosto 6. "Passport Give Away Opens UK Back Door: 2m More Hungarians Will Have the Right to Work Here". Disponible en: http://www.dailymail.co.uk/news/article-1300676/UK-passport-giveaway-hands-2m-Hungarians-right-work-here.html

Durand, J. y D.S. Massey. 2010. "New World Orders: Continuities and Changes in Latin American Migration". *The Annals of the American Academy of Political and Social Science*, 630 (1), pp. 20-52.

European Council. 2010. *Project Europe 2030; Challenges and Oportunities*. Bruselas: Reflection Group on the Future of the EU 2030, European Council.

Eurostat. 2010. "Population by Sex, Citizenship and Broad Group of Country of Birth" [Tabla migr_pop5ctz]. Disponible en: http://appsso.eurostat.ec.europa.eu/nui/show.do?wai=true&dataset=migr_pop5ctz

Faist, T., y P. Kivisto. 2007. *Dual Citizenship in Global Perspective: From Unitary to Multiple Citizenship*. Londres: Palgrave Macmillan.

Favell, A. 2008. *Eurostars and Eurocities: Free Movement and Mobility in an Integrating Europe*. Oxford: Wiley-Blackwell.

González Enríquez, C. 2012. "La emigración desde España, una migración de retorno", *ARI*, 4/2012, Real Instituto Elcano, pp. 1-6.

González-Ferrer, A. 2013. *La nueva emigración española. Lo que sabemos y lo que no*. Madrid: Fundación Alternativas. Informe Zoom Político. Disponible en: http://www.falternativas.org/laboratorio/libros-e-informes/zoom-politico/la-nueva-emigracion-espanola-lo-que-sabemos-y-lo-que-no

Guarnizo, L.E. 2008. *Londres latina: la presencia colombiana en la capital británica*. Zacatecas: Universidad de Zacatecas /Porrua.

Hammar, T. 1990. *Democracy and the Nation State: Aliens, Denizens and Citizens in a World of International Migration*. Aldershot: Avebury.

Harpaz, Y. 2013. "Rooted Cosmopolitans: Israelis with a European Passport. History, Property, Identity". *International Migration Review*, 47 (1), pp. 166-206.

Honohan, I. 2010. "The Theory and Politics of *ius soli*", EUDO Citizenship Observatory Comparative Report, RSCAS/EUDO-CIT-Comp. 2010/2. Florencia: European University Institute. Disponible en: http://eudo-citizenship.eu/docs/IusSoli.pdf

Hout, M. y J.R. Goldstein. 1994. "How 4.5 Million Irish Immigrants Became 40 Million Irish Americans: Demographic and Subjective Aspects of the Ethnic Composition of White Americans". *American Sociological Review*, 59 (1), pp. 64-82.

Instituto Nacional de Estadística (INE). 2012. *Cifras oficiales de población*. Madrid.

_____. 2012a. *Padrón de Españoles Residentes en el Extranjero*. Madrid.

_____. 2013. *Padrón de Españoles Residentes en el Extranjero*. Madrid.

Iordachi, C. 2010. "Politics of Citizenship in Post-communist Romania: Legal Traditions, Restitution of Nationality and Multiple Memberships", en R. Bauböck, B. Perchinig y W. Sievers (eds.), *Citizenship Policies in the New Europe*. Ámsterdam: Amsterdam University Press.

Izquierdo Escribano, A. 2011. *La migración de la memoria histórica*. Bellaterra: Fundacion Francisco Largo Caballero.

Jennissen, R. 2011. "Ethnic Migration in Central and Eastern Europe: Its Historical Background and Contemporary Flows", *Studies in Ethnicity and Nationalism*, 11 (2), pp. 252-270.

Joppke, C. 2003. Citizenship between De- and Re-Ethnicization. *European Journal of Sociology*, 44 (03), pp. 429-458.

_____. 2005. *Selecting by Origin: Ethnic Migration in the Liberal State*. Cambridge: Harvard University Press.

_____. 2010. "The Inevitable Lightening of Citizenship". *European Journal of Sociology*, 51 (01), pp. 9-32.

Kahanec, M., y K. Zimmermann. 2010. "Migration in an Enlarged EU: A Challenging Solution?", IZA Discussion Papers 3913. Bonn: Institute for the Study of Labor (IZA). Disponible en: http://ec.europa.eu/economy_finance/publications/publication14287_en.pdf

Levitt, P., y N. Glick-Schiller. 2004. "Conceptualizing Simultaneity: A Transnational Social Field Perspective on Society". *International Migration Review*, 38 (3), pp. 1002-1039.

Lindley, A. y N. Hear. 2007. "New Europeans on the Move: A preliminary review of the onward migration of refugees within the European Union. Centre on Migration, Policy and Society". Working Paper núm. 57. Oxford: University of Oxford. Disponible en: http://eprints.soas.ac.uk/7474/1/Lindley_NewEuropeanOnTheMove.pdf

Mateos, P. 2013. "External and Multiple Citizenship in the European Union. Are 'Extrazenship' Practices Challenging Migrant Integration Policies?" Ponencia presentada en el Population Association of America (PAA) Annual Meeting, 13 de abril de 2013, Nueva Orleans. Disponible en: http://paa2013.princeton.edu/abstracts/131459

Mateos, P. 2014. "The International Comparability of Ethnicity Classifications and its Consequences for Segregation Studies", en C. Lloyd, I. Shuttleworth y D. Wong (eds.). *Social-Spatial Segregation: Concepts, Processes and Outcomes*. Bristol: Policy Press. pp.163-193

Mateos, P. y J. Durand. 2012. "Residence vs. Ancestry in Acquisition of Spanish Citizenship; A 'netnography' approach". *Migraciones Internacionales*, 6 (4), pp. 9-46.

Mateos, P., y H. McCarthy. 2014. "Passport to Stay? Multiple Citizenship and Onward Mobility of Euro-Latin Americans". Ponencia presentada en Workshop on: Global Onward Migration: Who Moves On and Why?, 22 septiembre. COMPAS. Oxford University.

McIlwaine, C., J.C. Cock y B. Linneker. 2011. *No Longer Invisible*. Londres: Queen Mary, University of London, Trust for London y LAWRS. Disponible en: http://www.geog.qmul.ac.uk/docs/research/latinamerican/48637.pdf

Ministero dell'Interno. 2012. Statistiche relative all'elenco aggiornato dei cittadini italiani residenti all'estero (AIRE)". Disponible en: http://infoaire.interno.it/statistiche2010/stat.html

Organización para la Cooperación y el Desarrollo Económicos (OCDE). 2010. International Migration Database. Disponible en: http://stats.oecd.org/Index.aspx?DataSetCode=MIG

_____. 2011. *Naturalisation: A Passport for the Better Integration of Immigrants?* París: OECD Publishing.

Poulain, M. y A. Herm. 2010. "Population Stocks Relevant to International Migration, Prominstat". Working Paper 11. Bélgica: University of Lovain. Disponible en: http://www.prominstat.eu/drupal/?q=system/files/Working+Paper+11+Stocks.pdf

Relea, F. 2003. "Argentina: más de 400 mil solicitudes", *El País*, 19 de enero. Disponible en: http://elpais.com/diario/2003/01/19/domingo/1042951959_850215.html

Rouse, R. 1991. "Mexican Migration and the Social Space of Postmodernism". *Diaspora: a Journal of Transnational Studies*, 1 (1), pp. 8-23.

Samers, M. 2009. *Migration*. Abingdon: Routledge.

Sassen, S. 2005. *Denationalization: Territory, Authority and Rights in a Global Digital Age*. Princeton: Princeton University Press.

Sejersen, T.B. 2008. "I Vow to Thee My Countries. The Expansion of Dual Citizenship in the 21st Century". *International Migration Review*, 42 (3), pp. 523-549.

Spiro, P.J. 2007. "Dual Citizenship: A Postnational View", en T. Faist y P. Kivisto (ed.). *Dual Citizenship in Global Perspective: From Unitary to Multiple Citizenship*. Basingstoke: Palgrave Macmillan. pp189-202.

Sriskandarajah, D. y C. Drew. 2006. *Brits Abroad. Mapping the Scale and Nature of British Emigration. Work*. Londres: Institute of Public Policy Research.

Tintori, G. 2009. *Fardelli d'Italia? Conseguenze nazionali e transnazionali delle politiche di cittadinanza italiane*. Roma: Carocci.

_____. 2011. "The Transnational Political Practices of 'Latin American Italians'". *International Migration*, 49 (3), pp.168-188.

Van Liempt, I. 2011. "And Then One Day They All Moved to Leicester: The Relocation of Somalis from the Netherlands to the UK Explained". *Population, Space and Place*, 17, pp. 254-266.

Vertovec, S. 2006. "Migrant Transnationalism and Modes of Transformation". *International Migration Review*, 38 (3), pp. 970-1001

Vink, M. y G.R. de Groot. 2010. "Citizenship Attribution in Western Europe: International Framework and Domestic Trends". *Journal of Ethnic and Migration Studies*, 36 (5), pp. 713-734.

Waldrauch, H. 2006. "Statistics on Aquisition and Loss of Nationality in EU15 Member States", en R. Bauböck *et al.* (eds.). *Acquisition and Loss of Nationality. Volume 1: Comparative Analyses. Policies and Trends in 15 European Countries.* Ámsterdam: Amsterdam University Press. pp. 269-315.

Wimmer, A. y N. Glick-Schiller. 2003. "Methodological Nationalism, the Social Sciences, and the Study of Migration: An Essay in Historical Epistemology". *International Migration Review*, 37 (3), pp. 576-610.

IV. Ciudadanos españoles producto de la Ley de la Memoria Histórica: motivos y movilidades*

Antonio Izquierdo** y Luca Chao***

Una ley para el reconocimiento

De la penumbra de los derechos han surgido más de medio millón de españoles. No son nuevos nacidos, pero sí nuevos ciudadanos españoles. Son los nacidos fuera de España que están siendo "recuperados" por la Ley de la Memoria Histórica (LMH). Dicho de otra forma, se trata de los descendientes de españoles emigrados por causas económicas o políticas que habían perdido la nacionalidad y ahora la recuperan. La línea hereditaria (*ius sanguinis*) se había quebrado por el hecho de que sus progenitores habían nacido fuera de España. Y con un claro retraso generacional (popularmente se la llama Ley de Nietos) el gobierno presidido por J.L. Rodríguez Zapatero les reconoce la nacionalidad de origen.

Este medio millón de españoles viene a colmar una parte del vacío demográfico consecuencia de la emigración. La fuga de gente, ya fuera realizada de grado o por fuerza, redujo el potencial reproductivo del país. La emigración histórica en las primeras décadas del siglo XX, redoblada por la guerra civil, adelgazó las generaciones que hubieran podido ser. Las estimaciones más solventes acerca de las consecuencias demográficas de la guerra civil apuntan a una sobremortalidad de 540 000 personas, y una caída de la natalidad en 576 000 nacimientos (Ortega y Silvestre, 2006). La LMH ha ofrecido una compensación parcial de lo que no pudo ser en el plano de la reproducción demográfica y social.

* Los autores agradecen los comentarios y críticas de Juan Carlos Rodríguez, así como su colaboración en todo el desarrollo del proyecto de investigación "La trascendencia migratoria de la Ley de la Memoria Histórica" (CSO2011-25091) que da pie a este trabajo.
** Profesor de Sociología, Universidad de A Coruña, España.
*** Doctoranda en Sociología, Universidad de A Coruña, España.

Esta ley (LMH) fue publicada el 27 de diciembre de 2007 y en su disposición adicional 7ª (en adelante DA 7ª) precisaba que podrán acceder a la nacionalidad española de origen "las personas cuyo padre o madre hubiese sido originariamente español y los nietos de quienes perdieron o tuvieron que renunciar a la nacionalidad española como consecuencia del exilio". He aquí reflejados dos de los agujeros negros de la historia española del siglo XX.

El primer agujero es, por orden de antigüedad, el reconocimiento político de la contribución que han hecho los emigrantes al bienestar de los sedentarios, señaladamente su aportación al crecimiento económico y al desarrollo de una sociedad internacionalizada, porque la emigración española ha construido y constituido una parte de la modernización y globalización de este Estado plurinacional que, sin embargo, no ha sido compensada en la democracia. Para decirlo de un modo claro y sintético: no se ha promulgado una Ley de Nacionalidad, en su lugar se han hecho frecuentes y sucesivas reformas del Código Civil que han ido parchando y escamoteando esa necesidad de reconocimiento político.

El segundo agujero negro ha sido el olvido de los vencidos en la guerra civil. La "modélica" transición política desde el franquismo a la democracia ha tenido significativas insuficiencias. La ausencia de reconocimiento oficial y universitario a la contribución del exilio ha sido una de ellas. Y la inicial expectativa que, en este sentido, abrió la LMH de reparación del silencio sobre los muertos en la guerra civil, luego se vio frustrada en su plasmación final de la ley. Como este trabajo no se centra ni en las sombras del proceso a la democracia ni en las limitaciones de la LMH, nos conformaremos con indicar tres fuentes para la información y el disfrute del lector que se interese por ello. La primera plenamente creativa, la segunda hondamente filosófico-jurídica y, la tercera, a caballo entre el documento periodístico de investigación y la creación literaria. La novela poética se llama *Los girasoles ciegos* (Méndez, 2004), el texto académico se ha titulado *Las sombras del sistema constitucional español* (Capella, 2003) y el vivo retrato del fracasado golpe de Estado durante el 23 de febrero de 1981 que se conoce como *Anatomía de un instante* (Cercas, 2009).

Es preciso volver al primer supuesto de la DA 7ª de la LMH donde resulta explícito y por duplicado la importancia del origen. Primero cuando se requiere al postulante que alguno de sus progenitores fuera originariamente español y segundo, cuando se le ofrece la nacionalidad española de origen. La nacionalidad remite, de modo principal, al *ius sanguinis*, en otras palabras, se valora que el origen y la sangre del descendiente lo sean de la estirpe más auténtica. Pues bien, por así expresarlo, la LMH, "purifica" al beneficiario y elimina la doble discriminación de foráneo y extranjero concediendo la nacionalidad de origen.

Por eso en la Instrucción de la DA 7ª se introduce un tercer supuesto, a saber: el de aquellos que ya han adquirido la nacionalidad española no de origen pero que pueden ser destinatarios de los apartados de la DA 7ª. Es decir, los descendientes de la emigración y del exilio que ya son españoles pero que de haber existido esta oportunidad hubieran optado por la nacionalidad de origen. Dicho en expresión coloquial los que pudiendo tener una nacionalidad "de primera" la tienen "de segunda". Un poco más adelante veremos qué privilegios y ventajas atesora la nacionalidad de origen respecto de la no originaria; esta segunda, se puede obtener por opción y por naturalización (bien por residencia o por carta de naturaleza). Así pues, se ofrece esta oportunidad a los hijos de progenitor originariamente español con independencia de su lugar de nacimiento y también a los nietos de exiliados. El periodo de vigencia de la LMH han sido tres años y lo mismo el de la DA 7ª que, dado que entró en vigor un año después de su aprobación, es decir en diciembre de 2008, se mantuvo como norma válida hasta el 27 de diciembre de 2011.

La minusvaloración del exilio y de sus descendientes

Los antecedentes de la Ley de la Memoria Histórica están, como se ha dicho, en la transición política española desde el franquismo a la democracia (1975-1979). La transición política a la democracia fue un proceso artístico, de ingeniería política excelente, pero que dejó sin el reconocimiento debido a los vencidos. Es discutible, pero también probable, que eso fuera lo más indicado en ese momento. Se aduce que de haber obrado de otro modo, el golpe de Estado del 23-F (23 de febrero de 1981) se hubiera producido antes y quizás hubiera contado con más apoyos. El caso es que la transición política tomó la apariencia de una ruptura con el franquismo pero, en su sustancia, lo que traducía era una transformación del régimen autoritario en una democracia desnaturalizada.

Es también defendible que ese modelo de protesta masiva con escasa mortalidad y violencia física fuera un ejemplo a seguir en otras transiciones a la democracia, pero más que un esquema diseñado en un laboratorio que pudiera ser exportado, la transición española respondía, por el lado familiar y social, a la memoria viva del enfrentamiento civil. Y, por el costado político, a la relación de fuerzas existente entre partidarios y opositores al régimen de Franco. Un pulso en el que a las movilizaciones sociales se contraponía el poder económico y la coerción física que seguían estando en manos de los beneficiarios del franquismo. Estos grupos de poder controlaban los aparatos militar y policial, pero también las instituciones financieras y empresariales y ejercían su hegemonía ideológica a través de la propiedad y el dominio sobre los medios de formación de la opinión pública y de su estrecho vínculo con la Iglesia católica. Esa transición política fue, pues, una reforma pactada que dejó sin honor a los derrotados y desasosegados a sus familiares y descendientes.

Dos décadas más tarde, en 2007, el gobierno del Partido Socialista Obrero Español (PSOE), planteó una tímida compensación a los familiares de los vencidos con el nombre de Ley de la Memoria Histórica. Otra vez, en el debate público y en la tramitación parlamentaria de esta LMH se evidenció que la relación de fuerzas seguía siendo muy desfavorable a los derrotados de la guerra civil. Tanto fue así que el grupo parlamentario que más empujó para la aprobación de la LMH fue el de Izquierda Unida (IU), un grupo muy minoritario en cuanto al número de diputados y nucleado en torno al Partido Comunista. El grueso del arco parlamentario y más concretamente los dos grandes partidos políticos (PP y PSOE) fueron devaluando esa ley reparadora hasta dejarla casi seca de raíz. Esta ley, tal como ha sido publicada, refleja el desequilibrio de fuerzas a favor de los vencedores, su miedo a la justicia y el escaso calado de la democracia que surgió de los pactos en la transición.

Como se verá más adelante, con más detalle argumental y empírico, la DA 7ª ofrece dos supuestos para el acceso a la nacionalidad (descender de padre o madre originariamente español) y ser nieto de quienes "perdieron o tuvieron que renunciar a la nacionalidad como consecuencia del exilio" (Álvarez, 2012). El primero, que se refiere a la migración laboral histórica, ha sido el más abultado numéricamente, mientras que el segundo supuesto, que es el enfocado a los nietos descendientes del exilio, ha resultado ser estadísticamente minoritario. Pero en la instrucción de la LMH se alude a un tercer supuesto, a saber: los españoles no de origen que podrán solicitar la nacionalidad de origen si acreditan ser destinatarios de los apartados de la DA 7ª. Pues bien, en cifras absolutas, esta tercera vía ha sido la menos numerosa.

El estigma migratorio debilita los derechos

Además del olvido de los republicanos que fueron derrotados en la guerra civil, la LMH también se hizo eco, aunque fuera por la puerta de atrás, en la mencionada disposición adicional (DA 7ª), de los méritos de la emigración española. Pero sin resaltar su contribución al desarrollo del país ni evaluar nuestra experiencia migratoria, ni en sus contenidos ni en sus consecuencias. De las consecuencias bastará con aludir a la contribución de la emigración como fuente de divisas para aumentar las importaciones, reducir el déficit comercial y equilibrar la balanza de pagos. Una salida que vació el excedente de fuerza de trabajo (dos millones de emigrantes) y propició la transformación capitalista de la agricultura y la industrialización mediante el éxodo rural hacia los mercados de trabajo urbanos del interior y del exterior.

En cuanto a los contenidos, formas y perfiles de la emigración, la salida de emigrantes evidencia las diferencias entre las formas de reclutamiento de los principales países europeos de destino de los españoles y su repercusión en la tasa de irregularidad y en la protección de las condiciones laborales. Y en las consecuencias, más bien negativas, que tuvo el establecimiento de una red educativa (en español) para los hijos de los emigrantes. Este inexistente balance hubiera resultado útil en los debates sobre la política de regulación de flujos y de intengración de la inmigración en la primera década del siglo XXI, cuando España recibió más de cinco millones de extranjeros. Ni en la emigración ni tampoco ahora con la inmigración, las élites económicas y políticas españolas han aparecido como los principales responsables del hecho migratorio y por lo tanto no han tenido que hacerse cargo de sus consecuencias sociales.

En el caso que nos ocupa, la emigración fue presentada como una iniciativa aislada y no como una respuesta social ligada a la dinámica del capitalismo en España. Dado que los que emigraban eran, en su mayoría, los menos acomodados, había que hacerlos enteramente responsables de su circunstancia. Así fue como se forjó la imagen de que emigrar era una decisión individual y familiar sin que se resaltara o admitiera que esa salida masiva se derivara de alguna causa más generalizada o tuviera raíz social. Y en consecuencia el retorno exitoso también era estrictamente un triunfo personal del que se podía hacer ostentación, mientras que el fracaso en el proyecto migratorio retrasaba y estigmatizaba el regreso. Sobre todo, cuando se volvía al hogar, la frustración se digería hacia dentro, quedaba en la familia. Así, tanto en el triunfo como en el fracaso, todo era culpa o mérito del grupo primario. De esta imagen, construida desde arriba, se ha derivado la falta de reconocimiento público y oficial a la aportación de los emigrantes al desarrollo político, económico y cultural de España y de sus regiones.

Pero la migración forma parte del modelo social español, una trayectoria colectiva construida a lo largo del último siglo que ha generado un poso de subcultura migratoria en amplias capas de la población española. La migración es un hecho social y no únicamente un rasgo de carácter individual o familiar. Y se produce por un conjunto de circunstancias concatenadas que ligan el origen con el destino y que se apoyan en un entramado de relaciones grupales. Desde una óptica nacionalista y desde abajo, la emigración se asocia con el fracaso en el desarrollo del país. Desde el punto de vista del cambio social se trata de una alternativa al enfrentamiento interno contra los poderosos y, por último, cuando se enfoca bajo el prisma de la economía política, se evalúa como una contribución al desarrollo del capitalismo español. La síntesis sería que la emigración española contribuye a desactivar el conflicto y contribuye al cambio social templado, reduciendo las desigualdades, impulsando el pluralismo cultural y facilitando las transformaciones económicas.

A lo largo del siglo XX, el vínculo de España con América y con Europa ha sido más demográfico que económico, más humano que material. Por eso esta ley se titula "de la memoria y de la historia" y por eso la DA 7ª habla de origen, de hijos y de nietos. No va destinada, por lo tanto, a los emigrantes directos, sino que piensa en los descendientes de aquellos pioneros que han experimentado de modo indirecto y diferido los efectos del alejamiento y del extrañamiento que encarnaron sus ascendientes. Los beneficiarios de esta DA 7ª son los hombres y, con más limitaciones las mujeres,[1] cuyo origen y cultura proviene, en su mayoría, de la emigración española a América. Depositarios de tradiciones y costumbres y que, en su modo de vida diario, conservan actitudes y maneras heredadas de los contextos re-

---

[1] Como hemos visto, la citada DA 7ª estableció la posibilidad de recuperar la nacionalidad a los nietos de quienes perdieron o tuvieron que renunciar a la nacionalidad española como consecuencia del exilio. De este modo, y aunque no de forma explícita en el literal de la norma, la ley dejaba fuera a los nietos de españolas que al casarse con un extranjero hubieran perdido la nacionalidad española. Esta inexplicable acotación fue tratada de subsanar desde la Dirección General de Registros y Notariado mediante tres instrucciones: la número 40 del 8 de mayo, la 41 del 12 de mayo y la 106 del 18 noviembre, todas correspondientes al año 2009. Para mayor información, véase Álvarez, 2011.

gionales españoles. Es una disposición de una ley que repercute más en el plano simbólico y cultural que en la cobertura económica y social.

La imagen de la emigración mancha individualmente y marca socialmente. Emigración y fracaso van asociados en la mentalidad de los españoles. Y esa marca de hierro perdura sea cual sea la época, la masividad y el perfil de los implicados. Tanto es así que la imagen de pérdida y de fiasco envuelve hoy, en la segunda década del siglo XXI, a los jóvenes españoles que se van a trabajar a otros países de la Unión Europea (UE). Pero ahora las familias lo viven como la corrupción de los poderes públicos y el subdesarrollo del mercado de trabajo nacional y no se reconocen en ese fracaso ni como emigrantes históricos ni como demócratas olvidadizos. El hecho es que se ha unido el silencio respecto del pasado con la exhibición de habernos convertido en un país de inmigración. Una ideología y una percepción sin matices, según la cual la emigración estigmatiza a un país y la inmigración lo encumbra como un lugar de oportunidades para construir una vida. Lo cierto es que nunca hicimos un balance equilibrado de las aportaciones que hizo la emigración española. Y si el pasado no quiere repensarse por constituir un oprobio, entonces no hay razón bastante para elaborar una Ley de Nacionalidad que reconozca la contribución económica y la deuda política que se tiene con los emigrantes.

Enseñanzas de la experiencia emigratoria y lecciones no aprendidas

Aún menos se evaluó esa experiencia migratoria ateniéndonos al método científico. Por eso en la primera década del siglo XXI, el gobierno central y los de las comunidades autónomas (CCAA) se cuestionaban si los hijos de los inmigrantes tenían que ser educados en español, en catalán, en euskera, en gallego o si tenían que obtener formación en sus lenguas de origen. Todo ello sin haber analizado cuáles fueron los resultados educativos y laborales entre los descendientes de españoles en Francia, Alemania o Bélgica, según su mayor o menor inmersión lingüística en el idioma del país de destino. El resultado fue que cuando se domina el idioma del país de instalación las oportunidades de mejorar aumentan porque el conocimiento de la lengua para comunicarse te habilita para dominar la cultura de las relaciones sociolaborales.

Tampoco hemos valorado cuál fue la contribución de la política de cupos a la regulación de las corrientes migratorias. Y de ahí las indecisiones actuales en cuanto a cómo proceder para la captación de mano de obra. En resumen, se repiten errores y se avanza más lenta y penosamente por no haber reevaluado cuál fue la experiencia habida a la hora de encauzar la emigración temporal de los trabajadores españoles a la vendimia francesa, a la hostelería suiza o a la industria alemana. Pues cuánta más organización y cooperación hubo con el destino, se alcanzaron mejores condiciones laborales y se redujo la ilegalidad. En definitiva, la década de intensa inmigración que ha recibido España (2000-2009) se hubiera enfrentado mejor, con más regulación de flujos y mejores políticas de integración si se hubiera hecho un buen balance de la historia migratoria de España, porque, al fin y al cabo, la migración es toda una, sea internacional o interna, sea de salida o de retorno, aun no siendo idénticas sino deudoras de su tiempo y de sus circunstancias.

La principal lección que se podía haber extraído de la experiencia española es la de su selección en origen pensando en su arraigo. Eso hubiera reducido los efectos de la recesión en su vulnerabilidad laboral y la política de preferencia familiar habría suavizado su exclusión social. Pero no se ha hecho así, sino a remolque del inmediato beneficio privado como evidencian los siguientes tres datos: actualmente hay una tasa de desempleo de 35 por ciento; sólo 48 por ciento de los trabajadores extranjeros han podido acceder a un empleo fijo y 10 por ciento de los hogares no tienen ningún ingreso y se instalan en la pobreza severa (Laparra y Zugasti, en prensa).

Regresando a nuestro tema, he aquí a los nietos y bisnietos de la emigración laboral y del exilio, desprovistos de reconocimiento y no sólo en un sentido posmaterialista, sino también en un sentido cívico y político tal como ha sido pensado por Axel Honneth en *Reconocimiento y menosprecio* (2010). Los descendientes de la emigración y del exilio reivindican un trato justo y explícito a sus ancestros, y la lMH ha significado un reconocimiento insuficiente. Pero a falta de una Ley de Nacionalidad y sea cual fuere el juicio que merezca la ley, nuestro objetivo es analizar el contexto y la composición de ese medio millón de descendientes que han podido acogerse a la DA 7ª y obtener la nacionalidad española.

El contexto socioeconómico inmediato de la DA 7ª

Dicho esto, el contexto más inmediato de la DA 7ª ha sido el extraordinario crecimiento económico español entre los años 2000 y 2008. La economía española crecía a un ritmo anual de 3 por ciento, se crearon cinco millones de puestos de trabajo en ese periodo, de los cuales la mitad, dos millones y medio, fueron ocupados por trabajadores inmigrantes extranjeros. En efecto, se registraban 424 mil extranjeros ocupados en el año 2000 y 2.94 millones en 2008, suponiendo, respectivamente, 2.7 por ciento y 14.4 por ciento del total de la población ocupada (Cachón, 2009). En cantidades absolutas, según la Encuesta de la Población Activa (EPA), la población ocupada aumentó de 12.9 millones en 1996 a 15.86 millones en 2001, hasta llegar a 20.42 millones en el primer trimestre de 2008 (Pérez y Serrano, 2008). Es decir, se crearon 7.5 millones de empleos en doce años, lo que significa un crecimiento de 58 por ciento de la población activa a un ritmo medio anual de 4 por ciento aproximadamente.

Debido a nuestro endeble modelo democrático y productivo hemos perdido cuatro millones de empleos en los últimos seis años de crisis (2008-2014), por lo que a finales de 2013 teníamos 16.76 millones de ocupados. Durante ese lapso los flujos anuales de inmigración se desorbitaron. En 1999 entraron cien mil extranjeros y sólo tres años después fueron 443 mil, pero entre 2004 y 2008 los flujos superaron, como promedio, los 700 mil ingresos anuales y en su punto más alto, que fue en 2007, el Padrón Municipal registró más de 920 mil altas residenciales de extranjeros. La conclusión primera e inmediata es que la evolución de la economía y de la inmigración hacia España en el decenio previo a la crisis ha sido esculpida con ladrillos y su imagen construida a golpe de fogonazos, de regularizaciones de inmigrantes en situación irregular y de la llegada de pequeñas y frágiles embarcaciones (llamadas "pateras") que surcaban atestadas de gente las aguas del Estrecho de Gibraltar.

El gobierno de Rodríguez Zapatero se aplicó a producir leyes que reconocían derechos sociales; la más sonada fue la del reconocimiento de los matrimonios homosexuales, pero hubo muchas otras y algunas de proporciones económicas enormes debido al envejecimiento de la población, como fue la conocida Ley de la Dependencia. Todas ellas tenían importantes consecuencias sociales de carácter redistributivo y simbólico aunque también de costosa aplicación. Así, por ejemplo, la Ley de la Dependencia no ha podido ser plenamente desplegada y, tras la crisis, apenas nos queda de ella más que el nombre. El hecho es que entre 2005 y 2008 el contexto político fue el de la expansión de derechos en medio de la abundancia monetaria y de la exuberancia inmigratoria, pues si la tasa de crecimiento era intensa, los flujos de inmigración apenas tenían parangón en el resto del mundo.

En España teníamos 500 mil nacimientos anuales y construíamos 700 mil viviendas al año, de suerte que cada niño nacía al menos con una vivienda junto a su cuna. Esos son los antecedentes de la DA 7ª de la LMH. Y como resumen de lo dicho podemos señalar que tuvo una triple motivación. Fue, en primer lugar, un remiendo a la falta de una ley de nacionalidad, un remiendo insuficiente, como ahora lo evidenciarán los datos. En segundo lugar, también es posible que se tuviera en mente una política de selección migratoria debido al formidable ímpetu que alcanzaron los flujos migratorios a partir del año 2000 y que prosiguieron hasta 2010. Así pues, se imponía cierta restricción migratoria, ya que la corriente humana mejor aceptada socialmente por la opinión pública española era la que venía de América Latina. La inmigración latinoamericana continúa siendo, todavía hoy —cuando ya llevamos recorrido más de un sexenio de crisis sistémica— la preferida, según muestran las más diversas encuestas y las políticas de regularización y de contingentes desde el año 2000 (Díez Nicolás, Izquierdo y Oberaxe, 1999), y dentro de ella qué mejor, en una época de expansión de derechos, que entraran como nacionales. Así se mataban dos pájaros con el mismo disparo, entraban como nacionales y eran latinoamericanos de sangre española.

La DA 7ª ha respondido, en el contexto de expansión de los derechos durante la primera legislatura de Rodríguez Zapatero, a una presión de los descendientes sobre los parlamentarios. Y si el lector se sitúa en 2007, bien se podría pensar que el tercer motivo lo que se proponía era compensar la sobrecarga cultural que históricamente tenía la nacionalidad española y alimentar entre los ciudadanos la cultura del derecho y en particular de los derechos políticos. Una conquista "desde abajo" y una inyección de republicanismo cívico. Se quería poner más el acento en los derechos de participación y en una ciudadanía de carácter más político e internacional. Suavizar el nacionalismo y regionalismo cultural español y contrapesarlo mediante un patriotismo cívico más propio de un Estado-nación que se fortalece con una idea de proyecto común y de socialización basado en los valores, derechos y deberes democráticos.

Pero esa idea revela más una falsa conciencia de la realidad y un deseo que una conclusión analíticamente bien fundada. Si bien es cierto que las reformas de la nacionalidad en España han venido "desde arriba" y han sido otorgadas por la autoridad del Estado para fortalecer su concepto de soberanía territorial y de nación cultural, no lo es menos que los descendientes de la LMH son hijos y nietos ya entrados en años y esa población envejecida es, en su conjunto, más sensible al ámbito simbólico y al "nacionalismo étnico" que a reivindicaciones propias de la ciudanía democrática. Se muestran más cercanos a la antropología del pasado que al cosmopolitismo filosófico del futuro.

No era una ley migratoria, pero sí perfilaba una política migratoria

La DA 7ª era un parche para no acometer una Ley de Nacionalidad pero fue vista por las fuerzas políticas y por el gobierno del Partido Socialista (PSOE) como parte de una política de inmigración más global, en el doble sentido de constituir una ayuda para modular la composición de los flujos y en el de facilitar la integración de los llegados. Hay que añadir que también fue vista así por muchos de los postulantes y beneficiarios de la norma que, en 2008, aún veían a España como un país de inmigración lleno de oportunidades para realizar su proyecto migratorio y de vida.

Esta norma ayudaba a regular la composición de los flujos toda vez que se ofertaba a los descendientes de los españoles y se sabía dónde se hallaban, cuál era su situación económica y su perfil sociodemográfico. Se conocía cuáles eran los países donde más solicitantes había de la DA 7ª y dónde se habían adquirido más pasaportes. El pasaporte era un indicador que sugería la intención de moverse o de emigrar si no en el momento tal vez en el futuro. Así pues, el origen de los flujos potenciales quedaba claro. Desde luego que los principales flujos de inmigración hacia España tenían también otras procedencias, además de la latinoamericana, señaladamente el Magreb y los países de Europa del Este. Los procedentes de países asiáticos eran menos pronunciados pero más sostenidos. El caso era que la corriente latinoamericana era cuantiosa y ayudaba a equilibrar aquellos flujos más aceptados entre la opinión pública de los que concitaban mayores rechazos sociales.

Sobre todo, se trataba de inmigrantes que tenían familia o conocidos en España, de modo que tanto su inserción laboral como su coste de acogida se facilitaban y abarataban. Así, el itinerario de integración era más suave, tanto en el ámbito del mercado laboral como en el del alojamiento y la vecindad. Además, tenían la nacionalidad, de modo que su acomodo como ciudadanos con todos los derechos sociopolíticos no generaba preocupación ni enormes gastos de gestión. Por último, la percepción de sintonía cultural hacia los latinoamericanos era claramente favorable, de modo que su integración en el modo de vida de los españoles se consideraba también una enorme ventaja en la perspectiva de la cohesión identitaria.

La prueba de que esto era visto así, si bien de un modo general y sin reparar en las diferencias y en la heterogeneidad de los flujos procedentes del diverso y vasto continente latinoamericano, se pone de manifiesto en el régimen de extranjería, reformado en 2009, que oferta a los descendientes de españoles tanto el visado de búsqueda de empleo como la puerta del arraigo familiar en el municipio de residencia. Sin embargo, no son sólo ventajas inmateriales porque también se les exime del pago de las tasas en relación con la autorización para trabajar. Aunque no cabe duda de que los privilegios mayores son poder acceder a un empleo sin que sea necesario verse sometido a la preferencia nacional y la autorización de residencia por razón de arraigo familiar.

En un sentido riguroso la DA 7ª no era una política de inmigración selectiva pero sí una política de inmigración volcada hacia la integración y la ciudadanía que, cuando menos, se apartaba de las prioridades de las políticas de selección de los inmigrantes más utilitarias y generalizadas en la UE, pues no se dirigía sólo a los jóvenes ni únicamente a los inmigrantes cualificados, sino que abarcaba a distintas generaciones, es decir, a gente de diferentes edades, contextos sociales y nacionales. Sin embargo coincidía con las políticas de selección cultural presentes en varios países de la UE que se proponían vacunar a la opinión pública contra la xenofobia y el miedo a la desintegración de la identidad nacional. Bien se podía afirmar que los descendientes de los españoles emigrados a América Latina eran "de los nuestros" por idioma y por familia. Desde esta óptica era una ley que beneficiaba a las antiguas colonias y países de destino de la emigración española y que daba pie a una política nacionalista basada en la identidad lingüística y religiosa. La integración no era el final de un esfuerzo voluntario, sino el inicio de un trayecto que se debía a la herencia más que a la querencia.

Y la familia es el mejor candado para la integración en España, así se trate de nativos o de inmigrantes que tratan de abrirse paso en el trabajo y en la vida cotidiana. La familia une y protege a las generaciones en la adversidad, como se demuestra en medio de esta brutal crisis, cuando lo que domina en la sociedad española es una relativa calma social para una tasa de desempleo (26%) de imposible digestión y de difícil comprensión sin la cobertura del hogar. La familia de los emigrantes, además de unir a las distintas generaciones, tiene una dimensión transnacional: sirve de puente al facilitar el tránsito de un país a otro y habilitar con ello la migración circular. Ofrece seguridad en la primera acogida y en el eventual retorno. La familia procura identidad, idioma, historia y la oportunidad de vivir dos destinos, el que habita en la memoria y en los sentidos. Aún podemos añadir un dato más a esta política migratoria y familiar, a saber: la equidad entre los sexos y el escudo afectivo que entraña la presencia de la mujer en la experiencia migratoria. Al fin y al cabo, la migración internacional constituye otra prueba de la capacidad humana para vivir una vida hecha a base de desequilibrios.

Españoles de la memoria histórica: hacia una tipología

Nacida, como dijimos, con el objetivo de reparar a los vencidos de la guerra civil, lo cierto es que la DA 7ª de la mencionada Ley de la Memoria Histórica acabó por acoger en su seno a cientos de miles de descendientes de la migración económica española. De este modo y, paradójicamente, aquellos para los que se pensó la ley fueron, cuantitativamente, los que menos se beneficiaron de ella.

El acomodo legal que se buscó, se materializó en el establecimiento de tres supuestos legales, llamados anexos, bajo los cuales los descendientes de españoles en el extranjero pudieran reclamar la nacionalidad. Las características de los solicitantes a través de dichos anexos dibujan, como veremos, tres perfiles sociodemográficos ligeramente diferenciados:

Anexo 1. Descendientes de la emigración económica: La demanda de nacionalidad que se acoge al tipo uno se refiere a "las personas cuyo padre o madre hubiese sido originariamente español podrán optar a la nacionalidad española", supuesto por el que entraron, primordialmente, los hijos de los que fueron emigrantes por necesidad. Aquellos que salieron para abandonar la miseria y la falta de expectativas. Se trata, sobre todo, de descendientes de los emigrantes económicos que durante el siglo XX abandonaron España principalmente rumbo a América. Su reclamación parece estar movida, en mayor medida, por una expectativa de mejora profesional.

Anexo 2. Descendientes del exilio político: Quienes presentan su demanda por el tipo dos son los descendientes del exilio en su sentido más estricto. Hijos y nietos de los huidos tras la guerra civil. A los efectos de esta solicitud, y para poder probar la condición de exiliado documentalmente, la ley "presumirá la condición de exiliado respecto de todos los españoles que salieron de España entre el 18 de julio de 1936 y el 31 de diciembre de 1955", un cierre temporal discutible si tenemos en cuenta que la dictadura de Franco se alargó hasta la muerte del mismo, esto es, 1975. Con este tipo de solicitantes, se mezclan los sentimientos reivindicativos de naturaleza política con la atracción que ejercen los grandes mercados del conocimiento en Estados Unidos y la Unión Europea como destino profesional. Son las generaciones que provienen de la convicción republicana y del rechazo al fascismo. Una cultura migratoria que valora la libertad y la democracia.

Anexo 3: Cambio de nacionalidad de opción a origen: A la tercera vía acuden aquellos descendientes que a pesar de haber adquirido la nacionalidad española por las vías legales anteriormente disponibles, ahora desean convertirla en una naturalización de origen que otorga más derechos, ayudas y prestaciones que la nacionalidad adquirida. Y, sobre todo, permite detentar la doble nacionalidad, es decir, conservar la nacionalidad anterior y compatibilizarla con la española. Un camino reemprendido por los que se sienten españoles desposeídos de un linaje que, ahora, tratan de recuperar, pues podríamos pensar que no sólo les atraen los privilegios inscritos en la españolidad de origen sino que también, por tratarse de personas que ya se habían esforzado por adquirir la nacionalidad, se perciben insatisfechos y mutilados por ese reconocimiento parcial de su vínculo español.

¿Qué nos dicen los números?: tendencias generales encontradas en las solicitudes procesadas

La primera pregunta de rigor es saber cuántos y cómo son los solicitantes de la nacionalidad, es decir, quiénes se han beneficiado especialmente de la oferta de nacionalidad.

Tal como anticipamos, el grueso de los solicitantes de la nacionalidad española provienen del anexo 1, esto es, son descendientes de la emigración económica de las primeras décadas del siglo xx. De las 524 326 solicitudes registradas a finales de 2011, 92 por ciento (482 497) entró por esta vía, seguido de 7 por ciento de nietos del exilio (anexo 2, 35 319) y un escaso uno por ciento de solicitantes que quisieron cambiar su nacionalidad adquirida por la de origen a través del anexo 3 (6 510).

CUADRO IV.I. Información de los expedientes según nacionalidad

Diciembre de 2008-diciembre de 2011*			
	América Latina	Resto del mundo	Total
Expedientes presentados	497519	26807	524326
Expedientes aprobados	215478	19573	235051
Expedientes denegados	17686	668	18354
Expedientes (iniciados y en trámite)	410549	27838	438387
Total de citas dadas	846608	3	846611
Citas diarias	47692	0	47692
Inscripciones	207739	11143	218882
Pasaportes expedidos	153585	9406	162991

Fuente: Elaboración propia a partir de los datos de la Secretaría de Asuntos Consulares. * Las cifras ofrecidas correspoden a diciembre de 2011.

Según los últimos datos oficiales de los que disponemos, al cierre del plazo para la solicitud de la nacionalidad, esto es, diciembre de 2011, fueron algo más de medio millón (524326) los expedientes presentados a lo largo de los tres años de aplicación de la ley,[2] las citas consulares, sin embargo, superaron las 840 mil, lo que nos informa de que poco más de 38 por ciento de ellas no se consolidaron en la presentación de la solicitud.

Esta diferencia entre las citas otorgadas y las solicitudes presentadas pone en evidencia que en muchas ocasiones las citas sólo están pedidas con la intención de obtener información y que ante los requisitos exigidos, o al conocer que podrían solicitar la nacionalidad por la vía ordinaria establecida en el Código Civil, muchos potenciales beneficiarios finalmente no aplican por la DA 7ª, es decir, que son más los inicialmente interesados que los realmente afectados.

Pensamos que el total de citas puede constituir una aproximación al universo de población susceptible de ser reconocida como española, teniendo en cuenta el sesgo que pudo suponer el alcance de la información, es decir, que es posible que personas que reunieran los requisitos no se enteraran de la oportunidad que la ley les ofrecía.

Sin embargo, las diferencias no se agotan en el peso de las solicitudes sino que el ritmo real de la gestión de la ley no ha sido igual para todos. Es

---

[2] Aunque el plazo para solicitar la nacionalidad fue establecido inicialmente en dos años, la Resolución del 17 de marzo de 2010, de la Subsecretaría de Presidencia, hizo público el Acuerdo del Consejo de Ministros del 22 de enero de 2010, por el que se amplió un año el plazo para ejercer el derecho de optar a la nacionalidad española recogido en la disposición adicional séptima de la Ley 52/2007.

CUADRO IV.2. Evolución de los expedientes según nacionalidad y periodo

	Año 2009			Año 2010			Año 2011		
	América Latina	Resto del mundo	Total	América Latina	Resto del mundo	Total	América Latina	Resto del mundo	Total
Expedientes presentados	154 574	7.200	161 774	146 056	6.557	152 613	196 889	13 050	209 939
Expedientes aprobados	77 078	4.679	81 757	76 564	5.150	81 714	61 836	9 744	71 580
Expedientes denegados	6 017	275	6 292	6 252	221	6 473	5 417	172	5 589
Inscripciones	64 596	2.734	67 330	93 107	3.446	96 553	50 036	4 963	54 999
Expedientes (iniciados y en trámite)	116 703	5.861	122 564	118 471	8.691	127 162	175 375	13 286	188 661
Total de citas dadas	258 195	–	258 195	294 431	–	294 431	293 982	3	293 985
Citas diarias	13 606	–	13 606	15 847	–	15 847	18 239	0	18 239

Fuente: Elaboración propia a partir de los datos de la Secretaría de Asuntos Consulares.

decir, la administración pública ha resuelto en plazos y formas distintas las demandas de uno y otro tipo de solicitantes. Así lo reflejan los datos del Ministerio de Asuntos Exteriores que comentaremos a continuación, datos que, conviene señalar, son todavía provisionales, pues a la fecha (febrero de 2014) todavía son decenas de miles los expedientes almacenados en los consulados españoles que esperan respuesta.

El ritmo de expedientes que han sido presentados en las dos primeras anualidades fue similar, rondando las 150 mil solicitudes cada año, para, tal como preveíamos en trabajos precedentes,[3] incrementarse ligeramente en el último año. De este modo, el tercer y último año de plazo para solicitar la nacionalidad registró 34.8 por ciento más de demandantes que el año anterior. En lo que respecta a la tasa de solicitudes denegadas y aprobadas pasa algo parecido. Mientas que en los dos primeros años las tasas

[3] Véase Izquierdo, 2011. Esta obra presenta un análisis pormenorizado de los datos de gestión de demandas de nacionalidad de los dos primeros años de vigencia de la disposición transitoria séptima.

registradas fueron muy semejantes, sobre 50 por ciento de aprobación y un escaso 4 por ciento de denegación, en el último año ambas tasas se retrajeron hasta quedar en 34 por ciento de expedientes aprobados y 2.7 por ciento de denegación. El mayor volumen de solicitudes presentadas, así como acusadas reducciones de personal en los consulados, fruto de los recortes económicos habidos tras la irrupción y recrudecimiento de la crisis económica en España, además del menor interés que la Ley de la Memoria Histórica suscita para el actual gobierno del Partido Popular, pueden explicar, en gran medida, que los expedientes sin respuesta se vayan acumulando.

Una segunda pregunta que nos interesa responder es ¿dónde están los solicitantes?, ¿cuál es la localización geográfica de los nuevos españoles?

Partiendo de investigaciones históricas sobre las migraciones que han demostrado que una parte de la gente que emigra se queda en los países de destino, mientras que otra parte, antes o después, retorna al país de origen; nos preguntamos en qué medida las pérdidas de población debidas a la emigración se compensan, es decir, cuánta de la emigración política y económica que dejó España en el siglo XX retorna en el siglo XXI en la figura de sus descendientes. Para ello indagamos acerca de las coincidencias y diferencias entre los principales países de destino de aquellos emigrantes y la procedencia de las solicitudes de recuperación de nacionalidad que recibimos ahora.

Como refleja la gráfica precedente, del análisis de los datos de las solicitudes registradas en los consulados nos llega la primera certeza: los candidatos a la nacionalidad española son, mayoritariamente, de América Latina (94.9%) y son tres países los que acaparan el mayor número de solicitudes (en este orden, Cuba, Argentina y México); el resto (5.1%) se reparte en otras zonas del mundo (principalmente Francia, Estados Unidos y Marruecos). La explicación a este predominio latinoamericano está en las masivas emigraciones económicas que se produjeron en el siglo XX y, en menor medida, en el exilio que originó la guerra civil (migración que se estableció, sobre todo, en Francia y México).

Cabría preguntarse si esta distribución territorial se traduce a su vez en diferencias significativas referentes a la tasa de denegación o aprobación de las solicitudes.

En primer lugar llama la atención que la tasa de denegaciones es muy baja, apenas alcanza 7.2 por ciento, porcentaje que aumenta unas décimas si nos centramos en los expedientes presentados en América Latina y de-

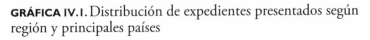

GRÁFICA IV.I. Distribución de expedientes presentados según región y principales países

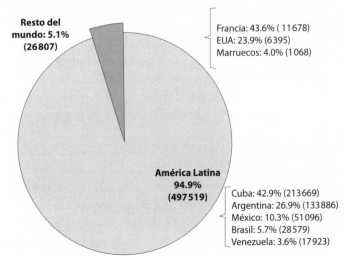

Resto del mundo: 5.1% (26 807)

Francia: 43.6% (11 678)
EUA: 23.9% (6 395)
Marruecos: 4.0% (1 068)

América Latina 94.9% (497 519)

Cuba: 42.9% (213 669)
Argentina: 26.9% (133 886)
México: 10.3% (51 096)
Brasil: 5.7% (28 579)
Venezuela: 3.6% (17 923)

Fuente: Elaboración propia a partir de los datos de la Secretaría de Asuntos Consulares.

cae hasta 3.3 por ciento si nos fijamos sólo en los expedientes presentados fuera de esta región.

Tampoco sufren igual el rechazo los solicitantes por uno u otro anexo, de modo que, como podemos ver en la gráfica, los descendientes de la emigración económica tienen muchas más posibilidades de éxito que aquellos que se manifiestan descendientes del exilio.

Una posible explicación para esta diferente tasa de éxito pasa por la dificultad añadida que puede significar acreditar la condición de descendiente del exilio. Sin embargo, si desagregamos los datos por nacionalidad del solicitante encontramos otros factores que pueden explicar las diferencias.

En lo que respecta a los principales orígenes latinoamericanos (véase la gráfica IV. 3) nos encontramos con que la mayor tasa de rechazo la experimentan los cubanos (10%) seguidos por los argentinos (7%) y los venezolanos (4.8%) mientras que apenas hay denegaciones entre los mexicanos. Esta tendencia apenas ha variado a lo largo del periodo de aplicación de la ley y parece guardar cierta relación con la clase social y con las posibilidades económicas, de modo que mientras "más posibles se tienen", menos rechazos. Así lo sugiere la baja tasa de los venezolanos frente a la abultada

GRÁFICA IV.2. Tasas de concesión y denegación según región y tipo de anexo (porcentaje)

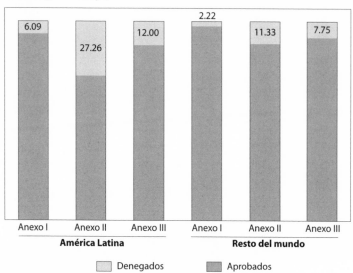

Fuente: Elaboración propia a partir de los datos de la Secretaría de Asuntos Consulares.

de los cubanos. Pero también podría tener que ver con el celo administrativo, con la calidad de los servicios de documentación, con la antigüedad de la migración originaria y el consiguiente grado de mantenimiento de los papeles requeridos y, al mismo tiempo, con la proporción de solicitantes que, sin reunir todos los requisitos exigidos, fueran a probar suerte en un país y otro. La hipótesis de clase social y de la desigual en las trabas administrativas quizás sea también la que esté operando en el caso de 21 por ciento de marroquíes que quieren obtener la nacionalidad española y cuya solicitud es denegada, frente al escaso 0.8 por ciento de los franco-españoles que no tienen éxito en su petición.

A modo de resumen: las tasas de rechazo son más altas entre los solicitantes latinoamericanos, cualquiera que sea la vía legal emprendida.

El reparto de los expedientes aprobados según las tres principales nacionalidades (Cuba, Argentina y México) nos muestra las siguientes diferencias en lo que se refiere a los tipos de solicitantes y, por extensión, al carácter de los nuevos españoles. El tipo uno, es decir, el hijo de la emigración económica es siempre el mayoritario y supera 95 por ciento en Argentina y Cuba, pero no llega a 80 por ciento entre los mexicanos. Por el

GRÁFICA IV.3. Tasas de aceptación y rechazo en algunos países (porcentaje)

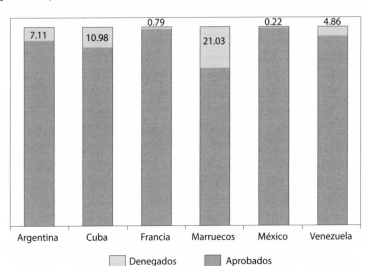

Fuente: Elaboración propia a partir de los datos de la Secretaría de Asuntos Consulares.

contrario, el tipo dos, que corresponde a los descendientes del exilio, alcanza 19 por ciento en México, mientras que apenas ronda 1 y 2 por ciento en Cuba y Argentina, respectivamente. Por último, entre los españoles que cambian la nacionalidad derivada por la de origen, es decir, aquellos que se sienten españoles de sentimiento o que valoran las ventajas de la nacionalidad "de origen" frente a la de "opción", destacan los demandantes cubanos (3.3%), mientras que los mexicanos y argentinos rondan 2 por ciento. Esta distribución abunda en la presunción de que son los más necesitados los que postulan el cambio de la nacionalidad adquirida por la que ofrece más privilegios, pero también subraya que la emigración pobre proveniente de Cuba y Argentina es la que más siente el vínculo emocional y se ha esforzado por adquirirlo.

En conclusión, si hubiera que caracterizar a los nuevos españoles que proceden de estos tres países diríamos que aunque la gran mayoría son hijos de la emigración económica, los argentinos y los cubanos lo son por excelencia, mientras que los nietos del exilio resaltan entre los mexicanos, y los "nacionales del linaje", a pesar de ser muy pocos, tienen cierta preminencia, en términos comparativos, entre los cubanos.

GRÁFICA IV.4. Porcentaje de peticiones aprobadas según tipo de anexo en los principales países de origen (porcentaje)

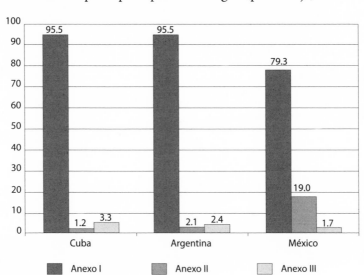

Fuente: Elaboración propia a partir de los datos de la Secretaría de Asuntos Consulares.

Potencial migratorio de la Ley de la Memoria Histórica

Uno de los objetivos básicos de la investigación que da pie a este capítulo fue cuantificar el potencial migratorio de la Ley de la Memoria Histórica.

Permítanos el lector la licencia que supone asumir la expresión "potencial migratorio", que si bien no es un concepto sociodemográfico riguroso, es de uso frecuente en los medios de comunicación. Tiene por lo tanto una factura más mediática que académica y, científicamente resulta muy discutible. Este concepto, aplicado a nuestro estudio, hace referencia al indicador de movilidad, que operacionalizamos a través del número de pasaportes emitidos, y con el que pretendemos medir la ansiedad por salir del país, la intención y la probabilidad de desplazarse y emprender un viaje. Claro está que moverse y viajar no equivale a migrar en un sentido estricto, pues se requiere un cambio de residencia, cuando menos, de duración anual. De modo que, por así expresarlo, el indicador de movilidad incluye el potencial migratorio.

En pocas palabras, el número de pasaportes expedidos podría reflejar el impulso migratorio y más propiamente movilizador que tiene la ley.

Teniendo en cuenta que el número de pasaportes emitidos es mucho menor que las resoluciones positivas, podríamos decir que si la solicitud de nacionalidad simboliza la memoria recuperada de la historia familiar y el derecho de voto, el pasaporte habilita para moverse con mayor libertad.

En un momento de crisis económica y fuerte caída del empleo en España, nos preguntamos si la depresión económica va a impulsar en mayor medida las demandas de nacionalidad, va a incentivar la petición de pasaportes para viajar y, por fin, si va a desencadenar más o menos emigraciones desde los países donde residen los descendientes de españoles y hacia qué destinos. Al fin y al cabo, el pasaporte español es un pasaporte comunitario que abre muchas puertas como ciudadano europeo (véanse los capítulos III y V de este volumen).

A falta de indicadores precisos para determinar la secuencia y acotar los tiempos del movimiento, así como para determinar el destino concreto de la migración potencial, nos conformaremos con tomar la demanda de pasaportes que siguen a la obtención de la nacionalidad como una pista de la intención de emprender la migración o más precisamente de viajar a corto plazo, el pasaporte como medio para la movilidad más que como indicador de migración en un sentido clásico.

El monto total de pasaportes expedidos nos permitiría aproximarnos al número de viajeros decididos y quizás de potenciales emigrantes. Pues bien, resulta que siete de cada diez expedientes aprobados han desembocado en un pasaporte expedido. Cifra que aumentó mucho sobre todo en 2010, cuando casi se duplicó el número de pasaportes expedidos del año anterior, alcanzando 87 por ciento de expedientes aprobados que desembocaron en pasaportes expedidos.

Que este aumento haya tenido lugar, precisamente, en el tiempo en que más se ha resentido el empleo, lo cual entendemos que desanimaría la emigración a España, contraviene dos explicaciones muy extendidas. Una de ellas es la que asocia migración y crisis, según la cual los españoles "recientes" se retraerían a la hora de emprender la emigración, habida cuenta de las pocas oportunidades laborales que presentan los países desarrollados que son el objeto de su proyecto migratorio. Optarían por permanecer en sus países de origen, donde la crisis repercute y se percibe, si no menos, sí de otro modo. La otra, es aquella que vincula la nacionalidad recobrada al destino elegido. Así sucedería que, según esta interpretación, estos inmigrantes potenciales encaminarían sus pasos sólo hacia España y hacia ningún otro lugar, con la consecuencia de que, habida cuenta de que la

CUADRO IV.3. Demanda y expedición de los pasaportes según nacionalidad y periodo

Año	2009			2010			2011		
	América Latina	Resto del mundo	Total	América Latina	Resto del mundo	Total	América Latina	Resto del mundo	Total
Expedientes presentados	154 574	7 200	161 774	146 056	6 557	152 613	196 889	13 050	209 939
Expedientes aprobados	77 078	4 679	81 757	76 564	5 150	81 714	61 836	9 744	71 580
Pasaportes expedidos	36 870	2 099	38 969	68 638	3 026	71 664	48 077	4 281	52 358
% de pasaportes expedidos sobre exp. aprobados	47.83	44.86	47.66	89.65	58.76	87.70	77.750	43.93	73.15

Fuente: Elaboración propia a partir de los datos de la Secretaría de Asuntos Consulares.

destrucción de empleo ha sido especialmente intensa en la península, sobre todo si se pone en relación con nuestros socios comunitarios, la obtención del pasaporte como herramienta de uso inmediato se debería posponer y no avivar. Pero está ocurriendo justamente lo contrario. Y esto nos lleva a suponer que estamos en un error al vincular el pasaporte con la intención y el ansia de emigrar. O también, que las dos explicaciones mecánicas anteriormente expuestas, a saber, que la crisis retrae y que la nacionalidad es el destino, han de ser cuestionadas. Es también probable que se trate de dos notas que sólo se puedan predicar de esta coyuntura y para esta población específica, pero hay argumentos potentes para pensar que la definición de migración se esté volviendo obsoleta. Por otro lado, los demandantes de la LMH tienen un pasado migratorio y esa cultura de la movilidad está inscrita en su código familiar.

En resumen, a la luz de los datos podemos pensar que la solicitud del pasaporte puede estar relacionada con la intención de moverse o viajar a otros destinos, o también como previsión ante los tiempos difíciles que bien podrían llegar a todos los rincones del planeta. Es decir, se solicitaría el pasaporte para usarlo si las dificultades aumentaran en el lugar de residencia.

La principal diferencia que encontramos es el mayor número de pasaportes expedidos entre los descendientes de América Latina, 71 por ciento frente a 48 por ciento en el resto del mundo.

GRÁFICA IV.5. Pasaportes emitidos sobre resoluciones concedidas y principales países (porcentaje)

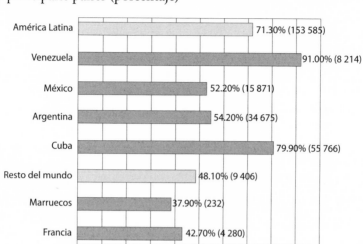

Fuente: Elaboración propia a partir de los datos de la Secretaría de Asuntos Consulares. *Nota:* Las barras muestran el porcentaje de pasaportes emitidos sobre solicitudes concedidas por país, y el dato entre paréntesis indica el número absoluto de pasaportes emitidos.

Si analizamos la proporción de pasaportes obtenidos por los nacionalizados de cada país encontramos que son los cubano-españoles (80%), y sobre todo los venezolano-españoles (91%), los más interesados en solicitar el pasaporte español, mientras que en Argentina o México apenas 50 por ciento de los nuevos españoles lo solicitan.

La hipótesis subyacente es que cuanto mayor es la inseguridad y más fuerte la necesidad (Venezuela y Cuba) más peso adquieren los pasaportes, mientras que cuanta mayor es la facilidad para viajar, es decir, menos exigencias de visados de turistas (Argentina, México)[4] menor es la presión para conseguirlo.

De más difícil interpretación es lo que sucede con el resto de las solicitudes. Desagregando los datos de pasaportes expedidos en el resto del mundo por cada país nos encontramos con que, en contra de lo esperado, sólo 37.9 por ciento de los marroquí-españoles demandan su pasaporte, por debajo de 42.7 por ciento de franco-españoles que lo hacen.

---

[4] Hay que tener en cuenta que ni los ciudadanos argentinos ni los mexicanos precisan visados de turistas para entrar en el espacio Schengen.

Lamentablemente no es posible cruzar el indicador de movilidad o potencial migratorio (pasaportes emitidos) con los tres tipos de demandantes de nacionalidad, esto permitiría ver si hay mayor o menor intención de emigrar en un grupo o en otro. Si bien nos interesa sobre todo cuáles son las razones que fundamentan en cada uno de los tres tipos la demanda del documento de viaje. Por ello, la información administrativa que hemos recabado sobre los pasaportes expedidos ha de completarse con el discurso recapitulado de los solicitantes, ya que sólo esa información puede ayudarnos a formular hipótesis más consistentes acerca de los impactos migratorios de la LMH en lo que se refiere a los tres tipos sociológicos enunciados. Es precisamente a esa información a la que queremos acercarnos en el último epígrafe de este trabajo, dejando que sean los propios solicitantes los que arropen los números con sus palabras y experiencias.

Las voces de los nuevos españoles: lo que los entrevistados nos cuentan

Las entrevistas realizadas no abarcan ni pretenden abarcar la totalidad de testimonios vitales que podrían relatarse, las causas individuales serían inabarcables, sólo pretendemos reflejar los rasgos más señalados y definitorios de sus discursos, un esfuerzo por dibujar al "solicitante tipo" que hoy lucha por recuperar su nacionalidad prestando especial atención a las motivaciones principales que aducen dichos solicitantes.

Escuchando los discursos de nietos de la emigración y el exilio, podemos afirmar que la decisión de volver a España responde más a condiciones adversas en los países de residencia que a condiciones de atracción por parte de España. Siguiendo la tipología propuesta por Álvarez Silvar (1997) hablamos de potenciales retornados "forzados" o expulsados del país en el que residen.

Hijos y nietos son conscientes del difícil momento económico que sufre Europa y las elevadísimas tasas de paro que afronta España, por lo tanto, la decisión de abandonar sus lugares de residencia responde a circunstancias especialmente complejas en esos lugares: inseguridad e inestabilidad en México y Argentina y falta de libertad y dificultades económicas en Cuba son las razones más repetidas. Una vez más, problemas económicos y políticos se mezclan en explicaciones ambivalentes. Y más que de emigración inmediata, los descendientes hablan de nacionalidad y, sobre todo, pasaporte, en términos de seguro ante un futuro potencialmente adverso.

Sin embargo no sólo debemos hablar de movilidad, la decisión de conseguir la nacionalidad desborda la intención de emigrar hacia España u otros destinos. Son muchos para los que la lucha por la nacionalidad carece de valor instrumental, no funciona como salvoconducto hacia otros países y adquiere un tono más sentimental y simbólico, se trata de honrar a abuelos que sufrieron al dejar un país y una cultura que nunca olvidaron y lucharon por transmitir. Buscan legalizar un estatus como ciudadanos españoles que en la mayoría de los casos ya sentían, un reconocimiento formal a esa forma de percibirse, de pensar y de vivir tan semejante a la que sus abuelos les contaron: "Soy un gallego indocumentado y quiero romper esta situación" (solicitante, Argentina, 2009).

Sin embargo, la respuesta a la pregunta de para qué quieren los nuevos españoles sus pasaportes nos hace desechar la idea de un valor simbólico. Nuestros entrevistados reiteraron una utilidad netamente instrumental para librarse de visas, costosas cartas de invitación u otros pesados trámites que dificultan la movilidad de las personas. La posibilidad de atesorar un pasaporte comunitario aleja de ellos la sospecha de inmigrantes irregulares, permite sortear preguntas incómodas en las fronteras, explicaciones complejas y visados para entrar en determinados países. Saben que la tenencia de un pasaporte español, europeo al fin y al cabo, les evita pesadas esperas y largas filas en los controles aeroportuarios y anhelan entrar por las ágiles colas de ciudadanos comunitarios. El pasaporte posibilita, además, "entrar en España por la puerta que te corresponde" (solicitante, Argentina, 2009).

Al mismo tiempo, sus testimonios evidencian una de nuestras sospechas, el error en que incurriríamos al establecer una relación mecánica entre tenencia del pasaporte y planes migratorios. El número de pasaportes, por lo tanto, más que indicador de emigración parece ser un buen indicador de movilidad. Muchos de los entrevistados sólo expresaron sus ansias de viajar para conocer nuevos lugares teniendo siempre presente la vuelta a los países en los que residen, para muchos, en definitiva, sus verdaderos países. Aunque no es una posibilidad totalmente descartada, no es, para la mayoría de los entrevistados, un plan a corto plazo. Abrir puertas, conocer formas diferentes de vivir, tomar nuevas oportunidades, nuevos trabajos, cursar estudios en el extranjero, en definitiva, ampliar horizontes.

Si analizamos los discursos recabados atendiendo a su país de procedencia parece que el lugar de residencia determina, en cierta medida, tanto las motivaciones que llevan a solicitar la nacionalidad como el potencial migratorio.

En las entrevistas realizadas con solicitantes cubanos, nuestros entrevistados expresaron desear el pasaporte español no para emigrar, pues salir de manera permanente de Cuba les haría renunciar a sus derechos como cubanos, si no para poder viajar con mayor facilidad evitando los visados.

> Con el pasaporte español yo puedo viajar por un tercer país, yo tengo allá (Miami) a mis hermanas y una ya está mayor y mira voy a cuidarla [...] A mí me beneficia, si yo voy pa' España no necesito carta de invitación (solicitante, Cuba, 2010).

En el caso de los solicitantes en Argentina se refirieron a la tenencia del pasaporte como un seguro ante eventualidades futuras. No niegan la relación clara entre la situación económica del país y el deseo de abandonarlo, de este modo, valoran positivamente contar con una vía de escape para crisis económicas que están seguros habrán de repetirse.

> Querida, lo que ustedes llaman recesión... Ojalá tuviéramos nosotros esa recesión [...] Aparte, lo que decimos nosotros, con los amigos [es]: "Recesión, sí, pero ellos van a salir y nosotros de la recesión nunca salimos". Vivimos de recesión en recesión, de crisis económica en crisis económica... (solicitante, Argentina, 2009).

> Luego cuando fui padre y demás sí empecé a pensar en el caso de mi niño, sobre todo por los vaivenes que tenemos en Argentina muchas veces, digamos [...] también lo hice pensando en mi hijo, yo sé que el pasaporte de la Comunidad Económica Europea te da una serie de oportunidades de todo tipo, no solamente laborales, que sé yo, de apertura al mundo digamos (Responsable de la Asociación Descendientes, Argentina, 2009).

En el caso de los solicitantes argentinos, sobre todo los más jóvenes, la emigración no es un plan a corto plazo, pero tampoco una salida inimaginable.

> Exactamente. Entonces los chicos entraron y... cosa que los puso muy contentos [...] Porque es una herramienta, es una puerta al primer mundo. En eso te soy totalmente sincera. Tienen una herramienta. Tienen la posibilidad de hacerlo. Te repito, ninguno piensa irse (solicitante, Argentina, 2009).

Los testimonios mexicanos insisten en la inseguridad ciudadana. Elementos como la debilidad de las prácticas democráticas, las desigualdades entre clases sociales, la corrupción de las autoridades, la violencia y la inseguridad, son señalados como puntos clave en la decisión de salir del país. La solicitud de la nacionalidad española es percibida por los solicitantes como una oportunidad para escapar, si fuera necesario, de ese ambiente de inseguridad creciente. A esto hay que sumar las ventajas comparativas que ofrece el Estado español, para ellos, una verdadera democracia, un Estado social y de derecho que protege a sus ciudadanos.

> Toda la gente que tienen pasaportes españoles y amigos, que son muchos, todos dicen: "por si se ofrece" […] En este país nunca descarto salir huyendo. O sea, todos tienen ese pasaporte… cuidado ahí en ese pedacito de tu recámara por si hay que salir del país. Por otro lado dices: "No vaya a ser la de malas y podemos tener algo con lo cual salir de este país ¿no?" Ojalá que nunca pase una cosa tan espantosa, ¿no? (solicitante, México, 2009).

Retomando la clasificación que establecimos en un principio entre españoles de la expectativa profesional, la libertad y el sentimiento, ésta no ha sido puesta de relieve en la autointerpretación que hacen nuestros oradores. En muchos casos hemos podido comprobar que la elección de un anexo u otro respondió a la recomendación de los funcionarios, es decir, muchas veces fue una elección pragmática que buscaba la vía que pudiera garantizar un mayor éxito. Por otra parte la información no es todo lo clara que debería y los solicitantes se muestran confusos sobre las diferencias en las posibilidades que abre la Ley de la Memoria Histórica, para ellos, simplemente, la Ley de Nietos.

A la hora de intentar elaborar un perfil de los beneficiarios de la ley que nos ocupa debemos tomar varias precauciones. Nuestros entrevistados se saben en el punto de mira por su deseo de ser españoles por lo que rehúyen cualquier explicación utilitarista, de este modo es posible que el responsable de la Asociación de Jóvenes Descendientes de Españoles de la República Argentina (AJDERA) acierte al afirmar que "la identidad es un discurso hacia fuera". Tampoco debemos desdeñar la relevancia del sesgo de autoselección, es posible que aquellos que ven en el pasaporte una mera herramienta de movilidad no deseen responder a nuestros entrevistadores. Por lo tanto, el perfil que intentamos desarrollar es una aproximación simplificada de una realidad más compleja.

Entre los nuevos españoles entrevistados podemos distinguir dos perfiles claramente diferenciados. Por una parte, un perfil de gente adulta, entre 50 y más de 60 años, interesados en recuperar su nacionalidad por cuestiones emocionales, de identidad y reconocimiento a sus antepasados. La mayoría tienen hijos, y a la hora de solicitar la nacionalidad española tienen en mente la utilidad que ésta pueda tener como herramienta para ellos en el campo formativo y laboral.

En segundo lugar destaca un perfil de gente joven, entre 20 y 40 años, con una formación elevada, universitaria en su mayor parte, interesados en obtener un pasaporte comunitario que les facilite el acceso a una formación internacional así como a un mercado laboral más atractivo.

Basta señalar que el perfil que imaginamos al abordar esta investigación se ha constatado. Aquellos interesados en recuperar la nacionalidad con fines migratorios son en su mayoría jóvenes, con un nivel educativo alto y profesiones de corte liberal y técnico.

Esto nos lleva a una conclusión habitual sobre los movimientos migratorios, los que se van no son los que más lo necesitan sino los que tienen más recursos (no en el sentido estrictamente económico sino en lo que se refiere a capital humano y social). Los que quieren irse se van a pesar de tener posiciones económicamente desahogadas en sus países de residencia, a sabiendas de lo duro que resultará emprender una vida nueva en otro lugar.

Primeras conclusiones

Desde el punto de vista demográfico la Disposición Adicional Séptima de la Ley de la Memoria Histórica ha permitido recuperar a toda una generación de nuevos españoles por ser descendientes de la emigración económica y el exilio, que supone, a la vez, una suerte de compensación histórica por la población que se tuvo que marchar. Desde una óptica política, esta "generación recuperada", a la par que mantiene la nacionalidad primigenia de los países en que nacieron, recupera la nacionalidad de origen de sus abuelos, la cual, en su versión actualizada, contribuye a la configuación de una ciudadanía europea.

Respecto al volumen de solicitudes, las 524 326 solicitudes de nacionalidad, de mantenerse el ritmo de denegación registrado hasta el momento, darían pie a 505 975 nuevos españoles que van a tener la nacionalidad española de origen, esto es, la que reporta mayores derechos y beneficios. Estas cifras están lejos de las previsiones gubernamentales que hablaban de más de un millón, y hasta millón y medio, de solicitantes.

A pesar del temor manifestado por el gobierno español acerca de una abultada demanda de ayudas económicas para el retorno a España, lo cierto es que en la actual coyuntura de recesión económica no parece que vaya a ser el camino emprendido masivamente por los nietos. Más probable resulta que el motivo de la migración sean las crisis políticas y la inseguridad ciudadana. Y que el destino del desplazamiento no sea necesariamente España, sino otro país de la UE o Estados Unidos. En la hipótesis de clases medias y de empresarios, la educación de los hijos y la seguridad de las propiedades pudiera ser un motivo de expulsión mayor que la atracción que ejercen las oportunidades de medrar en España.

En todo caso la lmh abre nuevas oportunidades de ciudadanía y por lo tanto también de movilidad geográfica internacional que pueden cuestionar las definiciones clásicas del fenómeno migratorio. Ahora o en otro momento.

Bibliografía

Álvarez, A. 2011. "Nacionalidad española de origen para hijos de emigrantes originariamente españoles y para nietos de los exiliados: análisis de la DA 7ª de la ley 52/2007", en A. Izquierdo (ed.), *La migración de la memoria histórica*. Barcelona: Bellaterra. pp. 279-309.

Álvarez Silvar, G. 1997. *La migración de retorno en Galicia (1790-1995)*. Santiago de Compostela: Xunta de Galicia.

Capella, J.R. (ed.). 2003. *Las sombras del sistema constitucional español*. Madrid: Trotta.

Cachón, L. 2009. *La España inmigrante: marco discriminatorio, mercado de trabajo y políticas de integración*. Barcelona: Anthropos.

Cea D'Ancona, M.A, y M.S. Valles Martínez. 2008-2012. *Informe anual sobre la evolución del racismo y la xenofobia en España*. Madrid: Observatorio Español del Racismo y la Xenofobia (Oberaxe), Ministerio de Empleo y Seguridad Social.

Cercas, J. 2009. *Anatomía de un instante*. Barcelona: Mondadori.

Díez Nicolás J., A. Izquierdo y Oberaxe. 1999. *Los españoles y la inmigración*. Colección del Observatorio Permanente de la Inmigración. Madrid: Ministerio de Trabajo y Asuntos Sociales.

Fernández Santiago, M. y T. García Domínguez. 2011. "Características generales de la emigración española: una aproximación a su historia", en A. Izquierdo (ed), *La migración de la memoria histórica*. Barcelona: Bellaterra. pp. 63-86.

Honneth, A. 2010. *Reconocimiento y menosprecio. Sobre la fundamentación normativa de una teoría social*. Madrid: Katz.

Izquierdo Escribano, A., D. López de Lera y R. Martínez Buján, R. 2003. "The Favorites of the Twenty-First Century: Latin American Immigration in Spain", *Study Emigrazione*, núm. 149.

Izquierdo, A. (ed.). 2011. *La migración de la memoria histórica*. Barcelona: Bellaterra.

Laparra, M. y N. Zugasti. En prensa. "La integración social de la población inmigrante: luces y sombras del modelo español", en *La situación social de España: 2015*. Madrid: Centro de Investigaciones Sociológicas.

Méndez, A. 2004. *Los girasoles ciegos*. Madrid: Anagrama.

Ortega, J.A. y J. Silvestre. 2006. "Las consecuencias demográficas", en P. Martín Aceña y E. Martínez Ruiz (eds.), *La economía de la guerra civil*. Madrid: Marcial Pons. pp.53-106.

Pérez, F. y L. Serrano. 2008. "Los inmigrantes en el mercado de trabajo: la experiencia española reciente", *Panorama Social*, núm. 8. pp. 32-35.

V. El pasaporte del abuelo: Orígenes, significado y problemática de la ciudadanía múltiple

David Cook-Martín*

Hace un siglo, la ciudadanía múltiple era tan aberrante que los expertos dedicaban tomos enteros para intentar resolver los efectos perniciosos que se asociaban a esta afiliación plural, y sostenían que "cada persona debería poseer una y sólo una nacionalidad" (League of Nations, 1929; Flournoy, 1926). De no ser así, la doble nacionalidad tendría efectos nefastos: la persona afectada podría perder derechos (como el voto) o podría ser objeto de demandas contradictorias por parte de los Estados en cuestión (v.g. el servicio militar). Peor aún, los ciudadanos de una nación podrían verse discriminados en sus derechos efectivos a través de la aplicación combinada de leyes que confieren la nacionalidad mediante la lógica de la sangre (*ius sanguinis*) o del suelo (*ius soli*). Llama la atención el contraste con la realidad contemporánea. Más de 2 500 millones de personas actualmente viven en países que permiten legalmente la ciudadanía múltiple (legislada explícitamente o tolerada en la práctica), un número cinco veces mayor al de 1960 (Sejersen, 2008). Hoy en día, tener dos pasaportes es común en Europa y cada vez más en América y en Asia. Hasta tal punto se da por sentado que la nacionalidad múltiple es la norma actual, que la revista *The Economist* (2012) se escandalizaba cuando los Países Bajos propusieron limitar esta opción entre sus inmigrantes.

¿A qué se debe esta revolución en materia de ciudadanía? ¿Por qué existe la nacionalidad múltiple y qué significa para la institución de la ciudadanía entendida de manera más amplia? El argumento de este capítulo, desarrollado con mayor amplitud en Cook-Martín (2013), es que la nacionalidad múltiple resulta de la competencia por el mismo grupo de personas entre países en un sistema internacional de Estados soberanos. El

---

* Profesor asociado de Sociología, Grinnell College, Estados Unidos.

mismo intento de cada Estado soberano por mantener o generar vínculos legales y afectivos con un determinado grupo de personas, generalmente emigrantes y sus descendientes, irónicamente crea las condiciones institucionales que a largo plazo facilitan la nacionalidad múltiple. En este capítulo, investigo cómo la competencia entre tres países —Argentina, España e Italia— por un mismo grupo de migrantes ha resultado en políticas que en la ley formal o en la práctica permiten hoy la nacionalidad múltiple. Las leyes y prácticas administrativas que en el pasado tuvieron que confrontar los emigrantes europeos en Latinoamérica dejaron rastros documentales en los archivos oficiales que hoy en día permiten que sus descendientes puedan solicitar una nacionalidad ancestral. Este rastro documental es una conexión concreta entre el presente y el pasado, el aquí y el allá. Como mínimo, los papeles hacen posible la adquisición de una segunda nacionalidad que abre nuevas opciones migratorias, alternativas laborales, ámbitos políticos y nuevas subjetividades.

El significado de estos vínculos legales históricos se ubica en el centro de un debate importante. Mientras estas "conexiones documentales" transgeneracionales facilitan el actual incremento de la nacionalidad múltiple, ¿qué nos dicen sobre la relación entre individuos y Estados en el mundo contemporáneo?, ¿qué significan estas afiliaciones plurales para aquellos que las tienen o las desean? La prevalencia de la nacionalidad múltiple y las perspectivas de aquellos que la desean, desafían los presupuestos de la perspectiva estatista convencional, aquella que mantiene que el vínculo de la nacionalidad es exclusivo y perdurable. Los transnacionalistas sostienen que las "identidades" motivan o resultan de la búsqueda de una segunda nacionalidad, pero rara vez ofrecen el tipo de evidencia empírica aquí presentada. Su postura plantea serias interrogantes sobre la dirección causal de dicha relación: ¿es el sentimiento de identidad el que motiva la búsqueda de una segunda nacionalidad? o ¿la adquisición de ésta termina resultando en una nueva identidad? Desde una perspectiva posnacional, la nacionalidad múltiple no sería muy significativa, ya que la ciudadanía ha sido desvinculada del Estado nacional como referente, y los derechos atañen al individuo, no al ciudadano. Sin embargo, como veremos en breve, los individuos están dispuestos a tomar medidas extraordinarias para conseguir otra nacionalidad, lo cual sugiere que, aun si el significado de la ciudadanía se ha devaluado, sigue siendo importante.

Desde el punto de vista de las personas que tienen o que quieren una segunda nacionalidad, ¿cómo sigue importando la ciudadanía?, ¿cuál es el valor y cuáles los atributos de la ciudadanía? Algunos estudiosos de la ciudadanía argumentan que ésta tiene gran valor y otros que se ha devaluado. Los primeros subrayan que el Estado del que es miembro una persona determina el acceso a la calidad de la educación, mercado laboral y beneficios sociales. El color de un pasaporte afecta el desplazamiento de las personas en busca de mayor seguridad social o de mejores horizontes. También confiere un estatus a quien posee un pasaporte en particular. Básicamente la persona que no está afiliada a un Estado en el sistema internacional contemporáneo se encuentra, como sostuviera Hannah Arendt, más allá de la comunidad humana y completamente expuesta a los vaivenes de la geopolítica. Para Ayelet Shachar (2009) la ciudadanía es un vínculo que se distribuye por medio de una lotería global de la que resultan unos pocos ganadores (los que nacen en el norte político-económico o tienen acceso a una ciudadanía en esa región) y muchos perdedores. Esta estudiosa argumenta que la nacionalidad es un mecanismo de sucesión por el cual se transfiere la propiedad de una generación a otra. Como consecuencia, la nacionalidad tiene un valor creciente en un mundo en el que las desigualdades socioeconómicas y políticas van en aumento. Por el contrario, Peter Spiro (2008) indica que la ciudadanía vale menos cuando el número de personas que tienen acceso a otra nacionalidad aumenta, cuando disminuye la cantidad de recursos materiales o simbólicos a los que garantiza acceso la ciudadanía, cuando la ciudadanía múltiple es un lugar común o cuando un estatus legal permanente garantiza prácticamente los mismos derechos que la ciudadanía.

El sociólogo Christian Joppke (2010) reconcilia estas perspectivas contradictorias diciendo que se fundamentan en puntos de partida distintos y en la manera en que entienden la aplicación de normas inmigratorias. Spiro (2008) toma como punto de partida la perspectiva de los ganadores de la lotería descrita por Shachar (2009), mientras que ésta toma la perspectiva de personas en los países menos pudientes. Para los ganadores, la ciudadanía es más ligera o "light" cuanto mayor es el número de personas que puedan acceder a ella. A la vez, aumenta el valor del estatus de residente permanente que a menudo basta para tener acceso a los recursos más codiciados. Desde el punto de vista de los que "perdieron" en la lotería de la ciudadanía —uno de los pocos estatus heredados que aún se consideran aceptables— una segunda ciudadanía es mejor que la singular, pero un estatus de residente permanente también es muy valioso.

En este capítulo, concuerdo con la posición de Joppke, pero la expando al incorporar las voces de personas que tienen o quieren una segunda nacionalidad y al no limitar el análisis a las políticas formales. Mi argumento se centra en lo que sucede con la ciudadanía legal a nivel práctico o cotidiano o lo que la socióloga Kitty Calavita (2010) llama "la ley de verdad". En este ámbito analítico se intersectan las perspectivas aparentemente contradictorias descritas en los párrafos anteriores. Desde esta óptica cotidiana, es posible que en el recorrido de vida de una sola persona, la ciudadanía tenga primero un gran valor y luego un valor decreciente. El caso de argentinos que tienen o quieren una nacionalidad ancestral es apropiado para este estudio porque revela en una sola trayectoria histórica perspectivas privilegiadas y marginalizadas. Nos permite entender que la paradoja descrita por Joppke resulta de la calidad relacional de la pertenencia política.

La doble nacionalidad y los lazos documentales

En el uso cotidiano, los términos "ciudadanía" y "nacionalidad" son intercambiables. En este capítulo, entendemos nacionalidad como una forma suave o ligera de ciudadanía. La nacionalidad o ciudadanía legal se refiere a la pertenencia a un Estado, definida por leyes y reglas oficiales. La ciudadanía afectiva es el sentido subjetivo de identificación con una comunidad política o nación, aunque no necesariamente con el Estado correspondiente. La ciudadanía legal y la afectiva a menudo van de la mano, pero son fenómenos distintos. Una persona puede, por ejemplo, adoptar una nacionalidad por razones tácticas pero seguir ligada emocionalmente a otro país. Las ciudadanías legal y afectiva pueden converger durante la vida de una persona o llegar como resultado de adquirir una segunda nacionalidad y experimentar un proceso de naturalización. La doble nacionalidad se refiere a un segundo vínculo legal entre una persona y un Estado. Analíticamente, la nacionalidad múltiple no implica *per se* un lazo afectivo entre una persona y otros Estados que no sean el original, sin importar lo que aseveren al respecto los guardianes de "la" nación. La relación entre nacionalidad legal y afectiva en casos en que una persona pertenece formalmente a dos o más Estados debe ser examinada empíricamente y no simplemente suponerse. La efectividad de los análisis que las distintas teorías realizan en torno a la nacionalidad múltiple se ve a menudo limitada por la confusión entre ciudadanía legal y afectiva así como por los presupuestos morales sobre los lazos que unen a una persona y un Estado distinto del de origen.

Donde se encuentran pasado y presente: etnografía de papeles y personas

Este capítulo muestra cómo las políticas y prácticas burocráticas pasadas determinan las opciones de nacionalidad disponibles hoy y cómo los individuos que buscan una nacionalidad más, cierran el déficit en el conocimiento de cómo se aplican las leyes de nacionalidad. El marco legal lo establezco con base en un análisis exhaustivo de normas relativas a la migración y la nacionalidad. El examen del proceso por el que los argentinos buscan acceder a una segunda nacionalidad lo fundamento en un trabajo de campo que tuvo tres elementos principales: seguimiento de más de 60 personas en Argentina y Europa; entrevistas en profundidad sobre el proceso de solicitud realizadas a 25 personas y también a los funcionarios responsables de estos trámites y, finalmente, observaciones en los centros de documentación adonde acuden las personas a buscar apoyo para sus solicitudes. A continuación describo brevemente cómo surgió el marco legal que regula y permite la nacionalidad múltiple, la importancia de los documentos y registros en el establecimiento de la nacionalidad y las diferentes vías que siguen quienes buscan una nacionalidad adicional.

Contexto migratorio, histórico e institucional

Las migraciones masivas de España e Italia a Argentina coincidieron con los procesos de construcción del Estado-nación en cada país. España e Italia debieron reconciliar nociones nacionalistas construidas en torno a la idea de Estados territoriales y poblaciones fijas, con la realidad social de que sus habitantes se iban a otras jurisdicciones nacionales. Argentina contaba con una población minúscula en relación con su territorio y tenía ambiciones de crecimiento social y económico. Cuando llegaron a sus puertos millones de individuos de distintos países y regiones del mundo, se enfrentó al problema de cómo integrarlos a la nación. Los países de origen y los de acogida hicieron de las leyes de nacionalidad y de migración un instrumento con el cual se disputaban la afiliación y la fidelidad de los migrantes y de sus descendientes.

Esta competencia entre países de envío y de acogida tuvo dos resultados clave. Primero, la forma que tomaron las leyes de ciudadanía y de migración se adecuó al objetivo de cada país. Italia y España diseñaron leyes de migración con la finalidad de maximizar el control sobre las idas y venidas de "sus" ciudadanos, y normas de nacionalidad que permitieran a los migrantes mantenerla, recuperarla fácilmente en caso de pérdida, y transmitirla a los descendientes nacidos en el exterior (atribución de la ciudadanía por vía sanguínea o *ius sanguinis*). Argentina forjó leyes de inmigración para atraer a nuevos trabajadores, preferiblemente europeos, y leyes que facilitaban a los inmigrantes la adquisición de la nacionalidad argentina y que también otorgaban la nacionalidad a cualquier persona nacida en su territorio (atribución de la ciudadanía por lugar de nacimiento o *ius soli*). Segundo, la competencia entre estos países resultó en la diferenciación administrativa de las personas migrantes. Determinar quién puede salir o entrar en un territorio nacional, así como quién puede pertenecer al Estado, supone la capacidad de distinguir inequívocamente entre personas. Solo así pueden las burocracias establecer una relación con emigrantes e inmigrantes. Estas prácticas de distinción administrativa dejan restos documentales que se acumulan en registros civiles y en los archivos de las burocracias que controlan estos procesos de migración y ciudadanía. En caso de que la nacionalidad se transmita a través de la descendencia (políticas de nacionalidad que la conceden vía sanguínea o *ius sanguinis*), este depósito de papeles constituye la base para solicitar la nacionalidad vía ancestros.[1]

Una lectura de las normas italianas y españolas de nacionalidad revela lo que parecería ser un procedimiento claro para la transmisión de este lazo. Sin embargo, y especialmente en lo que se refiere a la obtención de la nacionalidad ancestral, hay una brecha notable entre los procedimientos formales que aparecen en códigos, leyes y reglamentos, por un lado, y su implementación administrativa, por otro. Por ejemplo, la página web de la embajada italiana en Buenos Aires decía, al momento de esta investigación, que había dos formas de adquirir la ciudadanía italiana: una, automáticamente por la vía filial y otra, a través de un proceso de solicitud similar al que se sigue para naturalizarse en otros países. La segunda modalidad requiere un periodo de residencia en Italia durante el proceso de solicitud. La página web de la embajada no especifica qué modalidad se aplica a los descendientes de italianos en Argentina. Basándose en el conocimiento de otros casos, muchos solicitantes han supuesto que los argentinos descendientes de italianos deben atenerse a la segunda modalidad. Estos solicitantes han buscado completar el procedimiento recorriendo

---

[1] Los detalles legales aparecen en Cook-Martín, 2013.

archivos administrativos en busca de los papeles necesarios para fundamentar sus reclamos de ciudadanía italiana. En esos archivos han encontrado no sólo documentos sino que han adquirido también conocimientos prácticos de cómo presentar una solicitud.

La organización social de la adquisición de una segunda nacionalidad

Las personas que buscan una segunda nacionalidad deben seguir los procedimientos oficiales si desean tener éxito en este emprendimiento. Las leyes y códigos de nacionalidad definen de manera muy general los criterios de concesión y los procedimientos formales a seguir. Sin embargo, la interacción entre los criterios discrecionales burocráticos y la capacidad de lograr objetivos administrativos complican bastante el proceso de solicitud, y crea espacios para que emerja un saber cotidiano de cómo funciona este proceso y una "industria de papeles" que intenta lubricar la maquinaria que produce el codiciado segundo pasaporte. En este capítulo, "saber cotidiano" se refiere a la producción, acumulación e intercambio de información entre los participantes de este proceso. "Industria de papeles" se refiere a la red de individuos y negocios que se benefician del proceso, bien sea a través de la obtención de documentos necesarios para el trámite de ciudadanía, de la transmisión de información sobre el procedimiento u ofreciendo servicios que faciliten la adquisición de los documentos requeridos.

Si la ley define el universo de argentinos que en teoría pueden solicitar una segunda nacionalidad, la complejidad de los procedimientos burocráticos, su duración y la escasez de recursos oficiales dedicados a procesar solicitudes, conforman el universo real de personas que pueden conseguir otra nacionalidad. Para comenzar y poder completar con éxito el proceso de adquirir una segunda nacionalidad, los solicitantes deben tener capital cultural, social y económico. De hecho, la mayoría de los solicitantes entrevistados son de clase media. Todos los entrevistados en Argentina han cursado por lo menos la preparatoria, tres cuartas partes tienen además algún título terciario o técnico y el resto posee un título universitario.[2]

Los documentos y otra información que respaldan las solicitudes de segunda nacionalidad se encuentran dispersos por muchos lugares: regis-

---

[2] Otros estudios también describen el perfil de los argentinos con opción a una segunda nacionalidad como de clase media (Cacopardo, 1992; Schneider, 2000; Bramuglia y Santillo, 2002; Heguy, 2002; Palomares *et al.*, 2007).

tros municipales en Argentina y Europa, archivos oficiales y semiprivados, y papeles privados de parientes del solicitante. Esta red de puntos donde se guarda la información necesaria constituye un campo que recorren los solicitantes y en el que negocian con personas que ejercen control sobre archivos y que mercantilizan el acceso a la información deseada y al conocimiento de trámites y redes sociales. El camino que los solicitantes siguen entre estos puntos depende de este conocimiento y de intercambios con otros individuos que se encuentra en el transcurso de su búsqueda. Sea cual fuere el significado formal que tenga una segunda nacionalidad, empíricamente está definido por la búsqueda de documentos e información.

Recolección de datos

La recolección de datos disponibles es la primera etapa en la búsqueda de documentos que avalen una solicitud de segunda nacionalidad. Verónica, una joven arquitecta con antepasados españoles e italianos, comienza su búsqueda hablando con otros amigos y familiares que tienen o están considerando presentar una solicitud. Ella también se informa a través de internet, pero decide visitar el consulado italiano en Mendoza, su ciudad natal. Esto sucede en el momento en que la demanda de información acerca de este tema es mayor en el consulado y por lo tanto se pasa buena parte de la noche esperando en fila con su hermana. Aprenden mucho sobre las complejidades del proceso gracias a otras personas que, como ellas, aguardan en la fila: los tipos de documentos requeridos, traducciones y certificaciones, y los costos asociados al proceso. La mayoría de las personas que entrevisté en Buenos Aires afuera de la embajada española, también en la etapa inicial de investigación de datos, sigue una estrategia similar. Todos ellos esperan en la fila durante horas pensando que es allí donde van a obtener la información más fiable, ya sea a través de los funcionarios consulares o de otras personas de la fila con más experiencia. Otras personas que buscan datos similares han regresado de Europa, donde han excedido los límites de sus visas temporales y se dirigen a los consulados españoles o italianos para recabar más información acerca de cómo obtener una nacionalidad ancestral. Los funcionarios consulares los tratan como nuevos solicitantes, pero tienen mucha más información que los que llegan a la fila con consultas generales. También sirven como fuente de información sobre la vida en España e Italia. En intercambios que presencié en las filas del consulado español, los solicitantes de nacionalidad española hablan sobre qué documentos deben ser legalizados por las autoridades argentinas y los mejores lugares para hacerlo. Los "coleros" —personas que, por una cuota, guardan el lugar en la fila del consulado— tienen sus propias opiniones sobre la forma más eficaz de completar las legalizaciones.

Consideración de opciones

Una vez que la solicitante conoce qué documentación es necesaria para apoyar una solicitud de nacionalidad, hace un cálculo de cuál nacionalidad solicitar con base en la percepción de facilidad del proceso y en sus propios planes de migración. Las personas solicitantes que expresan la intención de migrar en el corto plazo prefieren la nacionalidad española, ya que los procedimientos se perciben como más simples y porque de cualquier manera, el proceso requiere la residencia en el país extranjero. España es el destino preferido, independientemente de la nacionalidad buscada, ya que los solicitantes creen que es más fácil comunicarse y porque las equivalencias profesionales y de oficios son más probables que en Italia. Verónica vive en Mendoza, y llevaba más de un año en el proceso de solicitud cuando la entrevisté. Su proceso deliberativo muestra que las decisiones sobre cuál nacionalidad solicitar son a menudo tácticas. Tras haberlo intentado con la ciudadanía italiana y después de la pérdida de su expediente por parte del personal consular, solicita la ciudadanía española a través de los vínculos ancestrales de la familia de su marido. Esta es la ruta más rápida y eficaz para entrar a Europa y para obtener una eventual ciudadanía de la Unión Europea (UE).

Los solicitantes reconsideran constantemente su estrategia tras una primera búsqueda de datos. Al igual que Verónica, deciden limitar el número de visitas a las diversas instancias aprovechando el capital social familiar o la información sobre el procedimiento de solicitud a su disposición gracias a su red de parentesco. En el caso de Verónica, los lazos familiares italianos conducen casi siempre a un callejón sin salida, pero finalmente aprovecha la solicitud de nacionalidad española de su cuñada. Los vínculos familiares le permiten evitar una búsqueda intensiva de documentación dispersa en diferentes lugares.

La mayoría de los solicitantes entrevistados formalmente sobre los procedimientos se beneficiaron de la labor pionera de un integrante de la familia que recabó la documentación necesaria. Una mujer se jactó de que a partir de la solicitud de su madre para obtener la ciudadanía italiana en Tandil, provincia de Buenos Aires, 35 miembros de la familia se habían convertido en ciudadanos italianos. Sin embargo, a menos que fueran menores de edad al momento del trámite, habrían tenido como mínimo que presentar la solicitud final. Otros tuvieron un padre o una madre que inicia y lleva a cabo la mayor parte del trámite, lo cual les ahorra tener que emplear tiempo del trabajo o los estudios para hacer fila y recabar los papeles. Los padres de hijos adultos a veces inician una solicitud que, si tiene éxito, podría mantener abierta la opción de nacionalidad para sus hijos. Rodolfo, funcionario público de alrededor de sesenta años, consultó las listas de pasajeros en el Centro de Estudios Migratorios Latinoamericanos (Cemla) en busca de documentos para reclamar la ciudadanía italiana. Le encantaría visitar la tierra de sus padres en el norte de Italia y ha mantenido correspondencia durante años con la comuna o municipio local, pues le interesa la historia y el paisaje de la región. Su principal motivación, sin embargo, es mantener viva la posibilidad de la nacionalidad italiana para sus hijos, ya que no tiene interés en mudarse a estas alturas de su vida.

El recorrido

Los lugares que frecuentan las personas en busca de documentos para fundamentar una solicitud de ciudadanía constituyen paradas en un peregrinaje común. Las oficinas consulares son una primera estación en este recorrido. Los consulados y embajadas más concurridos se encuentran en la capital federal de Buenos Aires, pero algunos entrevistados han visitado las oficinas en La Plata (provincia de Buenos Aires), Santa Fe, Córdoba y Mendoza, todos antiguos destinos de la migración europea. Mis observaciones se hicieron principalmente en la embajada española en Buenos Aires, ya que al momento del estudio de campo, en 2003, la embajada italiana había cambiado los procedimientos para que la información pudiera obtenerse a través de internet o por teléfono. Los testimonios de las personas que solicitaron la ciudadanía italiana indican que otras personas en las filas de los consulados han sido una fuente importante de información. Las oficinas consulares fueron importantes durante todo el proceso como lugares para validar cada etapa de la solicitud, desde las preguntas iniciales hasta la obtención de los permisos y pasaportes.

Otra parada importante para un solicitante son los archivos gubernamentales y *privados* donde están depositados documentos oficiales del pasado. Los archivos gubernamentales incluyen principalmente la Dirección Nacional de Migraciones (DNM) y los registros civiles municipales tanto en Argentina como en Europa; aunque en algunos casos, el Archivo General de la Nación (AGN) y el pequeño archivo en el Museo del Inmigrante pueden proporcionar información útil para el investigador experimentado.[3] La DNM es el sitio donde la gente consulta las listas de pasajeros de los barcos que llegaron después de 1929 o después del último año digitalizado en la base de datos privada gestionada por el Cemla, que se describe a continuación. Mientras que las consultas en el Cemla se basan en una tarifa nominal y estándar, mi observación de las interacciones entre los funcionarios de la oficina de la DNM en Buenos Aires y los solicitantes sugiere que el dinero puede servir para engrasar los engranajes burocráticos. Yo no tuve acceso a los bastidores administrativos de la DNM, pero algunos informantes me dicen que los viejos registros bajo control de la DNM no están digitalizados y por lo tanto no son accesibles al público. En algunos casos la DNM también pudo haber mantenido un expediente con el fin de controlar a un inmigrante en particular. Todos estos registros requieren la asistencia de un funcionario para su consulta y ofrecen una oportunidad para que los encargados del archivo se beneficien de su control sobre el mismo. Estas listas de pasajeros y estos expedientes son el residuo documental resultante de las leyes de inmigración argentina y de regulaciones y circulares administrativas, y constituyen el vínculo concreto entre los inmigrantes del pasado y los Estados de donde vinieron; irónicamente son también el nuevo vínculo entre los descendientes de aquellos emigrantes y esos Estados.

Los registros civiles municipales en Argentina y Europa contienen documentos que enumeran el lugar y fecha de nacimiento, nacionalidad, y cambios de estado civil o ciudadanía. Federico, un estudiante de ciencias políticas de 20 años de edad, recuerda con algo de humor que su familia estaba molesta con su abuelo español por cerrar sus perspectivas de recuperar la ciudadanía española. El abuelo de Federico perdió la nacionalidad española porque se naturalizó para votar por Juan Perón, de quien fue un ferviente partidario. El proceso de naturalización dejó pruebas documentales en el registro civil argentino, lo que hizo que la familia de Federico no fuera elegible para solicitar la nacionalidad española. Solicitaron la ciuda-

[3] Estos archivos contienen principalmente correspondencia administrativa e informes internos (AGN) o informes reservados que se refieren a individuos específicos y sus casos (Museo del Inmigrante).

155

danía italiana en su lugar. Rodolfo, al igual que varios informantes, relató haber escrito a las comunas (oficinas municipales) italianas con preguntas acerca de sus antepasados y haber recibido copias de los registros semanas después. Estos registros permitieron a Rodolfo reclamar la ciudadanía italiana a pesar de que era un procedimiento complicado por la historia geopolítica de Trieste, su región ancestral.

Los archivos privados incluyen el Cemla y los Centros de Historia Familiar mormones ubicados en todo Buenos Aires.[4] El Cemla, en particular, se ha convertido en una parada importante para las personas que buscan una segunda nacionalidad. La organización fue fundada en 1985 por el sacerdote de la orden de Scalabrini y experto en temas migratorios Luigi Favero y es parte de la Federación Scalabrini de Centros de Estudios sobre Migraciones,[5] junto con su institución más conocida, el Centro de Estudios Migratorios de Nueva York. El Cemla publica *Estudios Migratorios Latinoamericanos,* una de las primeras revistas latinoamericanas sobre migración. Se ha dedicado a la preservación de los registros de migración desde sus inicios, sobre todo para la investigación académica. La demanda pública de estos registros, sin embargo, ha sido también un elemento clave de su historia. La secretaria general del Cemla relata que sus registros se convirtieron en objeto de interés público a principios de 1990, cuando el entonces ministro de Finanzas de Argentina, Domingo Cavallo, decidió pedir un documento nacional de identidad a cualquier persona que recibiera prestación por jubilación. El objetivo era reducir las solicitudes fraudulentas de familiares de beneficiarios ya fallecidos. Sin embargo, esto planteó un serio problema para un gran número de inmigrantes jubilados. Muchos no habían solicitado los documentos nacionales de identidad que requerían acta de nacimiento original con fecha y localidad de nacimiento. Esto hizo que muchos jubilados, incluyendo la abuela de Cavallo, se apresuraran a conseguir una prueba de identidad en los archivos oficiales de inmigración que ya el Cemla había comenzado a preservar.[6] A medida que la crisis económica se agravó a inicios del año

---

[4] Para más información sobre los archivos mormones véase Allocati, 2001. Existen alrededor de 19 Centros de Historia Familiar mormones en la provincia de Buenos Aires, aunque los registros pueden consultarse en internet. Éstos incluyen principalmente censos y registros de bautismo católicos.

[5] Véase: http://www.scalabrini.org/index.php?option=com_content&view=article&id=226 &Itemid=59&lang=en

[6] Comunicación personal con la directora de archivos del Cemla, Alicia Bernasconi, agosto de 2003.

2000, más y más personas buscaron documentos para presentar una solicitud de nacionalidad extranjera. Bramuglia y Santillo (2002) documentan un aumento fenomenal en las consultas genealógicas en el Cemla, de aproximadamente 120 por mes a principios de 2000 a más de 1200 a principios de 2002.

El Cemla ha digitalizado las listas de pasajeros con la información de llegadas transatlánticas para los periodos de 1882-1932, 1938-1945, 1947, 1948, 1949 (parcialmente) y 1950.[7] La base de datos de migración del Cemla incluye información acerca de la llegada a Buenos Aires de pasajeros e inmigrantes, incluyendo el nombre, la nacionalidad, el estado civil, la edad al momento de la llegada, ocupación, religión, puerto de salida, nombre del barco y la fecha de llegada. Los nombres de los miembros de la familia que acompañaban a los inmigrantes aparecen en algunos casos. El lugar de nacimiento aparece en las listas de pasajeros de forma parcial a partir de 1923 y la provincia o municipio de origen no está disponible para las llegadas anteriores a 1922 a excepción de algunos casos en 1910. Algunos libros de listas de pasajeros fueron destruidos antes de que el Cemla comenzara su trabajo de conservación. Los límites de la información en la base de datos del Cemla significa que los posibles solicitantes deben a menudo buscar información en otros lugares, pero no sin antes recibir bastante orientación del personal del Cemla.

¿Qué sucede en este lugar? Al momento de mi trabajo de campo en 2003, el Cemla estaba todavía ocupado respondiendo a las consultas públicas de su base de datos desatadas por la crisis económica de 2001. Un "cliente" típico viene con un cuaderno o carpeta que contiene fragmentos de información sobre sus antepasados inmigrantes. El Cemla cuenta con dos consultoras de bases de datos que se reúnen con los clientes durante el horario de atención al público y hacen búsquedas preestablecidas cuando los clientes no se encuentran ahí. A la llegada, se completa un formulario con una de las consultoras, quienes responden a preguntas más detalladas. Un pasillo lleva a un segundo cuarto donde estas consultoras tienen sus respectivos escritorios y terminales de computadora. Los escritorios están muy cerca y cada uno tiene una silla para que el cliente se siente durante las consultas. La persona de un escritorio puede escuchar la mayoría de lo que

---

[7] Al momento de mi trabajo de campo había información disponible para los periodos 1882-1929. El proyecto del Cemla de digitalizar las listas de pasajeros y registros de inmigración continúa y por lo tanto el periodo documentado cambia constantemente. Para información más actualizada, véase http://www.cemla.com/busqueda.html

otra persona dice en el otro escritorio. De hecho, las conversaciones entre las consultoras y sus clientes se escuchan fácilmente en la sala de espera.

Los clientes en la sala de espera regularmente comparten información mientras llenan los formularios o esperan su turno. Hablan sobre la información que tienen e intentan averiguar si será útil una consulta de la base de datos. Los recién llegados preguntan sobre el costo de las consultas e intercambian datos sobre los diferentes lugares donde se puede encontrar información en función de la fecha de entrada del antepasado en cuestión. Al enterarse de que el Cemla sólo cubre ciertos periodos en los registros disponibles, la gente pregunta a otros en la sala dónde pueden encontrar información sobre las llegadas después de esa fecha. A veces se van a la DNM o a algún otro lugar, incluso antes de que llegue su turno, con base en la información que reciben de otras personas en la sala. Las consultoras reciben clientes por turnos y conforme completan los formularios de información. Una vez que los formularios se completan, ellas revisan rápidamente los datos y realizan una serie de preguntas para ayudar con la búsqueda en la base de datos. Si el cliente no tiene ningún tipo de documento oficial —que a menudo es el caso— se les preguntará acerca de la fiabilidad de los nombres y las fechas. Con frecuencia, la fuente de información es un miembro de la familia de edad avanzada y la comunicación pudo haber sido difícil. Las consultoras prueban distintas formas de escribir un apellido con el conocimiento que han acumulado sobre cómo los apellidos eran "españolizados" por funcionarios de inmigración en el puerto de entrada. Si el apellido es muy común tratan de reducir la cantidad de información que arroja la búsqueda usando la fecha y lugar de nacimiento, o la edad aproximada. Los clientes a veces se angustian porque no disponen de información suficiente o precisa, pero las consultoras explican con calma que la búsqueda de un nombre en las listas de pasajeros no es una ciencia exacta, sino un arte que ellas han perfeccionado. En su rol de historiadoras orgánicas ilustran a los clientes sobre las prácticas y costumbres de funcionarios y de inmigrantes, y cómo estas prácticas complican las búsquedas actualmente.

Los clientes se emocionan cuando una búsqueda arroja resultados "exitosos". Les entusiasma recibir un certificado con la información validada por el Cemla, que es aceptado por los consulados en lugar de otro documento o como prueba de un vínculo con el país ancestral. En una base de datos satélite alojada en el Museo del Inmigrante, otro consultor me dijo que estos certificados deben ser legalizados ante las autoridades argentinas, otra parada en la búsqueda del solicitante.[8] Un cliente puede venir con la idea predeterminada de encontrar la llegada de un antepasado, pero puede alterar su estrategia de búsqueda cuando encuentra nueva información en la base de datos. Por ejemplo, la gente descubre que sus antepasados vinieron con otros familiares cercanos de los cuales no estaban al tanto, que los nombres de sus antepasados cambiaron significativamente al momento de su ingreso, que familiares de edad avanzada en realidad nacieron en el extranjero y no en Argentina, o que sus antepasados viajaban a su país de origen con más frecuencia de lo que creían. Aunque en algunos casos el conocimiento adicional podría contribuir a la solicitud de una segunda nacionalidad, la gente a menudo busca información sin ningún beneficio aparente más allá que el de conocer mejor su historia familiar. Un sentimiento comúnmente expresado es lamentarse por no saber o no preguntar más sobre la historia de algún familiar. Se llevarán la información obtenida de la base de datos y la cotejarán con información en casa, para volver con nuevas preguntas. Esta nueva información puede ayudar también a estimular la memoria de sus familiares mayores, quienes pueden ampliar el contexto para continuar con las búsquedas.

Cuando la consulta en la base de datos no arroja ningún nombre, tal vez se tenga que hacer una investigación adicional con miembros de la familia antes de una segunda visita o se acudirá a algún otro sitio. Las consultoras del Cemla encaminan a los solicitantes hacia otros archivos que pudieran contener información, indicándoles por qué la información puede no estar disponible. Algunas personas se desaniman al conseguir citas en los consulados italianos o españoles, pero sin la documentación de apoyo para llevar con ellos.

Además de ayudar a quienes buscan documentos de apoyo para la solicitud de nacionalidad y a aquellos interesados en su árbol genealógico, el Cemla también sirve a los gestores (personas que ofrecen servicios pagados de búsqueda de documentos). Buenos Aires está llena de coloridos anuncios y volantes donde se ofrecen los servicios de empresas que pueden agilizar los trámites burocráticos, envían asistentes administrativos a buscar en las base de datos en el lugar de los clientes e incluso organizan las mudanzas para los descendientes de españoles, italianos u otros inmigrantes europeos.

---

[8] El Museo del Inmigrante es una institución ubicada en el predio del antiguo hotel de los inmigrantes y semejante al museo de Ellis Island en Nueva York (véase Cook-Martín, 2008).

La espera

Después de completar las solicitudes para obtener la nacionalidad ancestral, la gente entra en un periodo de espera que puede durar meses o años. El tiempo que toma procesar las solicitudes se ve reflejado por ejemplo en el fuerte aumento del número de italianos registrados en el extranjero entre 2005 y 2009 (véase el cuadro V.1.). Durante esta espera, muchos de mis informantes concluyen que una segunda nacionalidad no es una solución rápida a sus problemas económicos aunque pudiera ofrecerles alguna protección contra la inestabilidad financiera en el mediano y largo plazos.

Muchos piensan así respecto a una segunda nacionalidad y encuentran la manera de permanecer en Argentina a pesar de tener opciones para emigrar. Otros carecen del capital económico y social para esperar a que pase la crisis financiera en Argentina o simplemente se impacientan y deciden probar suerte en Europa. Esto implica exceder el tiempo concedido en una visa temporal y estar listo para volver al momento de recibir el aviso de cita en el consulado. Los informantes entrevistados en Europa y en Buenos Aires que deciden probar suerte experimentan situaciones de vulnerabilidad similares a las de otros migrantes no autorizados, pero no están dispuestos en el mismo grado a aguantar penurias en España aunque las cosas no estén tan bien en Argentina.

Quienes decidieron probar suerte en Europa con frecuencia vuelven con escepticismo sobre sus posibilidades ahí y se dan cuenta de la importancia de una segunda nacionalidad. El desencanto de los argentinos que se trasladaron a Europa sin la autorización legal se refleja en el número de regresos registrados en el lapso de cinco años después del colapso financiero que llevó a muchos a partir. En resumen, la gama de reacciones a la espera da cuenta de distintas evaluaciones de posibles riesgos y ganancias asociados con cada estrategia (v.g. la de emigrar sin la autorización del país receptor).

La decisión: ¿quedarse o partir?

Los solicitantes aprobados tienen dos grandes líneas de acción que se les ofrecen dependiendo de la nacionalidad en cuestión. Los candidatos seleccionados para la ciudadanía italiana podrán mantener su ciudadanía o pasaporte en reserva hasta el momento en que sea de utilidad. Como la

CUADRO V.I. Número de italianos inscritos en el exterior por año en países con las colectividades italianas más grandes

País	2000	2001	2002	2003	2004	2005	2006	2007	2008	2009	Porcentaje cambio 2005-2009
Alemania	698 799	720 482	718 563	716 215	708 019	594 073	626 078	638 314	648 453	652 127	10
Argentina	601 658	611 707	587 434	610 794	618 443	460 668	534 670	592 065	614 848	704 515	53
Suiza	525 383	534 108	521 146	514 468	520 550	500 636	511 190	520 122	533 821	543 102	8
Francia	379 749	381 001	361 988	358 030	358 603	331 340	324 713	334 180	343 197	345 598	4
Brasil	300 413	301 401	284 136	285 725	292 519	294 363	259 174	274 766	297 137	315 751	7
Bélgica	281 027	285 460	282 568	282 825	281 674	216 008	234 445	243 280	251 466	263 012	22
EUA	213 634	215 481	191 773	188 328	188 996	177 890	187 875	191 804	199 284	205 866	16
España	36 898	43 327	48 118	53 697	61 683	61 171	76 200	89 148	104 637	113 010	85
Italianos en el exterior	3 990 295	4 080 264	3 964 586	3 985 040	4 026 425	3 508 330	3 702 997	3 876 967	4 073 910	4 249 716	20

Fuente: Repubblica d'Italia. Il Ministero degli Affari Esteri in Cifre, 2001-2009.

legislación italiana señala, esto podría continuar indefinidamente dependiendo de si la ciudadanía es readquirida o por filiación. Algunos solicitantes de mayor edad han optado por emigrar y establecer su ciudadanía en Italia con el fin de obtener los beneficios del bienestar social. En Buenos Aires, el taxista que me llevó a la estación de tren acababa de llegar un día antes de Italia, donde aparece en listas viviendo con su hermana cerca de Milán. Esto le permite recibir una pequeña pensión por la cual se supone debe residir tiempo completo en Italia, pero en realidad pasa la mayor parte de su tiempo en Buenos Aires. En el caso de los jóvenes profesionales, éstos utilizan su nacionalidad para asistir a cursos de formación o visitar países que de otra manera no les permitirían la entrada. En contraste, quienes optan por la nacionalidad española tienen que viajar a España y residir ahí durante un periodo de seis meses para completar el proceso de solicitud. La emisión del visado español es un paso en el proceso de adquisición de ciudadanía que no se completa hasta trece meses después de recibir el permiso inicial de residencia. Durante el tiempo que toma este proceso, el solicitante debe vivir en España. Estas dos rutas de acceso a la ciudadanía implican entonces cálculos muy diferentes de los posibles candidatos. Como ya he mencionado, los nietos de emigrantes españoles son más propensos a emigrar una vez que reciben permiso que aquellos solicitantes de la ciudadanía italiana que no tiene ningún requisito de residencia inmediata. Los solicitantes con posibilidades de acceder a ambas ciudadanías llegarán a una determinación según lo que más les convenga.

La industria de los papeles: el cierre de la brecha formal

La brecha entre la ley y las instrucciones administrativas ofrece una oportunidad empresarial para quienes controlan los archivos deseados por individuos en busca de documentación de apoyo. Como se señaló antes, estos archivos son la evidencia de un vínculo entre el solicitante de una nacionalidad europea y sus antepasados, la conexión con un Estado de origen en particular; por lo tanto, los documentos de estos archivos son de gran valor para los solicitantes. Empresarios privados y públicos están conscientes de este valor y han sacado provecho del acceso privilegiado que tienen a estos documentos. Esta red de personas que se benefician de la obtención de los documentos requeridos por los procedimientos oficiales, que dice a la gente cómo obtenerlos y acelera la búsqueda de la documentación de apoyo es lo que llamo la industria de los papeles.[9] Esta industria puede impulsar la demanda de una segunda nacionalidad reclutando potenciales solicitantes incluso con fundamentos débiles o falsos. El tráfico de papeles es una expresión concreta del rastro documental que une pasado y presente.

El número de volantes que recibo durante mis visitas a los consulados y a los archivos da indicios de la red empresarial que se ha desarrollado en torno al negocio de conseguir los papeles para apoyar las solicitudes de nacionalidad. Los gestores son empresarios omnipresentes que ofrecen servicios que van desde la localización de documentos en Argentina o en el extranjero hasta servicios de información sobre traslados y mudanzas a Europa una vez que se han obtenido los documentos de nacionalidad. Los servicios de "nacionalidades europeas" también traducen documentos y los hacen certificar como es requerido por las autoridades italianas y españolas. Facilitan el acceso a las oficinas del gobierno argentino que legalizan o certifican los documentos a través de algún acuerdo con un policía o burócrata de rango medio. Por ejemplo, observo en la oficina de la DNM una serie de personas de clase media y alta que se saltan la fila principal y tocan la puerta con el letrero "no hay servicio al público". Un funcionario sale, les entrega un sobre grande y recibe a cambio un sobre tamaño carta.

Los gestores contratan personas para distribuir volantes con publicidad sobre sus servicios, donde dicen conocer la última ley de inmigración en países como España y ofrecen alternativas a las personas que no tienen opciones para acceder a la ciudadanía europea o que se han impacientado con el proceso de solicitud. Los coleros apartan un espacio en las largas filas consulares y mantienen contacto vía teléfono celular con los clientes para quienes están guardando un lugar. Con base en experiencias previas son capaces de estimar con bastante exactitud la hora en la que su cliente debe llegar. Esto permite a los solicitantes llevar a sus hijos al colegio o trabajar antes de una cita consular. En general, los coleros están bien informados, ya que frecuentan los mismos cafés que el personal consular y saben mucho acerca de los procedimientos y chismes entre burócratas. En el momento de mi investigación, ofrecían todos estos servicios por el módico precio de alrededor de cuatro dólares por turno.

Otros participantes en la emergente industria de los papeles son los autores de guías de búsquedas genealógicas. Allocati (2001) ha elaborado una

---

[9] Mi definición de la "industria de los papeles" se inspira en la concepción más amplia de una "industria migratoria" tal como la define Hernández León (2008), que a su vez se inspira en Harney (1977).

guía muy detallada sobre la búsqueda de información sobre los antepasados, independientemente del origen transatlántico y tiene un capítulo dedicado a "la segunda nacionalidad". Zamboni (2002), profesor universitario e ingeniero industrial, ha escrito una guía dirigida a la búsqueda de documentación italiana y utiliza a su propia familia como ejemplo. Este librito incluso contiene un diagrama del proceso de búsqueda. Las guías Allocati y Zamboni se han vendido mucho entre los solicitantes y de hecho el Cemla las recomienda. En una entrevista personal, Zamboni señala que las ventas y el interés en su libro superaron todas sus expectativas. El Cemla es también parte de la industria de los papeles en un sentido más amplio, por su participación en una red con capacidad para controlar la información sobre las llegadas de los inmigrantes en el pasado. El trabajo del personal del Cemla, su labor educativa, sus recomendaciones y la información que transmite es fundamental para la industria de los papeles, incluso si la propia organización no se beneficia de ésta y sólo cobra una tarifa nominal que apenas cubre los costos de la construcción y funcionamiento de la base de datos.

El significado de los "papeles", la nacionalidad múltiple y sus implicaciones para el futuro de la ciudadanía

El significado de una segunda nacionalidad y la motivación para solicitarla están íntimamente ligados en la mente de los solicitantes. La crisis económica puede llevar a que una persona solicite otra nacionalidad y también puede enmarcar lo que ésta significa. La búsqueda de una segunda nacionalidad puede ser sobre todo una decisión táctica, lo cual no implica que no pueda desarrollarse una dimensión afectiva con este proceso. La exploración de estos motivos y significados puede dar una nueva perspectiva sobre el valor que se atribuye a la nacionalidad por nacimiento y adquirida, y cómo puede significar todo y nada a la vez. Esta perspectiva, además, ofrece un vistazo de la calidad cambiante de la nacionalidad en el mundo contemporáneo.

Las personas entrevistadas expresaron una gama de significados atribuidos a una segunda nacionalidad, desde lo práctico y táctico a lo afectivo y simbólico. El pasaporte, la expresión común de una segunda nacionalidad, puede significar facilidades en cuestiones triviales como entrar a la fila de la Unión Europea al pasar por la aduana o cuestiones de mayor relevancia como el acceso al mercado laboral de la UE y el avance profesional a través de congresos en Europa. Para otros es una herramienta o arma para escapar de la injusticia, la inseguridad cotidiana o las consecuencias de una crisis económica. En el polo afectivo de la gama mencionada, algunos entrevistados dicen que una segunda nacionalidad es un medio para conocer y establecer vínculos con la madre patria.

Más allá de las motivaciones individuales, una afirmación muy común es que la ciudadanía española o italiana es "simplemente un papel" que no implica lazos afectivos o una identidad en particular. Federico, estudiante de ciencias políticas de 18 años, comenta: "no me importa mucho el papel [de la nacionalidad] en sí; por lo menos para mí, no me importa el papel a nivel sentimental. Claro que hay un vínculo con Italia… y con España también, no sólo por mi familia sino por muchas razones culturales de nuestra sociedad [argentina]". De forma similar, Juan Manuel, un maestro de 35 años, dice que una segunda nacionalidad "no significa nada… porque yo nunca fui a ese lugar… Así que por el momento no significa nada".

A pesar de la insistencia en que una segunda nacionalidad no significa nada, hemos visto que los solicitantes hacen tremendos esfuerzos para conseguirla, invirtiendo tiempo en la búsqueda de datos para avalar una solicitud y dinero en la industria de los papeles. ¿En qué sentido, entonces, carece de importancia una segunda nacionalidad? Federico añade que: "desde una perspectiva utilitaria, es importante tenerla para viajar a Europa… Abre [puertas], hace posible trabajar en el exterior, una beca…", mientras que Juan Manuel aclara que "si uno se tiene que ir por alguna razón, tiene la ventaja que otros no tienen, nada más, tranquilidad en caso de tener que irse, nada más".

Resulta que visto desde la perspectiva de la persona que aspira a obtenerla, una segunda nacionalidad significa bastante: paso libre de fronteras, acceso a trabajos y beneficios sociales, pero pocas obligaciones, y en especial, ninguna expectativa de tener que cortar lazos afectivos con Argentina o de tener que probar fidelidad a un nuevo Estado. Una periodista entrevistada capta el sentir de muchos solicitantes cuando reflexiona que aunque sigue siendo "la misma", la ciudadanía [italiana] le permite sortear vallas burocráticas, viajar y estudiar. Incluso las personas que atribuyen un significado emotivo a la ciudadanía ancestral, no consideran que una segunda nacionalidad afecte su identidad argentina. En resumen, al tener en cuenta las dimensiones estratégicas y afectivas de la nacionalidad argentina y europea, así como los marcos de referencia de los solicitantes, queda claro cómo una segunda nacionalidad puede significar mucho y a la vez muy poco.

El futuro de la ciudadanía múltiple

Los resultados de esta etnografía de papeles y personas sugieren algunos indicios para la consideración de la ciudadanía múltiple en perspectiva comparativa e histórica. El proyecto más amplio del que forma parte este trabajo argumenta que la nacionalidad múltiple resulta de la competencia histórica entre países por el mismo grupo de personas, en un sistema internacional de Estados soberanos. Los medios legales e institucionales que usaron los países de origen y de destino en el pasado para forjar o mantener vínculos con una población móvil, hoy constituyen medios que facilitan la doble nacionalidad. Desde el punto de vista étnico, las familias cuyos miembros hoy gozan de la opción de tener una segunda nacionalidad han sido doblemente favorecidas, como nos recuerda Harpaz en el epílogo. Se beneficiaron en primera instancia de la preferencia por europeos plasmada en la Constitución Argentina de 1853, ya que Argentina fue uno de los muchos países que seleccionaron a sus potenciales inmigrantes con criterios de etnicidad. En un estudio de 22 países americanos, encontramos que a excepción de Uruguay, todos tenían normas legales que favorecían a por lo menos un grupo étnico; en 2010, 16 países latinoamericanos favorecen la naturalización de españoles (FitzGerald y Cook-Martín, 2014: 39). Es decir, los inmigrantes europeos se vieron favorecidos en las leyes de inmigración y de nacionalidad del pasado y, en segunda instancia, los descendientes de esos migrantes nuevamente gozan de una preferencia étnica legal.

Estos dos momentos de favoritismo operan a través de mecanismos distintos, aunque vinculados institucionalmente. Históricamente, el mecanismo de selección fue el reclutamiento enfocado en Europa, que a su vez reflejaba una preferencia legal. Los mismos factores que sostuvieron a otras migraciones —los efectos acumulativos de factores que impulsan y atraen flujos migratorios, diversificación de riesgo familiar, redes sociales— fomentaron los flujos de Europa a Argentina, pero el marco constitucional, legal y burocrático alimentó y acentuó las preferencias en la selección de trabajadores. En el contexto actual, la nacionalidad múltiple es posible debido al marco institucional histórico de la nacionalidad *ius sanguinis* en los países de envío combinado con una mayor tolerancia por parte de más Estados que reconocen la creciente integración global y los posibles beneficios de la pertenencia múltiple.

En general, este y otros estudios demuestran que la ciudadanía se ha tornado más flexible y expansiva (Ong, 1999). La ciudadanía es más expansiva porque ofrece mayores opciones de identificación y participación política en países que reconocen vínculos legales múltiples. Estos vínculos no son exclusivos desde el punto de vista legal o afectivo, contra lo que pudieran suponer una perspectiva estatista o nacionalista. Los argentinos pueden optar simultáneamente por una segunda nacionalidad para tener acceso a un nuevo mercado laboral, afirmar el derecho a trabajar en los mismos puestos que sus nuevos connacionales, mantener su argentinidad y votar en las elecciones de su nuevo Estado. La ciudadanía es más flexible porque permite responder a las cambiantes circunstancias políticas y económicas con mayor elasticidad y estrategia que en el pasado. Antes la nacionalidad múltiple era vista con desaprobación, el ejercicio de derechos y obligaciones inherentes a la ciudadanía estaba territorialmente circunscrito. En el contexto contemporáneo, la ciudadanía múltiple permite reaccionar ante las fluctuaciones políticas y económicas y a sus consecuencias laborales y de bienestar social; mientras que a los Estados les permite atraer o "recuperar" a personas con capital social y cultural valioso. Al completar esta investigación en 2007, la crisis económica en Argentina y en otros países latinoamericanos incrementó el uso de la nacionalidad ancestral europea para emigrar a España e Italia. En el contexto de la crisis europea que comenzó en 2008, los latinoamericanos pueden explorar opciones en sus países de origen, gracias a la ciudadanía múltiple.[10] En definitiva, la manera en que los individuos manejan el riesgo económico y político sugiere que ha surgido una "ciudadanía esquiva": una que permite evadir el control del Estado y diversificar la cartera de opciones de pertenencia.

La otra cara del fenómeno de la ciudadanía esquiva, pero flexible, tiene dos aspectos importantes. Primero, afecta la ciudadanía de los que tienen una sola nacionalidad en países con un creciente número de ciudadanos múltiples. El acuerdo mutuo implícito en la ciudadanía es que todo miembro de la nación es igual al otro frente a la ley y al Estado. Esta ficción esconde las tremendas desigualdades entre personas que se consideran ciudadanas de un mismo país. La introducción de un factor que distingue a un ciudadano de otro en cuanto a sus filiaciones estatales representa una novedad y atenta contra el proyecto asimilador histórico de muchos países.

---

[10] Aunque el número de expatriados españoles durante la crisis es tema de debate, no es una cifra desdeñable según el Instituto Nacional de Estadística (39 690 en el primer trimestre de 2013). Muchos de ellos tienen una segunda nacionalidad o por lo menos estatus preferencial para inmigrar a países latinoamericanos. La cobertura de este fenómeno puede verse en las páginas de *El País* (http://elpais.com/especiales/2013/expatriados-por-la-crisis/).

En lugares como Argentina, donde un creciente número de personas de clase media y profesional tiene una segunda nacionalidad, esta diferencia resulta en un proceso de desasimilación interna que reconfigura lo que la ciudadanía significa para sus artífices nacionalistas. Si ellos concebían la ciudadanía como una combinación fija e inmutable de estatus e identidad, la introducción de una segunda nacionalidad que distingue a algunos argentinos de otros demuestra lo cambiante de esta institución social.

El otro aspecto de la ciudadanía esquiva es lo que representa para aquellos que quisieran emigrar a países que conceden una segunda nacionalidad. La concesión de una nacionalidad que se fundamenta en preferencias étnicas legales implica una exclusión de hecho para aquellos que quisieran entrar a uno de los países en cuestión pero no tienen acceso a un vínculo ancestral. Por ejemplo, marroquíes y norafricanos que hubieran querido entrar a España durante el periodo de este estudio. En la medida en que la ciudadanía múltiple se base en una preferencia étnica o de clase, representa una exclusión implícita y por eso políticamente aceptable (porque no se basa en una exclusión explícita inaceptable para la comunidad internacional), pero también está ligada empíricamente al surgimiento de estatus inmigratorios "flexibles" y contingentes que permiten a los Estados y empleadores contar con mano de obra dócil y explotable. Uno de los mayores retos para los estudiosos de la ciudadanía múltiple consiste en analizar el surgimiento, significado y consecuencias de los estatus e identidades plurales, sin olvidar a las personas que ocupan las categorías implícitas o de base no preferidas por los Estados otorgantes.

Bibliografía

Allocati, B.O. 2001. *Guía para búsquedas genealógicas. Sus antepasados paso a paso.* Buenos Aires: Editorial 3+1.

Bramuglia, G. y M. Santillo. 2002. "Un ritorno rinviato: Discendenti di italiani in Argentina cercano la via el ritorno in Europa (Un retorno postergado: Los descendientes en Argentina buscan el camino de regreso a Europa)". *Altreitalie*, 24, pp. 34-55.

Cacopardo, M.C. 1992. "La emigración potencial de jóvenes italoargentinos". *Estudios Migratorios Latinoamericanos*, 22, pp. 453-495.

Calavita, K. 2010. *Invitation to Law and Society: An Introduction to the Study of Real Law.* Chicago: University of Chicago Press.

Cook-Martín, D. 2008. "Rules, Red Tape, and Paperwork: The Archeology of State Control over Migrants, 1850-1930". *Journal of Historical Sociology*, 21, pp. 82-119.

_____. 2013. *The Scramble for Citizens: Dual Nationality and State Competition for Immigrants*. Stanford: Stanford University Press.

FitzGerald, D. y D. Cook-Martín. 2014. *Culling the Masses: The Democratic Origins of Racist Immigration Policy in the Americas*. Boston: Harvard University Press.

Flournoy, R.W. 1926. "Suggestions Concerning an International Code on The Law of Nationality". *Yale Law Journal*, 35, pp. 939-955.

Harney, R.F. 1977. "The Commerce of Migration". *Canadian Ethnic Studies/Etudes Ethniques du Canada*, 9, pp. 42-53.

Heguy, S. 2003. "Uno de cada tres gallegos quiere volver a España". *Clarín*, agoto 9. Buenos Aires: Argentina.

Hernández-León, R. 2008. *Metropolitan Migrants: The Migration of Urban Mexicans to the United States*. Berkeley: University of California Press.

Joppke, C. 2010. "The Inevitable Lightening of Citizenship". *European Journal of Sociology*, 51, pp. 9-32.

League of Nations Committee of Experts for the Progressive Codification of International Law. 1929. "The Law of Nationality". *American Journal of International Law*, 23, pp. 1-129.

Ong, A. 1999. *Flexible Citizenship: The Cultural Logics of Transnationality*. Durham: Duke University Press.

Palomares, M. *et al.* 2007. "Sur-Norte: Estudios sobre la emigración reciente de argentinos". En S. Novick (ed.). *Estudios sobre la emigración reciente de argentinos*. Buenos Aires: Universidad de Buenos Aires, Facultad de Ciencias Sociales, Instituto de Investigaciones Gino Germani.

Schneider, A. 2000. *Futures Lost: Nostalgia and Identity among Italian Immigrants in Argentina*. Berna: Peter Lang.

Shachar, A. 2009. *The Birthright Lottery: Citizenship and Global Inequality*. Cambridge: Harvard University Press.

Sejersen, T.B. 2008. "'I Vow to Thee My Countries'. The Expansion of Dual Citizenship in the 21st Century". *International Migration Review*, 42, pp. 523-549.

Spiro, P.J. 2008. *Beyond Citizenship: American Identity After Globalization*. Oxford: Oxford University Press.

The Economist. 2012. enero 7. "Dutchmen grounded".

Zamboni, F. 2002. *Buscando nuestras raíces italianas. Guía para la búsqueda de documentación italiana*. Buenos Aires: Quimey.

TERCERA PARTE

La ciudadanía múltiple en América Latina y Estados Unidos

VI. Derechos extraterritoriales y doble ciudadanía en América Latina*

Cristina Escobar**

Introducción

La participación política a través de las fronteras y la doble nacionalidad, ambas expresiones de la transformación del Estado en esta nueva era de globalización y creciente migración internacional, se han convertido en fenómenos comunes en todo el mundo. En Estados Unidos, un importante punto de destino de la migración latinoamericana, un creciente número de inmigrantes latinoamericanos se están convirtiendo en ciudadanos con doble nacionalidad, gracias a las leyes de sus países de origen que les permiten conservar su nacionalidad de origen al naturalizarse en el país de destino. Al mismo tiempo que estos inmigrantes se integran al sistema político de Estados Unidos (EUA), se han convertido también en miembros activos de la comunidad política de sus países de origen, como resultado de la ampliación de los derechos políticos de los emigrantes que han promovido estos países.

Estados Unidos ha mantenido una política "tolerante" *de facto* (Aleinikoff y Klusmeyer, 2001) hacia la doble ciudadanía que, en consecuencia, ha trasladado la decisión sobre este estatus a los países de origen. Por lo tanto, los países de América Latina han sido los que han dictado los cambios constitucionales y legislativos que han permitido a sus expatriados obtener la doble ciudadanía.

La doble nacionalidad y el voto extraterritorial se han puesto a discusión de forma simultánea durante las mismas coyunturas políticas en muchos países de América Latina, tal fue el caso en la década de 1990. Es indispen-

* Esta es una versión traducida y actualizada de un artículo publicado originalmente en 2007 en *Latin American Research Review*, 42 (3), pp. 43-75.
** Profesora asistente visitante, Temple University, Philadelphia, Estado Unidos.

sable, sin embargo, diferenciar doble ciudadanía de voto extraterritorial con el fin de entender mejor el origen y las consecuencias de cada uno.

El primer objetivo de este trabajo es mostrar que en el contexto de la migración América Latina-Estados Unidos, la doble nacionalidad ha sido el resultado de la integración de los inmigrantes latinoamericanos como ciudadanos en el país receptor. Por el contrario, la extensión de los derechos políticos a estos migrantes por parte de los países (provincias o localidades) de origen ha sido el resultado de su inclusión en la comunidad política de sus lugares de origen.

Dado que la intersección de comunidades políticas que se produce como resultado de la doble nacionalidad es un fenómeno relativamente nuevo, todavía no sabemos mucho acerca de sus dinámicas y consecuencias. Sin embargo, mediante la exploración de las variaciones, de las diferentes vías por las cuales los países de América Latina han permitido la doble nacionalidad y ampliado derechos políticos a los nacionales en el extranjero, podemos aprender algo sobre el papel potencial de estos migrantes en la dinámica política de los países emisores y receptores.

El segundo objetivo de este trabajo es analizar las diferencias en cuanto al tiempo, secuencia y forma por las cuales los principales países emisores de América Latina han aceptado la doble nacionalidad y extendido derechos políticos a sus emigrantes. Estas variaciones, sostengo, son producto en primer lugar del momento en el cual ocurre la migración, de la dimensión de la migración y de las características socioeconómicas de los emigrantes de cada país. En segundo lugar, las variaciones son producto de los sistemas políticos y electorales de los países y de la relación histórica entre el Estado y los ciudadanos. Analizaré la promulgación de leyes de retención de la nacionalidad y la extensión de los derechos políticos a los nacionales en el exterior tomando en cuenta los tres actores políticos transnacionales definidos por Itzigsohn (2003: 281) —el Estado, los partidos políticos y la comunidad migrante— y su interacción tanto en el país de origen como en el país de residencia.

Centro mi análisis en la migración latinoamericana a Estados Unidos por dos motivos; primero, porque a pesar de que Estados Unidos no es el único destino, este país atrae a la mayoría de los migrantes latinoamericanos y segundo, porque sus políticas migratorias han tenido una influencia significativa en las políticas de los países emisores de América Latina y en particular en lo que tiene que ver con la doble nacionalidad. Examinaré a detalle los casos de Colombia, República Dominicana y México, países de origen de algunas de las mayores comunidades de inmigrantes a Estados Unidos, que han adoptado políticas de doble nacionalidad y voto extraterritorial (directo o postal). Presentaré también algunos casos de contraste como los de Argentina y Chile, países que difieren en cuanto a patrones de migración, leyes de doble ciudadanía y extensión de derechos políticos.

En las siguientes páginas presentaré primero una discusión teórica sobre nacionalidad, ciudadanía y migración. Después de una breve introducción a la historia de la migración latinoamericana, me detendré en las leyes de retención de la nacionalidad y compararé las dos principales vías de acceso a la doble nacionalidad que han seguido los países latinoamericanos. A continuación hablaré sobre la ola de democratización que facilitó la extensión de los derechos políticos a los emigrantes y me centraré en las diferentes vías de acceso a los derechos políticos extraterritoriales que se pueden detectar en América Latina.

Migración y derechos ciudadanos

El aumento de la migración internacional está transformando la relación entre el Estado y sus ciudadanos. La relación moderna Estado-ciudadanía se desarrolló bajo el supuesto de confluencia entre Estado, territorio y población. No obstante, la migración está obligando a una redefinición del Estado y de la ciudadanía, tanto en los aspectos normativos como sustantivos. La dimensión normativa de la ciudadanía se refiere a la adscripción formal de las personas a un Estado y su territorio y se conoce en el derecho internacional como nacionalidad. La dimensión sustantiva de la ciudadanía se refiere a los derechos y obligaciones que vinculan a los ciudadanos con el Estado (Bauböck, 2006: 17). En discusiones sobre doble nacionalidad algunos autores utilizan los términos nacionalidad y ciudadanía alternativamente en tanto se refieren al aspecto normativo de la ciudadanía (v.g. Martin y Hailbronner, 2003). Es importante, sin embargo, tener presente la distinción, ya que varios países en América Latina separan una condición de la otra y algunos otorgan, por ejemplo, doble nacionalidad a sus expatriados nacionalizados en otro país pero limitándoles al mismo tiempo sus derechos ciudadanos (v.g. Panamá).

Desde la perspectiva de la ciudadanía normativa, o nacionalidad, la migración está transformando las relaciones entre Estados porque la doble o múltiple nacionalidad implica la intersección de dos o más Estados que comparten un cuerpo común de ciudadanos. La ciudadanía moderna, por el contrario, estaba sólidamente cimentada en la pertenencia individual a un Estado territorialmente definido. Restricciones a la doble nacionalidad fueron adoptadas individualmente por la mayoría de los Estados, y colectivamente en acuerdos internacionales como el Convenio de La Haya de 1930 y el Convenio Europeo para la Reducción de la Pluralidad de Nacionalidades de 1963 (Faist, Gerdes y Rieple, 2004: 923). Desde finales del siglo xx, sin embargo, el aumento de la migración ha cuestionado el principio de pertenencia única y la nacionalidad doble y múltiple ha proliferado (Spiro, 1997). En los países de destino, las disposiciones que restringían la doble nacionalidad han sido aplicadas progresivamente con menos rigor y los países de origen han comenzado a ver las ventajas de mantener lazos con sus emigrantes (Martin, 2003: 6-7).

La migración también está cambiando la relación del Estado con sus ciudadanos (ciudadanía sustantiva) a medida que los países receptores extienden derechos a los residentes no-ciudadanos (aunque no en el caso de Estados Unidos en las últimas dos décadas, como se explica a continuación), y a medida que los países emisores, interesados en mantener vínculos con sus emigrados, extienden los derechos ciudadanos a estos migrantes.[1] En particular, es a esta extensión de derechos a emigrantes por parte de sus países de origen, que separa el estatus de ciudadanía de la dimensión territorial del Estado, lo que algunos autores llaman ciudadanía externa o extraterritorial (Lafleur, 2013). Los derechos políticos son cruciales en la redefinición de la relación Estado-ciudadanía, ya que mientras los derechos civiles y sociales han existido en las democracias liberales independientemente de la condición de ciudadano, los derechos políticos han estado vinculados a esta condición y han diferenciado a ciudadanos de no-ciudadanos. Por lo tanto, dar a los emigrados el derecho a voto, ya sea regresando al territorio o desde el exterior, y permitirles participar en elecciones aun cuando residan largos periodos fuera de las fronteras nacionales, es síntoma de "la transformación más amplia de los límites territoriales y de pertenencia que circunscriben la ciudadanía democrática" (Bauböck, 2005: 683).

Para el estudio de esta relación entre migración, ciudadanía y Estado, es necesario diferenciar analíticamente las implicaciones entre migración y ciudadanía en los países emisores y receptores. Dada la magnitud de la

[1] Para más información sobre la extensión de derechos ciudadanos a los no-ciudadanos residentes en la Unión Europea, véase Perchinig, 2006.

migración latinoamericana a Estados Unidos y las implicaciones que esto ha tenido para las políticas de ciudadanía es importante contextualizar la migración dentro de la división Norte-Sur (Castles, 2004: 861-862) si bien, en algunos casos específicos, la migración entre países latinoamericanos, Sur-Sur, ha dado origen a cambios legislativos.

En los países receptores la principal preocupación es la población inmigrante dentro de sus fronteras y en qué medida estos inmigrantes adquieren derechos. Además de un modelo de exclusión diferencial, en el que los inmigrantes se incorporan en formas especializadas, tales como programas de trabajadores invitados (Martin, 2000: 29-30), hay varios modelos que siguen los países receptores para extender o denegar derechos a los inmigrantes (Aleinikoff, 2000). En Estados Unidos, antes de la ley de reforma de la asistencia social de 1996, el modelo de incorporación de inmigrantes permitía a los inmigrantes permanentes, incluso si se les negaba el derecho a voto, ser "elegibles para la mayoría de los beneficios federales a disposición de los ciudadanos" (Aleinikoff, 2000: 157). La reforma a la asistencia social, y yo añadiría, la Ley Antiterrorista de 1996, la reforma a la ley de inmigración de 1996 (IIRIRA por sus siglas en inglés) y la Ley Patriota de 2001, han cambiado la política de inmigración de EUA, hacia un modelo diferente, uno en el que los derechos se hacen progresivamente exclusivos para los ciudadanos (Aleinikoff, 2000: 155-163). La naturalización se ha convertido así en el único mecanismo por el cual los inmigrantes acceden a beneficios sociales y, después de las reformas de 1996, también al derecho a evitar la deportación.[2]

---

[2] El Congreso aprobó tres importantes leyes de inmigración en 1996. La Ley de Responsabilidad Personal y Reconciliación de Oportunidades Laborales (PRWORA por sus siglas en inglés) redujo el nivel de las prestaciones recibidas por los inmigrantes legales. La Reforma de Inmigración Ilegal y la Ley de Responsabilidad del Inmigrante (IIRIRA por sus siglas en inglés) incluyen por un lado medidas para reducir el número de inmigrantes indocumentados y reducir el acceso de inmigrantes legales a la asistencia social; por otro, no sólo aceleraron la deportación de inmigrantes indocumentados sin necesidad de intervención judicial sino que aumentaron el número de ofensas por las cuales los inmigrantes legales pueden ser deportados. La Ley de Pena de Muerte Efectiva y Antiterrorismo (AEDPA por sus siglas en inglés), una respuesta al atentado contra el World Trade Center en 1993, hizo más fácil detener sin fianza a los extranjeros acusados de cometer crímenes en Estados Unidos y deportarlos después de haber cumplido sus condenas (Martin y Midgley, 1999; Hagan, Eschbach y Rodríguez, 2008). Estas leyes aumentaron la naturalización de inmigrantes en Estados Unidos (Jones-Correa, 2003; Escobar, 2004). La Ley Patriótica que siguió a los ataques del 11 de septiembre de 2001 contra el World Trade Center también eliminó derechos civiles y expandió aún más la categoría de inmigrantes con posibilidad de ser detenidos y deportados en caso de ser percibidos como amenaza a la seguridad nacional.

Por lo tanto, en Estados Unidos, sobre todo desde los años noventa, la diferencia entre residentes legales y ciudadanos ha aumentado y determina no sólo quién es, y quién no, acreedor de derechos políticos, sino también de derechos sociales y civiles (Escobar, 2006). Este cambio en el modelo de incorporación de inmigrantes en Estados Unidos ha tenido consecuencias para la ciudadanía: en primer lugar, porque los inmigrantes han sentido la presión para nacionalizarse y lo han hecho en gran número (Jones-Correa, 2003; Mazzolari, 2005); en segundo, porque los inmigrantes han adquirido la nueva nacionalidad sin renunciar a su nacionalidad de origen, convirtiéndose en dobles ciudadanos.

Según Aleinikoff y Klusmeyer (2001: 76-78), quienes distinguen entre regímenes abiertos, tolerantes y restrictivos, Estados Unidos podría ser clasificado como tolerante en su enfoque de la doble y múltiple nacionalidad, ya que el principio de la renuncia en el momento de la naturalización no se hace cumplir. Este enfoque tolerante, como se mencionó anteriormente, ha transferido indirectamente la decisión a los países de origen, los cuales, al promulgar leyes de retención de nacionalidad, permiten a sus emigrantes obtener la doble nacionalidad automáticamente al nacionalizarse en Estados Unidos.

En los países de origen, la principal preocupación relacionada con la ciudadanía y la migración es el mantenimiento de vínculos formales con los numerosos nacionales no residentes que quieren nacionalizarse en el país de acogida. Los países pueden o no estar predispuestos a reformar constituciones o a promulgar leyes de retención de la nacionalidad. Las tradiciones jurídicas y las experiencias históricas son importantes. Sin embargo, en América Latina el deseo de los gobernantes de mantener la conexión con sus nacionales en el extranjero, en algunos casos bajo la presión de las comunidades de emigrantes, parece haber prevalecido sobre otras consideraciones.[3]

Los países emisores pueden también extender derechos ciudadanos a estos nacionales que residen en el extranjero. A pesar de que la mayoría de los derechos ciudadanos permanecen inactivos mientras los inmigrantes están bajo la jurisdicción del país de acogida, los derechos políticos y socia-

---

[3] Incluso en México, donde la ideología nacionalista y la tradición jurídica no favorecieron la aceptación de la doble nacionalidad, se promulgaron leyes de retención de la nacionalidad. Para más información sobre nacionalidad de México, véase Guarnizo (1998), y sobre tradición jurídica, véase Fitzgerald (2005).

les pueden ser, y de hecho han sido, ampliados en algunos países.[4] La capacidad de acceder al estatus que conceden estos derechos y a practicarlos fuera del territorio del Estado nacional es lo que algunos autores llaman ciudadanía externa (Lafleur, 2013).

Se han propuesto enfoques teóricos posnacionales, nacionales y transnacionales para el estudio de la ciudadanía y la migración (Bloemraad 2004; Bauböck, 2003, 2005, 2006). El enfoque posnacional sostiene que los derechos de ciudadanía no emanan más de los Estados-nación sino que están organizados por el principio de individualidad (*personhood*) universal (Soysal, 1994). Este enfoque es útil para comprender el marco legal de la época de la posguerra, en el cual la doble ciudadanía ha florecido y la nacionalidad (o ciudadanía normativa) y la ciudadanía democrática (ciudadanía sustantiva) se han transformado en derechos humanos (Faist, Gerdes y Rieple, 2004). Sin embargo, la perspectiva posnacional ignora el papel crítico que los Estados todavía tienen como otorgadores de derechos de ciudadanía única o múltiple.

El paradigma tradicional de asimilación asume que la naturalización es el último paso en la integración de los inmigrantes en el Estado receptor (Gordon, 1964). Este paradigma está de acuerdo con la noción de la lealtad única y asume que, al asimilarse, los inmigrantes abandonan sus lealtades anteriores y se adhieren a la nueva sociedad. Los partidarios de esta perspectiva miran con consternación el incremento del número de personas con doble ciudadanía y ven las relaciones continuas que los migrantes mantienen con sus países de origen como una amenaza para la estabilidad del país receptor (Renshon, 2001; Huntington, 2004). Este enfoque niega la transformación del Estado como consecuencia de la migración y no tiene en cuenta los estudios que demuestran que el mantenimiento de los vínculos con el país de origen no excluye necesariamente la integración (Portes, Haller y Guarnizo, 2002; Portes, Escobar y Arana, 2008; McCann, Cornelius y Leal 2009).

La perspectiva transnacional analiza los lazos continuos que los migrantes mantienen con sus países de origen. Esta perspectiva se ocupa de las consecuencias sociales, culturales, políticas y económicas que esta permanencia de lazos tiene para los migrantes y para ambas naciones involu-

---

[4] Países como México o Colombia han ampliado la seguridad social para cubrir a sus emigrantes. México también ha desarrollado programas de educación y de salud en el exterior (Guarnizo, 1998: 62-63; Smith, 2003: 306-310; Escobar, 2006).

cradas (Basch, Glick-Schiller y Szanton Blanc, 1994; Portes, Guarnizo y Landolt, 1999; Levitt, 2002; Vertovec, 2009).

El estudio de la ciudadanía desde la perspectiva transnacional se ocupa de las consecuencias de la migración en el estatus de pertenencia a comunidades políticas nacionales. Bauböck (2006: 28) ha definido la ciudadanía transnacional como las "membresías superpuestas entre jurisdicciones territoriales separadas que desdibujan, en cierta medida, sus fronteras políticas" y ha propuesto un modelo alternativo de ciudadanía: ciudadanía de intereses (*stakeholder citizenship*) según la cual los Estados se mantienen como entidades diferenciadas pero donde los derechos pueden ser ofrecidos por los Estados a una población móvil (Bauböck 2005: 686). Este modelo, que parte de la idea de que los migrantes pueden tener vínculos simultáneos con más de un sistema político, sugiere que los emigrantes tienen "intereses" (*stakes*) en el Estado de origen, dado su carácter de remitentes de remesas, propietarios, miembros de grupos de presión o cabildeo en el extranjero, etc.

El enfoque transnacional de ciudadanía advierte la inminente transformación de las relaciones Estado-ciudadano, pero no las ve como simples aberraciones de los modelos jurídicos y conceptuales tradicionales del Estado-nación, ni considera que el Estado nacional esté llegando a su fin ya que éste sigue siendo el principal garante de membresía y derechos ciudadanos.

Migración y ciudadanía en América Latina

América Latina ha sido históricamente una región de inmigración, principalmente desde Europa. Entre la segunda mitad del siglo xix y la primera mitad del siglo xx (sobre todo entre 1880 y 1930), los principales destinos de esta migración europea fueron Argentina y Brasil (Massey *et al.* 1998: 196). Históricamente, Latinoamérica ha sido también una región de migración intrarregional entre países. A medida que la migración europea se redujo, esta migración intrarregional —que por otra parte se había concentrado principalmente en las zonas fronterizas— creció sustancialmente después de la década de 1950. Este crecimiento, sin embargo, fue en parte una ampliación a través de las fronteras de la migración interna ciudad-campo y era predominantemente una respuesta a la demanda de mano de obra de Argentina y Venezuela (Massey *et al.*, 1998:197-198; Durand, 2009: 11-15).

A partir de mediados de la década de 1970, un nuevo patrón de emigración surgió en América Latina. Este patrón incluyó, en primer lugar, a trabajadores cualificados y profesionales que escapaban de los golpes militares de los países del Cono Sur (1975 en Argentina, 1973 en Chile y 1973 en Uruguay) y que emigraron a Europa, Australia, Canadá y otros países latinoamericanos (México y Costa Rica); en segundo lugar, la migración forzada de grandes sectores de la población de América Central y el Caribe, incluyendo dominicanos y cubanos en 1960 y 1970, y nicaragüenses, salvadoreños y guatemaltecos en la década de 1980 (Massey *et al.*, 1998: 201-203; Pellegrino, 2000, 2002). A esta migración política internacional se sobrepuso eventualmente el gran flujo de migrantes económicos producto de la crisis económica que enfrentaron la mayoría de los países de América Latina en la década de 1980. Este flujo migratorio fue sobre todo a Estados Unidos, cuya población latinoamericana pasó de 1 582 489 en 1960 a 6 53 914 en 1980, a 16.3 millones en 2004 y a 21.3 millones en 2010 (Pellegrino, 2000: 399; United States Census Bureau, 2004, 2010).

El crecimiento demográfico, la industrialización y la crisis política y económica en América Latina explican en cierta medida los patrones recientes de la migración. La hegemonía política y económica que Estados Unidos ha mantenido tradicionalmente en América Latina, junto con la universalización de estilos de vida y patrones de consumo explican por qué Estados Unidos se ha convertido en un imán para grandes sectores de la población latinoamericana (Pellegrino, 2000: 405-406). En general, esta migración de latinoamericanos a Estados Unidos es parte de la división Sur-Norte y de la desigualdad en el reparto de la riqueza, que ha generado inestabilidad política y económica en el Sur y ha empujado a la gente a buscar la estabilidad económica y política en los países altamente industrializados (Castles, 1998).

Los emigrantes de las olas recientes de migración han mantenido vínculos económicos, políticos, sociales y culturales de forma continua y sustancial con sus países de origen. Las remesas enviadas por los trabajadores migrantes a América Latina se han convertido en un componente fundamental de las economías latinoamericanas hoy en día (el Banco Interamericano de Desarrollo estima el monto de las remesas enviadas a América Latina en 2012 en 61 300 millones de dólares, Maldonado y Hayem, 2013). Aparte de estas remesas también forman parte de los vínculos económicos las iniciativas empresariales transnacionales de migrantes económicos que crean empresas transnacionales (Guarnizo, 2003) y los proyectos de desarrollo comunitario llevados a cabo por organizaciones de emigrantes para ayudar a sus países de origen (Portes, Escobar y Walton

Radford, 2007). El transnacionalismo político se ha desarrollado en este contexto de creciente migración que une países emisores y receptores.

Leyes de retención de la nacionalidad

Antes de 1991 sólo cuatro países latinoamericanos permitían la doble nacionalidad; sin embargo, desde 1991 doce países más han seguido ese camino (véase el cuadro VI.1). Para entender por qué algunos países de América Latina han cambiado sus leyes, y por qué algunos antes que otros, podemos centrarnos en el papel de los actores transnacionales involucrados.

De los tres actores políticos transnacionales identificados por Itzigsohn (2003) —el Estado, los partidos políticos y la comunidad migrante— solamente el Estado y la comunidad migrante están directamente implicados en la doble nacionalidad. La incorporación de los migrantes en la comunidad política de su país de acogida no es directamente relevante para los partidos políticos en los países de origen. Por otro lado, los partidos en el país receptor, los posibles beneficiarios de la incorporación de los inmigrantes, no tienen medios ni legitimidad para influir en las políticas de los países emisores.

Jones-Correa (2003) ha identificado dos posibles vías hacia la doble nacionalidad latinoamericana: desde abajo, cuando la iniciativa viene de la comunidad de migrantes, y desde arriba, cuando el principal impulso proviene de los Estados emisores. Es posible entender por qué un país sigue una u otra vía al examinar los dos factores principales implicados en el creciente interés que los países de América Latina tienen en la doble ciudadanía desde los años noventa. En primer lugar, las nuevas comunidades de inmigrantes latinoamericanos que surgieron desde finales de la década de 1960 como resultado de la nueva ley de inmigración —el Acta de Inmigración y Nacionalidad de Estados Unidos de 1965 abrió la puerta a esta nueva ola de inmigración—, crecieron de manera significativa y sus líderes trataban de ganar un espacio político dentro de Estados Unidos. Haciendo eco de un movimiento hacia la doble nacionalidad en todo el mundo, estos líderes veían la posibilidad de conseguir la integración sin tener que renunciar a su preciada nacionalidad de origen. Los líderes de otras comunidades de inmigrantes latinoamericanos pueden haber compartido este interés en la participación política; sin embargo, sólo colombianos, dominicanos y ecuatorianos llevaron a cabo con éxito campañas de doble ciudadanía a principios de los años noventa (véase la segunda fila del cuadro VI.1).

El segundo factor crítico detrás del movimiento hacia la doble nacionalidad fue la ola anti-inmigrante que se levantó en la década de 1990 en Estados Unidos, cristalizando primero en la Proposición 197 de California y más tarde en las reformas de inmigración de 1996. El sentimiento anti-inmigrante y las leyes que progresivamente restringieron el acceso a inmigrantes, aun legales, a muchos derechos ahora reservados sólo para ciudadanos, crearon una enorme presión sobre los inmigrantes para nacionalizarse. La nacionalización se convirtió así en un mecanismo de protección de los derechos de los inmigrantes en Estados Unidos y la doble nacionalidad, en la forma de acceder a esos derechos sin romper los lazos formales con los países de origen. Por lo tanto, después de 1996, muchos países latinoamericanos, cambiaron sus leyes y constituciones para garantizar a sus emigrantes el acceso a los derechos de ciudadanía en Estados Unidos o para defender los derechos que previamente tenían como residentes legales, pero que ahora perdían por no ser ciudadanos. Así, sin haber sido una propuesta intencional, la legislación anti-inmigrante en Estados Unidos, dada la presión para adquirir la nacionalidad que originó en los inmigrantes, llevó a la promulgación de cambios constitucionales y legislativos en los países latinoamericanos, que terminaron convirtiendo a estos migrantes en ciudadanos con doble nacionalidad. En algunos casos, la iniciativa vino sobre todo del Estado, como fue el caso de México y Brasil, mientras que en otros las comunidades de emigrantes jugaron un papel preponderante en el establecimiento de estas leyes (véase la tercera fila del cuadro VI.1).

Debemos tomar en cuenta que la difusión regional (Berry y Berry, 1999; Weyland, 2005) fue un factor contribuyente, puesto que los países que tempranamente establecieron la doble nacionalidad sirvieron de ejemplo y, en algunos casos, proveyeron asesoramiento directo a los demás países. Sin embargo, fueron las reformas de la inmigración en Estados Unidos lo que hizo casi imprescindible para muchos países emisores de la región el establecimiento de los mecanismos para la retención de la nacionalidad por parte de sus emigrados.

En suma, a principios de la década de 1990, algunos países emisores latinoamericanos abandonaron el principio de exclusividad de la nacionalidad, a medida que aumentaba entre sus emigrados el interés por naturalizarse en Estados Unidos para ganar poder y voz como comunidades. Después de mediados de la década de 1990, muchos países más de América Latina siguieron este camino, en respuesta a la amenaza creada por las nuevas leyes anti-inmigrantes, las cuales ponían en peligro el bienestar de

CUADRO VI.1. Países de América Latina que aceptan la doble nacionalidad

Agente / Motivos	Estado	Comunidades migrantes
Internos a los países emisores	Uruguay (1919)	
	Panamá (1972)*	
	El Salvador (1983)	
	Costa Rica (1995)	
Incorporación política		Colombia (1991)
en Estados Unidos		República Dominicana (1994)
		Ecuador (1995)
Protección de los derechos	Brasil (1996)	Perú (1996)
de los migrantes en Estados	México (1998)	Bolivia (2004)
Unidos	Guatemala (1999)	Chile (2005)
	Venezuela (1999)	Haití (2012)
	Honduras (2003)	

Fuente: Jones-Correa (2003). Calderón Chelius (2003). República de Bolivia, Ley 2631 de 2004. República Bolivariana de Venezuela (1999), Constitución de la República Bolivariana de Venezuela. República de Honduras: Decretos 345/2002 y 31,/2003. República de Haití, 2012. República de Chile, Ley 20.050 del 26/08/2005 (Reforma constitucional). * De acuerdo con la Constitución de Panamá (artículo 13), la nacionalidad Panameña no se pierde con la adquisición de otra nacionalidad, pero la ciudadanía se suspende.

sus emigrados en Estados Unidos al reducírseles los derechos y privilegios como residentes no ciudadanos.

Hay otro grupo de países (primera fila del cuadro VI.1), que aceptó la doble nacionalidad tempranamente, como resultado de determinados acontecimientos internos o de tradiciones jurídicas, e independientemente de los sucesos migratorios descritos antes.[5]

Colombia fue pionero, entre los países latinoamericanos, en aprobar leyes de retención de la nacionalidad en la década de 1990. Éste había sido uno de los países de América Latina cuya población en Estados Unidos había crecido de manera significativa después de las reformas de inmigración de 1965, en particular durante la década de 1980. A fines de los ochenta, los líderes de la comunidad eran conscientes de que la falta de la ciudadanía estadounidense por parte de la comunidad colombiana estaba

[5] Sobre doble nacionalidad en Uruguay, Panamá y Costa Rica, véase Jones-Correa (2003: 306-307). La doble nacionalidad establecida en la Constitución de 1972 en Panamá conlleva la suspensión de derechos políticos ciudadanos a panameños por nacimiento y la pérdida de la ciudadanía a panameños por naturalización. El Salvador aprobó su ley de doble nacionalidad en 1983, antes del gran éxodo que originó la guerra civil. En ese momento, los salvadoreños emigraron en su mayoría a los países vecinos de América Central, por lo que la ley fue diseñada con el proyecto de integración centroamericana en mente (entrevista personal con el cónsul de El Salvador en Los Ángeles, en noviembre de 2005).

limitando su desarrollo económico y político.[6] Así, el movimiento por la doble nacionalidad que los colombianos en el extranjero comenzaron a finales de la década de 1980, surgió del interés por potenciar el capital político de esta comunidad dentro de Estados Unidos.

Aunque había habido contactos entre políticos e inmigrantes interesados en la doble nacionalidad desde 1984, la campaña organizada se inició en 1988, cuando los líderes colombianos en Estados Unidos lograron incluir el tema en el proyecto de reforma constitucional que el presidente Barco Vargas intentó (sin éxito) hacer aprobar por el Congreso ese año. La iniciativa surgió de los miembros de la Coalición Nacional Colombo-Americana (Colombian American National Coalition, Canco), una organización política no partidista y sin fines de lucro creada en Miami en 1986 para promover el interés de los colombianos en Estados Unidos y para apoyar a candidatos colombiano-estadounidenses.[7] Para 1988, Canco había abierto oficinas en Chicago, Washington D.C. y Nueva York y había establecido contacto con políticos colombianos, en particular con el candidato presidencial Luis Carlos Galán. En el momento, debido a la ausencia de otros modelos en América Latina (con excepción de Uruguay), los líderes de Colombia citaron como ejemplos las constituciones de Israel, Egipto y Líbano.[8] La campaña por la doble nacionalidad fue pronto adoptada por los líderes de la comunidad colombiana, en particular por la recién creada (en 1986) rama formal del Partido Liberal Colombiano (Partido Internacional Liberal de Nueva York).[9] En ese momento, siguiendo el consejo de los congresistas colombianos, los líderes políticos en Estados Unidos promovieron una comisión multipartidaria para trabajar la petición, la cual incluía no sólo la doble nacionalidad, como era la idea original, sino también la extensión del sufragio a los colombianos en el exterior, para que pudieran participar en las elecciones al Congreso, y la creación de una jurisdicción electoral especial para los colombianos que vivían en el exterior. El comité organizó una campaña y reunió cinco mil firmas de apoyo al proyecto en 1988 (Serrano, 2003: 131).

[6] Del coordinador de Colombian American National Coalition a Virgilio Barco Vargas, presidente de Colombia, 23 de marzo de 1988. Comunicación personal.

[7] Del presidente de la oficina de Washington de la Colombian American National Coalition a Proarte (Queens, N.Y.). Washington, 14 de febrero de 1988. Comunicación personal.

[8] Capítulo Doble Nacionalidad Subcomisión 0404, Comisión de Derechos Humanos. Comisiones Nacionales Preparatorias de la Asamblea Nacional Constituyente. República de Colombia (sin fecha).

[9] Entrevista personal con uno de los fundadores del Partido Liberal de Nueva York, 2001-2002.

Tras el fracaso de la reforma constitucional —por razones ajenas al proyecto de doble nacionalidad— una nueva oportunidad, finalmente exitosa, se presentó con la Asamblea Constitucional de 1991. En esta ocasión no hubo en realidad oposición al proyecto que permitía a los ciudadanos colombianos conservar su nacionalidad después de haberse convertido en ciudadanos de otro país (muchos proyectos presentados a la Asamblea Constitucional incluyeron esta disposición),[10] y un artículo de la Constitución fue promulgado como ley, de forma relativamente rápida, por el Congreso de la República (1993). La consecuencia inmediata de esta ley fue el aumento de la tasa de naturalización de los colombianos en Estados Unidos (Escobar, 2004; Mazzolari, 2005).

Al igual que en el caso colombiano, en República Dominicana la iniciativa para la promulgación de la doble nacionalidad vino de sus inmigrantes en Estados Unidos. Esta comunidad, bien organizada en torno a los partidos políticos, se había desarrollado inicialmente con la migración de exiliados opuestos al régimen autoritario de República Dominicana en 1960; pero se incluyó a los migrantes de tipo más económico de las décadas de 1970 y1980 (Sagás, 2004: 56-57). A fines de los ochenta, a medida que los líderes de la comunidad dominicana incursionaban en la política local de Nueva York (el primer representante dominicano-estadounidense fue elegido para el Consejo de la Ciudad en 1991), se vio la necesidad de promover la naturalización de estos inmigrantes. Para esto, se hizo preciso presionar para la promulgación de leyes de retención de la nacionalidad en República Dominicana. La importancia cada vez mayor de la comunidad migrante como contribuyente a las campañas políticas de los partidos dominicanos les dio a éstos la influencia necesaria para hacer esta petición (Graham, 2001: 92-94; Sagás, 2004: 59).

Los partidos de la oposición hicieron varios intentos infructuosos para promulgar leyes de retención de la nacionalidad en las décadas de 1980 y 1990, pero no fue hasta la reforma constitucional de 1994, que precedió al cambio de régimen, cuando esta legislación fue finalmente aprobada por el Congreso dominicano junto con otras reformas electorales y judiciales importantes (Graham, 1997: 98-107; Hartlyn, 1998: 254). Al igual que en Colombia, más que el Estado fue la comunidad emigrante —cuyos dirigentes habían ya alcanzado posiciones de poder en Nueva York y necesitaban ampliar su electorado— el principal agente

---

[10] República de Colombia, *Gaceta Constitucional* (Colombia, 1991).

político transnacional detrás de la promulgación de las leyes de doble nacionalidad.

México constituye un ejemplo de la segunda ruta para el establecimiento de la doble ciudadanía, aquella en la cual el Estado asume un papel de liderazgo. La ley de retención de nacionalidad fue promulgada en México durante el contexto de la reforma constitucional mexicana de 1996. Los principales argumentos a favor de esta ley, aprobada después de que los consulados y el secretario de Relaciones Exteriores llevaran a cabo consultas entre los líderes de la comunidad en Estados Unidos, eran que la ley permitía a los migrantes defenderse de las leyes anti-inmigrantes de Estados Unidos y que iba a proteger mejor sus derechos al permitirles adoptar la nacionalidad estadounidense y participar en las elecciones (Calderón Chelius y Martínez Cossio, 2003: 229; Fitzgerald, 2005: 184). Permitir que los ciudadanos mexicanos se naturalizaran en Estados Unidos favorecía al Estado mexicano, en primer lugar, porque animaba a los inmigrantes a participar en la política de Estados Unidos como grupo étnico de presión en apoyo de los intereses del Estado mexicano y, en segundo lugar, porque aseguraba el continuo flujo de remesas, inversiones y contribuciones al desarrollo por parte de la población emigrante hacia México (Guarnizo, 1998: 61-62; Fitzgerald, 2000: 23; Smith, 2003).

La legislación anti-inmigrante de Estados Unidos y las peticiones de doble nacionalidad generadas entre la población emigrante también resultaron en la aceptación de la doble nacionalidad en Brasil (1996), Perú (1996), Guatemala (1999), y más tarde en Honduras (2003) (Calderón Chelius, 2003: 107-108; Durand, 2003: 173; Zapata, 2003: 335). Otros tres países de América Latina, Bolivia y Chile, y más tarde Haití, han seguido la tendencia latinoamericana de adoptar la doble nacionalidad en 2004, 2005 y 2012 respectivamente, en los tres casos bajo la intensa presión de la comunidad emigrante.[11]

Los países de América Latina que no han aceptado la doble nacionalidad son Cuba, Nicaragua y Paraguay (véase cuadro VI.3). Un caso interesante es el de Argentina, cuya Constitución no acepta explícitamente

[11] República de Bolivia, Ley 2631 de 2004; República de Chile, Ley 20.050, 17 de septiembre, 2005; *Le Moniteur*, 2012. Bolivianos en Estados Unidos se involucraron directamente en la campaña de doble ciudadanía; sin embargo otras comunidades en el exterior se unieron en solidaridad ("Carta Abierta de la Asociación de Residentes Bolivianos en España Dirigida al Sr. Presidente Gonzalo Sánchez de Lozada". Murcia, España, 21 de abril de 2003). Entrevista personal con el miembro Mónica Williams, Unión Cultural Boliviana Americana, Washington D.C., enero, 2007.

doble o múltiple nacionalidad, pero, al mismo tiempo, no admite tampoco que los argentinos de nacimiento pierdan su nacionalidad, permitiendo por lo tanto indirectamente a sus ciudadanos tener doble o múltiple nacionalidad. Siguiendo la doctrina de nacionalidad única, Argentina firmó acuerdos internacionales para prevenir los conflictos que la doble o múltiple nacionalidad pudieran acarrear. Un viejo acuerdo con Suecia y Noruega en 1885 y un protocolo firmado por Chile, Colombia, Ecuador, El Salvador, Honduras, Nicaragua y Panamá en 1906 establecieron que los argentinos nacionalizados en estos países que regresaran a Argentina por dos o más años perderían la nacionalidad del país de adopción. Tratados más recientes con España (firmados en 1969 y efectivo en 1971) y con Italia (firmado en 1971 y efectivo en 1974) permiten la ciudadanía sucesiva. Los argentinos pueden adquirir la condición de ciudadanos durante su residencia en estos países sin perder su nacionalidad de origen, que no pueden practicar de forma simultánea, pero pueden recuperar una vez que vuelvan de nuevo a Argentina. A pesar de que, en principio, estos tratados permiten la doble ciudadanía sucesiva, y no simultánea, en la práctica los argentinos utilizaban sus pasaportes y participaban en las elecciones como dobles ciudadanos.[12] En 2009, una nueva disposición (2742) reguló el uso de documentos de identidad y viaje para argentinos incluyendo aquellos nacionalizados en otros países con los cuales se tiene tratado de doble nacionalidad.

La primera vía a la doble nacionalidad identificada aquí —aquella en la cual la comunidad de inmigrantes es el principal actor en la procura de este doble estatus en busca de su incorporación a Estados Unidos— invalida los argumentos de quienes temen las consecuencias perjudiciales que pueda traer el aumento del número de personas con doble ciudadanía entre la población estadounidense. En estos argumentos se ignora el hecho de que las leyes de retención de la nacionalidad que se generalizaron en la década de 1990 fueron resultado del interés de inmigrantes latinoamericanos de convertirse en participantes activos de la comunidad política estadounidense. Este análisis también pone en evidencia las consecuencias no previstas de las leyes anti-inmigrantes de 1996, puesto que dichas leyes llevaron a muchos estados emisores latinoamericanos a promulgar leyes de retención de la nacionalidad y, en consecuencia, a mu-

---

[12] República de la Argentina-DGAC-ISEN, 2002: 59-60. Entrevista telefónica con el Ministerio del Interior, junio de 2006.

chos emigrantes, ahora más interesados en la naturalización, a convertirse automáticamente en dobles ciudadanos.

La democratización de América Latina y la extensión de derechos políticos

La extensión de derechos políticos de los emigrantes en muchos países de América Latina, se asocia con la ola de democratización que se inició en la década de 1980 en esta región (Calderón Chelius, 2003: 33). Durante este tiempo, gobiernos democráticos sustituyeron dictaduras (Argentina, 1985; Brasil, 1986; Chile, 1990; Honduras, 1981; Paraguay, 1985; Perú, 1989; Guatemala, 1985, etc.); regímenes formalmente democráticos pero restrictivos fueron democratizados (Colombia, 1991; República Dominicana, 1994-1996; México 1996), y en países devastados por guerras civiles las partes en conflicto llegaron a acuerdos de paz (El Salvador, 1992; Guatemala, 1996; Nicaragua, 1990). En este contexto democratizador, algunas de las nuevas constituciones y leyes que extendieron derechos ciudadanos en general, también extendieron derechos a los nacionales en el exterior. Hubo una variación significativa de un país a otro en la forma y en la medida en que esta extensión de derechos se llevó a cabo; con intensos debates en algunos lugares o con ausencia de ellos en otros. Estas variaciones dependen del tamaño y la importancia de la población emigrante, de la historia y la naturaleza de los sistemas políticos de cada país, así como del interés del Estado y de los partidos políticos en el papel que estos emigrantes podrían jugar tanto en sus países de origen como en los de residencia.

Además de las características de cada país (migración, sistemas políticos, etc.), el momento del cambio democrático también determinó el grado de extensión de los derechos ciudadanos de los emigrantes. El que la democratización se produjera pronto (y afectara a una migración de índole predominantemente política, como aquella de las décadas de 1960 y 1970 en el Cono Sur) o más tarde (cuando la emigración obedecía no sólo a factores políticos sino crecientemente a factores económicos) influyó en la forma en que los Estados proporcionaron un espectro mayor o menor de derechos a sus emigrantes. El momento de la transición democrática también fue relevante debido a que los países que cambiaron su legislación después de 2000 tenían modelos a seguir y, en algunos casos, el asesoramiento directo de participantes en procesos similares que ya habían tenido lugar en otros países latinoamericanos.[13] El papel cada vez más crucial que las remesas de los inmigrantes jugaban en las economías de muchos países emisores también se convirtió en un factor de creciente importancia.

En resumen, la ola de democratización en América Latina sirvió de contexto a la extensión de los derechos políticos de los emigrantes. Esta expansión redefine a la comunidad política de la nación más allá de los límites territoriales, con el fin de incluir al creciente número de emigrantes que permanecen vinculados a sus países de origen y desempeñan un papel cada vez más importante para ellos. Si bien los derechos políticos se están convirtiendo en derechos universales, es dentro de comunidades políticas específicas adscritas a Estados nacionales donde las personas acceden a estos derechos.

Las diferentes vías hacia los derechos políticos extraterritoriales

Las formas y el momento en que los países de América Latina han ampliado los derechos políticos a sus nacionales en el extranjero varían ampliamente. Para entender los orígenes y las consecuencias de esta variación es necesario tomar en cuenta las características de los regímenes de los países y el papel que desempeñan los principales actores políticos transnacionales: el Estado, los partidos políticos y las organizaciones de inmigrantes.[14] El Estado debe ser tratado en relación con la comunidad internacional, el contexto global y sus ciudadanos; los partidos políticos deben tratarse como actores del sistema político nacional y como mediadores entre el Estado y sus ciudadanos, y la comunidad inmigrante debe ser examinada en sus características internas (organización, concentración, etc.) y en relación con el Estado de origen y con el contexto de asentamiento.

Teniendo en cuenta los regímenes políticos nacionales y la dinámica entre los actores transnacionales, he identificado cuatro vías diferentes en Latinoamérica para la extensión de derechos políticos a los nacionales en

[13] Una de las principales figuras asociadas con la lucha por la doble nacionalidad y por la extensión de los derechos políticos de los colombianos en el exterior fue contactada por políticos tanto mexicanos como ecuatorianos interesados en obtener estos derechos en sus respectivos países. (Entrevistas personales con el presidente del Directorio Liberal Colombiano Internacional de Nueva York, 2000; 2003).

[14] Estoy siguiendo la clasificación de actores políticos transnacionales propuesta por Itzigsohn, 2000; 2003.

el exterior: *1)* la diáspora política activa, *2)* la cooptación de emigrantes en los regímenes corporativos, *3)* la inclusión temprana en regímenes militares exautoritarios y *4)* la incorporación conducida por partidos políticos (véase el cuadro VI.2). En las páginas siguientes explicaré e ilustraré con ejemplos cada una de estas diferentes vías.

Diáspora política activa

República Dominicana se ha caracterizado por una gran población emigrante (879 mil en Estados Unidos, según el censo de EUA de 2010), un difícil proceso de construcción del Estado (acompañado de la intervención de EUA), una larga historia de regímenes autoritarios neopatrimoniales[15] (la era de Rafael Trujillo 1930-1961 y el primer —1966-1978— y segundo —1986-1996— mandatos de Joaquín Balaguer), y la historia paralela de una diáspora política muy activa. Dentro de este contexto, el derecho al voto en el exterior fue una cuestión muy controvertida y los migrantes se convirtieron en una fuerza poderosa detrás de su aceptación y, como se mencionó antes, de la doble ciudadanía.

La migración desde República Dominicana (pequeña y políticamente motivada antes de la década de 1950; más grande aunque también políticamente motivada durante los años sesenta y setenta, y de origen más económico durante las décadas de ochenta y noventa) se convirtió no sólo en numéricamente importante, ya que representa casi 10 por ciento de la población de la isla, sino también políticamente significativa como oposición organizada al régimen. Los dos principales partidos de la oposición, el Partido Revolucionario Dominicano (PRD, fundado en 1939) y el Partido de la Liberación Dominicana (PLD, fundado en 1973), desarrollaron grupos organizados en el exilio que mantuvieron un fuerte vínculo con los acontecimientos políticos de República Dominicana (Hartlyn, 1998: 76, 117). En el aspecto económico, la población inmigrante también adquirió importancia para los partidos políticos, como fuente de financiación de campañas y como proveedora de divisas a través de las remesas. Aún más, la diáspora organizada jugó un papel fundamental en el proceso de

---

[15] Los regímenes neopatrimoniales se caracterizan por la concentración de poder y recursos en el ejecutivo y por la confusión de lo público y lo privado. Este sistema se basa en un gobierno personalista y clientelista y se apoya y refuerza en altos niveles de desigualdad y niveles débiles de organización formal, en particular entre los sectores más pobres de la sociedad (Hartlyn, 1998: 39, 102, 135).

CUADRO VI.2. Vías hacia los derechos políticos extraterritoriales en América Latina

Vías	País	Año de promugación y regulación	Tipo de elección y primera participación electoral
Diáspora política activa	República Dominicana	1997 2004 2010	2004, presidente y vicepresidente 2012, Congreso Nacional (siete diputados de ultramar)
	Ecuador	1998 2006	2006, presidente 2009, Asamblea Nacional (seis asambleistas por el exterior) Parlamento andino
	Bolivia	1991 2009	2009, presidente
	Panamá	2006 2009	2009, presidente y vicepresidente
	Costa Rica	2009 2013	2014, presidente
	Paraguay	2011	2013, presidente y vicepresidente senadores y parlamentarios Parlasur
	Chile	2014	
Cooptación de migrantes por el Estado (Regímenes corporativos)	México	1996 2006	2006, presidente
	El Salvador	2013	2014, presidente y vicepresidente
	Venezuela	1997	1998, presidente, vicepresidente, referéndums
Inclusión temprana (Regímenes militares exautoritarios)	Argentina	1991	1993, presidente y vicepresidente, Congreso Nacional
	Perú	1979	1980, presidente y vicepresidente
	Honduras	1981 2001	2001, presidente
	Brasil	1965 1988	1989, presidente 1993, plebiscito
(Temprana) Incorporación mediante partidos políticos	Colombia	1961 1991 2001	1962, presidente 2002, Congreso Nacional (dos represen-tantes en la Cámara por el exterior), 201, Parlamento andino

Fuente: Calderón Chelius, 2003; Navarro, 2007; IDEA 2007 e investigación propia.

democratización que se cristalizó en la nueva Constitución aprobada en 1994 y en reformas generales.

El sistema político dominicano, descrito como una "partidocracia", está caracterizado tanto por partidos políticos altamente disciplinados y controlados que monopolizan el proceso político como por una sociedad cuyas organizaciones y medios de comunicación están penetradas por esos partidos políticos (Hartlyn, 1998: 151-152). Este sistema partidocrático está en la raíz de la cultura política dominicana, que incluye una profunda politización e identificación partidaria y altos niveles de organización.[16] La diáspora, que comparte los altos niveles de politización de los dominicanos y está bien organizada por los partidos políticos, ha sido fundamental en la redefinición de la relación entre los emigrantes y el Estado dominicano.

El reclamo por la extensión de los derechos políticos a los dominicanos en el exterior fue incluido implícitamente en la nueva Constitución de 1994 —al mismo tiempo que la retención de la nacionalidad— sin embargo no se convirtió en ley hasta una reforma electoral aprobada por el Congreso en 1997 (Graham, 2001; Itzigsohn, 2003: 277) y no se hizo efectivo hasta el año 2004, cuando los dominicanos en el exterior participaron en las elecciones por primera vez. Dada la alta implicación de los dominicanos en la política de su país natal, la participación en esta primera elección fue inferior a la esperada. La falta de información y las dificultades técnicas que la organización de las primeras elecciones en el extranjero conllevaron, explican en gran medida esta baja participación. En las siguientes elecciones, después de una intensa campaña de parte del Estado, se incrementó la participación sustancialmente.[17]

En comparación con otros casos, la comunidad de dominicanos en el exterior tenía la ventaja de una historia de activa participación política en su país de origen y de partidos políticos bien organizados y socialmente integrados que servían como excelentes vehículos para la ampliación de derechos políticos de esta comunidad. Otras comunidades emigrantes de América Latina, como los ecuatorianos, que no tenían estas ventajas, comenzaron su campaña por la extensión de sus derechos políticos desde principios de la década de 1990, pero no fue formalmente aceptada hasta 1998, dentro de las reformas constitucionales y solamente en 2006 pudieron estos emigrantes participar en elecciones. (Jones-Correa, 2003: 308; Bocaggni y Ramírez, 2013: 725-27). El crecimiento demográfico y la relevancia económica que obtuvieron con el tiempo los ecuatorianos residentes en el exterior les permitió obtener los derechos políticos y los

---

[16] Levitt (2002: 279) sugiere que los altos niveles de organización también se deben a las campañas de organización cívica que fueron desarrolladas por el gobierno después de la caída de la dictadura de Trujillo.

[17] El voto inicial alcanzado en ultramar, como es llamado el voto en el exterior en República Dominicana, en 2004 (52 440 votos), aumentó en las elecciones de 2008 (76 713 votos) y se duplicó en las de 2012 (146 013 votos) pasando de 2.7 por ciento a 5.05 por ciento del electorado nacional. Este aumento ha obedecido en gran parte a la labor de registro realizada por el Estado, la cual logró triplicar en cada oportunidad el número de votantes potenciales (de 52 440 en 2004 a 154 789 y a 328 699 en 2012) (Vargas, 2011; República Dominicana, 2012).

ejemplos aportados por otros países de América Latina constituyeron un aporte valioso. En Bolivia, el derecho al voto estuvo incluido en la reforma constitucional de 1991, sin embargo y a pesar del fallo de la Corte Superior de Justicia en favor del ejercicio del sufragio externo (2005), no fue hasta 2009 cuando los bolivianos residentes en el exterior lograron este derecho con el apoyo del presidente Evo Morales y su Movimiento al Socialismo (Lafleur, 2013: 118-119; Hinojosa, Domenech y Lafleur, 2012). De manera similar, los países en donde el voto extraterritorial se promulgó tardíamente en relación con el resto de América Latina (Costa Rica 2009, Panamá 2006, Paraguay 2011 y Chile 2014) asociaciones de migrantes y su cabildeo en los países de origen jugaron un papel crítico (*La Voz Hispana de Connecticut*, 2010; *Panamá América*, 2010; Helpern, 2012).

Cooptación de migrantes por el Estado (Regímenes corporativos)

Las experiencias de México y El Salvador han sido similares a la de República Dominicana, ya que tienen una población numérica y económicamente significativa en el extranjero, particularmente en Estados Unidos. Sin embargo, el transnacionalismo político en México y El Salvador difiere marcadamente del de República Dominicana, en primer lugar debido a que sus Estados han sido participantes activos en el campo de la política transnacional y, en segundo, porque los partidos dominantes han restringido *de facto* la capacidad de voto de los ciudadanos no residentes con el fin de proteger su posición en el gobierno.

Desde finales de la década de 1980, el Estado mexicano ha tomado un papel activo en la conformación de las relaciones transnacionales con emigrantes. Sumando un total de casi 11.7 millones de acuerdo con el censo de 2010, o aproximadamente 10 por ciento de la población total de México, este grupo no sólo es numéricamente importante sino también crucial para la economía mexicana, debido al monto de sus remesas (22 446 millones de dólares en 2012 según el Fondo Monetario Internacional) y su contribución a los proyectos de desarrollo local y regional.

El Estado mexicano ha desarrollado una estrategia corporativista para cooptar a los millones de mexicanos que residen en Estados Unidos. Esta es la misma estrategia que el Partido Revolucionario Institucional (PRI) utilizó durante sus más de setenta años de hegemonía, para cooptar e integrar otros sectores de la población (campesinos, trabajadores, clase media), cuyas contribuciones eran necesarias, pero cuyas demandas podían amenazar la estabilidad del régimen (Rueschemeyer, Stephens y Stephens, 1992: 199-201). Con esta estrategia, el Estado mexicano diseñó programas culturales, educativos, de salud y deporte, entre otros, para sus emigrantes y empezó a jugar un papel activo en la organización de esta comunidad en el exterior.

En este caso, la cooptación sirvió a varios propósitos. En primer lugar, permitió al gobierno mexicano mantener una relación con el cada vez mayor número de emigrantes. Muchos de ellos se habían establecido en Estados Unidos después de que la Ley de Control y Reforma de la Inmigración de 1986 (IRCA por su siglas en inglés) diera estatus legal a los indocumentados que residían en esa época en Estados Unidos —casi tres millones de migrantes mexicanos— y convirtiera la migración mayoritariamente circular de millones de individuos en una más permanente (Roberts, Frank y Lozano-Ascencio, 1999: 251; Massey, Durand y Malone, 2002). En segundo lugar, la estrategia de cooptación permitió al gobierno mexicano neutralizar la oposición que había crecido entre las comunidades de emigrantes mexicanos asentadas en California durante la década de 1980 (Calderón Chelius y Martínez, 2002; Guarnizo, 1998; Fitzgerald, 2000; Smith, 2003).

A pesar del interés en la cooptación de sus nacionales en el exterior, el Estado, mientras estuvo gobernado por el PRI, no estuvo interesado en ampliar la participación electoral de los emigrantes. El PRI temía que esta extensión pudiera causar un crecimiento significativo del principal partido de oposición, el Partido de la Revolución Democrática (PRD), el único partido que había cultivado un electorado potencial importante en Estados Unidos (Calderón Chelius y Martínez Cossío, 2003: 220-221; Fitzgerald, 2000: 25-27).

Las reformas democráticas de mediados de la década de 1990, que eliminaron el requisito que obligaba a los ciudadanos a votar en el distrito especial en el que residían, abrieron, en principio, la posibilidad de que los emigrantes participaran en las elecciones presidenciales; sin embargo, esta participación fue obstruida, en la práctica, por la ausencia de regulaciones legales y un sistema de registro e identificación. Mientras fue el partido dominante, el PRI utilizó estos requisitos técnicos para retrasar la participación electoral de los mexicanos residentes en el exterior (Calderón y Martínez Cossío, 2003: 226-227). Sin embargo, la derrota del PRI en las elecciones de 2000, el apoyo del presidente Vicente Fox, y la creciente demanda de los migrantes mexicanos en Estados Unidos,[18] ayudó a que el Congreso mexicano finalmente aprobara el voto en el exterior en 2005. Los niveles de participación han sido extremadamente bajos, no sólo como resultado de la falta de información y las limitaciones infraestructurales que, como en otros países, pudieron afectar las primeras elecciones (2006), sino principalmente porque la ley aprobada por el Congreso diseñó un sistema muy complejo de registro que ha mantenido baja esta participación aun en elecciones subsiguientes (2012).[19]

El enfoque corporativista que utilizó el PRI para la integración de los emigrantes combinó una agresiva campaña del Estado para llegar a la población mexicana en el exterior con la neutralización de la oposición mediante la limitación de los derechos de voto de esa población. La extensión de derechos políticos a los mexicanos en el exterior supuso un cambio significativo, a pesar de que la participación todavía encuentre obstáculos serios en los procedimientos de votación. El papel importante que ha jugado el Estado mexicano entre sus expatriados ha creado también la posibilidad de construir, a largo plazo, un sólido grupo de cabildeo dentro de Estados Unidos.

El caso de El Salvador tiene importantes similitudes con el de México: una población de migrantes numérica y económicamente importante, un Estado que concede la doble nacionalidad y se esfuerza en cooptar a esa población migrante, y partidos de oposición que luchan contra partidos en el poder en su esfuerzo por ampliar los derechos políticos de los emigrantes. El Estado salvadoreño estaba interesado en asegurar la situación de sus nacionales en el exterior, ayudándolos a conseguir el Estatus de Protección Temporal (TPS) en Estados Unidos, que les otorga un estatus legal y derecho a trabajar. Al igual que en México, incorporar a estos emigrantes en la comunidad política del país de origen no era parte de la agenda del Estado, controlado por un partido político desinteresado en

---

[18] Las asociaciones de oriundos, federaciones y organizaciones políticas de mexicanos en Estados Unidos participaron activamente en la campaña para ganar el voto (De la Garza y Hazan, 2003; Informe de la Comisión de Asuntos Legales, 2005).

[19] Sobre las elecciones de 2006 véase Lafleur y Calderón Chelius, 2011. De los 10 millones de adultos mexicanos en Estados Unidos se estimaba que aproximadamente tres millones serían elegibles para votar de acuerdo con las reglas establecidas por el Congreso mexicano (Suro y Escobar, 2006). De 2006 a 2012 el registro de votantes aumentó en 44 por ciento (de 40 876 a 59 115) y el número de sufragios aumentó en 24 por ciento (de 32 632 a 40 737) (IFE, 2006, 2012). No obstante este incremento, la participación continúa siendo significativamente baja dada la alta proporción de mexicanos residente en el exterior.

dar el voto a una población entre la cual los partidos de la oposición reclutaban tradicionalmente su electorado.[20] Al igual que en México, el triunfo del partido de oposición brindaría eventualmente la oportunidad (2013) de aprobar el proyecto de ley que permitió el voto a los salvadoreños en el exterior; éstos participaron por primera vez en elecciones presidenciales en 2014, utilizando, como en el caso mexicano, el voto postal.

Los venezolanos en el extranjero acudieron a las urnas por primera vez en el referéndum revocatorio del presidente Hugo Chávez de 2004. A pesar de que existen diferencias significativas, la forma de inserción de los inmigrantes en el extranjero bajo el régimen corporativista neoautoritario del presidente Chávez hace este caso más similar a la estrategia de cooptación y restricción del PRI que a las otras vías.[21] La forma de restricción de la participación ha sido novedosa porque se requiere el estatus de residente legal en el país de acogida de los migrantes venezolanos para su participación en elecciones venezolanas (República Bolivariana de Venezuela, 2009).

La inclusión temprana (regímenes militares exautoritarios)

Argentina, Brasil y Perú incorporaron a sus nacionales residentes en el extranjero dentro de la comunidad política relativamente temprano en comparación con el resto de América Latina y antes de la mayor ola de emigración latinoamericana (décadas de 1980 y 1990), que, como se dijo, tuvo causas fundamentalmente económicas. Esta incorporación temprana de la población en el exterior, en su mayoría exiliados políticos, se llevó a cabo durante la transición en estos países de regímenes militares a democráticos, con la idea de hacer a estos exiliados partícipes del proceso democrático.[22] A pesar del significado simbólico de esta incorporación, los emigrantes no constituían, en el momento de la transición democrática, una fuerza política o económica decisiva. Por lo tanto, su incorporación política, aunque considerada en algunos de estos países crucial en el proceso de democratización, no era un tema particularmente controvertido, como lo había sido en República Dominicana o en El Salvador.

---

[20] Para más información sobre las organizaciones de migrantes y transnacionalismo político, véase Landolt, Autler y Baires, 1999 y Mahler, 2002.

[21] República Bolivariana de Venezuela, Consejo Nacional Electoral. Resolución núm. 040724-1090, 27 de julio de 2004; Constitución de la República Bolivariana de Venezuela de 1999. Sobre el régimen venezolano durante la presidencia de Chávez véase Blanco, 2006 y Gómez, 2005.

[22] Sobre Brasil y Perú, véase Calderón Chelius, 2003: 90 y Durand, 2003: 170-174, respectivamente.

Argentina ha sido tradicionalmente un país de inmigración, no sólo de Europa a comienzos del siglo XX sino también de países vecinos como Chile, Paraguay y Bolivia. Desde la década de 1960, al tiempo que el flujo de inmigrantes continuaba, Argentina también comenzó a experimentar la emigración, sobre todo de trabajadores cualificados. Durante la década de 1970, particularmente durante la dictadura militar (1976-1983), la emigración se duplicó, llegando a ser alrededor de 2 por ciento de la población, y se hizo más diversa, como resultado de la represión política y la inseguridad económica. Los argentinos se dirigieron no sólo hacia Estados Unidos, como hicieron otros migrantes latinoamericanos, sino principalmente hacia Europa, México, Venezuela, Israel, Canadá y Australia (Pellegrino, 2000: 9). La migración volvió a aumentar en la década de 1990 y alcanzó su punto álgido después de la crisis económica de 2001, creando un flujo de migrantes principalmente hacia España, Italia y Estados Unidos (Jachimowicz, 2003).

En el momento de la transición a la democracia, la mayoría de los emigrados argentinos eran exiliados políticos que habían partido a finales de los setenta y principios de los ochenta. Su incorporación política fue un paso crucial llevado a cabo por el gobierno civil como parte del proceso de redemocratización para ayudar a fomentar su retorno. El proyecto inicial que permitía a los argentinos en el exterior participar en las elecciones fue presentado al Congreso en 1986, pero por razones burocráticas y otras independientes del proyecto en sí, los cambios constitucionales y electorales que dieron derecho al voto externo no se produjeron hasta 1991. En esta nueva democracia, donde ningún partido estaba defendiendo su posición en el poder, como en El Salvador o México, y donde los exiliados representaban una fuerza pro-democrática, la inclusión de los nacionales en el extranjero era bienvenida (Chávez, 2003). Ampliar los derechos políticos a los exiliados representaba una forma de "restitución simbólica" en reconocimiento a su papel activo contra el régimen militar y en apoyo a la democracia (Calderón Chelius, 2003: 57).

Chile sirve como un contraejemplo interesante, no sólo del caso argentino de inclusión temprana, sino también de otras vías de extensión del derecho al voto en el exterior. La transición de Chile a la democracia se produjo más tarde y fue un proceso más lento y más difícil que el experimentado en Argentina, Brasil o Perú. Los chilenos vivieron bajo una dictadura militar durante más de quince años antes de votar en las elecciones presidenciales democráticas de 1989. Sin embargo, el ejército mantuvo el control sobre el proceso de transición, e incluso después de la elección de un gobierno civil hubo pocas reformas constitucionales, ya que cualquier cambio requería el apoyo de dos tercios de todos los diputados y senadores (Silva, 2002: 462). Todos los presidentes desde 1991 habían respaldado proyectos para permitir el voto en el exterior a los chilenos. Los propios emigrantes también habían hecho extensas campañas por el derecho al voto, particularmente en Argentina, que es donde reside 40 por ciento de ellos.[23] Sin embargo la medida, a la que se opusieron los partidos conservadores, temerosos de encontrar en los emigrantes más simpatizantes de los partidos de izquierda, no había ganado suficiente apoyo. Bajo el segundo gobierno de Michelle Bachelet y contando con la nueva mayoría de centro izquierda en la legislatura, se logró finalmente el derecho de sufragio en abril de 2014 (Mouline, 2013; Gobierno de Chile, 2014). Un caso similar es el del Paraguay, donde el voto de los paraguayos en el exterior no se incluyó en la nueva Constitución sancionada tras la caída del dictador Alfredo Stroessner por oposición del Partido Colorado, el cual, por haber apoyado al dictador, temía el voto de oposición de los paraguayos en exilio. No fue sino hasta 2011 cuando el voto extraterritorial reclamado durante muchos años por las asociaciones en el exterior, fue aceptado en Paraguay por un referéndum nacional apoyado por Fernando Lugo, el primer presidente de un partido distinto del Partido Colorado (una coalición de centro-izquierda) desde el final de la dictadura. Honduras siguió una vía ligeramente diferente: se sancionó formalmente el derecho de los ciudadanos a participar en las elecciones a principios de la década de 1980 (Ley Electoral de las Organizaciones Políticas, 1981) —dentro del contexto de transición política que dio origen a la nueva Constitución de 1982— pero no fue hasta 2001 cuando se estableció el procedimiento para esta participación (Decreto 72-2001) y cuando los hondureños en el exterior participaron por primera vez en elecciones (sólo en Estados Unidos, donde reside la mayoría de la población emigrante).[24]

[23] El resto de países receptores, entre ellos Estados Unidos, Brasil, Australia y Canadá, cada uno con menos de 10 por ciento de la población chilena en el exterior (Pereyra, 2003: 194).
[24] Véase Hernández y Melba, 2003. Se establecieron puestos de votación en siete ciudades de Estados Unidos (Los Ángeles, Houston, Miami, Nueva Orleans, Washington D.C., Nueva York y Atlanta, la última añadida para las elecciones de 2013) (República de Honduras-TSE, 2013).

Incorporación dirigida por los partidos políticos

El caso de Colombia se diferencia de los de El Salvador y México debido a que el Estado colombiano ha jugado un papel relativamente pasivo en la incorporación de los ciudadanos en el exterior. El caso colombiano también se diferencia del de República Dominicana, ya que no tiene una historia de diáspora políticamente activa en Estados Unidos. La ampliación temprana del derecho al voto en las elecciones presidenciales (1962) a fines de la breve dictadura militar de Gustavo Rojas Pinilla 1953-1957 (Serrano, 2003) hace este caso similar a los de Argentina y Brasil. Sin embargo, la creciente migración hacia finales del siglo xx y, sobre todo, la amplia gama de derechos políticos dados a los emigrantes (participación en las elecciones presidenciales y del Congreso, una silla en la Cámara de Representantes) convierte este caso en excepcional dentro del contexto latinoamericano.

El segundo momento democratizador que sirvió para la ampliación de los derechos políticos de los colombianos residentes en el exterior fue la Asamblea Constituyente de 1991. Ésta se convirtió en la coyuntura específica para introducir la doble nacionalidad y la extensión de derechos políticos en la Constitución.

En las comunidades colombianas de ciudades de Estados Unidos, como Nueva York, los líderes de los principales partidos políticos formaban organizaciones *ad hoc* durante las elecciones, y los representantes de los grupos de izquierda también organizaban grupos de discusión y de solidaridad. Aparte de pequeños grupos de políticos y activistas y la participación ocasional en elecciones presidenciales de un número relativamente pequeño de colombianos en el exterior (Serrano, 2003: 129), estas comunidades emigrantes no participaban activamente en la política colombiana. Estas comunidades no eran ni suficientemente políticas ni estratégicamente relevantes para demandar con éxito el derecho al voto o la creación de una jurisdicción electoral especial para los colombianos en el exterior.

En comparación con otros países latinoamericanos, el Estado colombiano no había sido particularmente agresivo en el intento de conectarse con sus nacionales en el extranjero y había sido un actor menor en la arena de la política transnacional, a pesar de que aproximadamente 8 por ciento de la población vive en el exterior.[25] En 1994, durante el gobierno de Ernesto

---

[25] El censo de 2005 establecía esta población en 3. 3 millones (República de Colombia-DANE, 2006). Hoy se estima que este número puede alcanzar más de 4 millones (Mejía, 2012).

Samper, el gobierno colombiano tomó un papel un poco más activo (Decreto 690) redefiniendo el papel del Estado, el cual debía no sólo "proteger" sino "promover" las comunidades colombianas en el exterior (ayudándolas a preservar el patrimonio nacional, histórico y cultural) y "estimular" sus asociaciones. El gobierno de Álvaro Uribe (2002-2006 y 2006-2010) reconoció la cada vez mayor importancia de los colombianos en el exterior (sus remesas constituyen la segunda fuente de divisas después del petróleo) y puso en marcha un nuevo programa específico, "Colombia Nos Une" para la comunidad colombiana en el exterior (República de Colombia-MRE, 2004).

Sin embargo, más que la comunidad en el extranjero o el Estado, fueron los partidos políticos los principales agentes en la ampliación de los derechos políticos a los colombianos en el exterior. Ahora, como consecuencia de las características de los partidos tradicionales colombianos (altamente fragmentados, indisciplinados y desacreditados) y del sistema electoral (extremadamente personalista), los políticos fueron más relevantes como actores políticos transnacionales que los partidos mismos.[26] Como se mencionó antes, los políticos contactados por los líderes colombianos en la década de 1980 en apoyo a la doble nacionalidad (incluyendo al entonces candidato presidencial Luis Carlos Galán y al congresista Ernesto Samper) sugirieron a estos líderes incorporar en sus proyectos la creación de una jurisdiccion electoral para los colombianos en el exterior.[27] El proyecto original presentado a la comisión preparatoria de la Asamblea Constituyente solicitó cuatro escaños en el Senado para los colombianos residentes en el exterior. Sin embargo, este objetivo era inalcanzable, en primer lugar debido a la falta de apoyo político de los emigrantes colombianos y de sus organizaciones entre la clase política nacional; en segundo lugar, porque la Asamblea Constituyente transformó el Senado en jurisdicción nacional, eliminando así la posibilidad de crear una jurisdicción especial de base "territorial" para los colombianos en el exterior. Sus delegados en la constituyente se vieron obligados a negociar su inclusión en una "jurisdicción especial", creada por la nueva Constitución, para la cual se reservaron cinco escaños en la Cámara de Representantes para su distri-

---

[26] Para más información sobre los partidos políticos colombianos y el sistema electoral, véase Shugart, Moreno y Fajardo, 2001 y Pizarro, 2002.

[27] Coalición Nacional Colombiano Americana (Canco), documento de mayo de 1988; entrevista personal con un miembro del Directorio Liberal Internacional de Nueva York, Nueva York, julio de 2002.

bución entre las minorías indígenas, las minorías negras, las minorías políticas y los colombianos residentes en el exterior.[28] El artículo (176) sólo se convirtió en ley en 2001, no porque hubiera oposición al voto en el exterior, sino debido a la complejidad del artículo, que incluía a todas estas minorías. Una resolución del Tribunal Supremo que permitía a todos los ciudadanos colombianos elegir al representante que actuaría en nombre de los colombianos no residentes (como es el caso de las minorías política y étnica) creó una situación bastante compleja en la primera elección del representante de los colombianos en el exterior (2002).[29] Para sorpresa de la comunidad colombiana, especialmente de aquellos residentes en el extranjero, el ganador fue un hombre de negocios de la industria del espectáculo residente en Miami, quien recibió 6 396 de sus 8 540 votos en Colombia. Este resultado dio lugar a fuertes críticas por parte de los líderes de la comunidad emigrante y la ley fue modificada (Acto Legislativo 02 y 03, 2005) para diferenciar la jurisdicción especial (cinco sillas para minorías étnicas y políticas) de la jurisdicción internacional (una silla), en la cual solamente los colombianos en el exterior tienen derecho a elegir. En 2013, por iniciativa del representante de los colombianos en el exterior, el Congreso modificó nuevamente la ley (Acto Legislativo 1, del 15 de julio de 2013) para permitir a estos colombianos en el exterior elegir no uno sino dos representantes a la Cámara. La silla de la jurisdicción especial reservada para minorías políticas, que había permanecido vacía como resultado de los complicados requisitos para poder acceder a ella, se transfirió a la jurisdicción internacional.

La participación electoral de los colombianos en el exterior ha sido en general baja, sobre todo en las elecciones legislativas.[30] En este caso, ni la novedad de una primera elección ni un complicado sistema de registro, como el impuesto por la ley a los mexicanos, se pueden dar como explicaciones. Otros factores han contribuido a esta baja participación: la falta de información y problemas de infraestructura todavía existentes; la apatía,

---

[28] Coalición Nacional Colombiano Americana (Canco), documentos; República de Colombia, 1991.

[29] República de Colombia. Sentencia Corte Constitucional NC-169/2001.

[30] En la más alta participación de todas las elecciones realizadas en el exterior (las elecciones presidenciales de 2006), los votos emitidos por los colombianos (61 008 en Estados Unidos y en todo el mundo 120 670) representaron uno por ciento del voto nacional (en las elecciones legislativas esta proporción fue de 0.36%). En las elecciones de 2010 la proporción fue de 0.71 por ciento en las elecciones presidenciales y de 0.37 por ciento en las legislativas (República de Colombia-RNEC, 2006, 2010).

producto tanto de la falta de obligatoriedad del voto como de la decepción la política —dada la crisis y la violencia que ha enfrentado el país, y las características del sistema electoral y político (Escobar, Arana y McCann, 2014)—. Las reforma política aprobada por el Congreso en 2003, diseñada para disminuir el faccionalismo y personalismo y en pro de la consolidación de los partidos, fue un avance importante, pero no disminuyó el número de candidatos a la Cámara por los colombianos en el exterior (ésta pasó de 25 en 2002 a 34 en 2006 y a 21 en 2010) ni aumentó la participación en las elecciones legislativas (República de Colombia-RNEC, 2002, 2006, 2010).

En suma, la extensión de los derechos políticos a los colombianos en el exterior no fue tanto el resultado de la fuerza organizativa o electoral de estos emigrantes frente al Estado o a un partido político en el poder. Más bien, la extensión de los derechos políticos fue resultado de la iniciativa de pequeños sectores organizados de la comunidad colombiana en Estados Unidos y de los intereses tanto de líderes con aspiraciones políticas de esta comunidad como de políticos colombianos en busca de electores potenciales en el exterior, dentro de la coyuntura de la Asamblea Constitucional.

Mientras que dar el voto a los nacionales en el extranjero fue un tema muy debatido y controvertido en México y República Dominicana, bloqueado durante muchos años en países como Chile y Paraguay y no es todavía un proyecto viable en Guatemala o Nicaragua, las amplias prerrogativas de los migrantes colombianos han sido posibles, paradójicamente, debido a los altos índices de abstención y a la apatía política de la comunidad residente en el extranjero, que ha eliminado cualquier amenaza potencial al *statu quo*. La política colombiana en el exterior no ha cuestionado el sistema de poder en Colombia; aquella ha sido, más bien, una extensión del mismo.

La ampliación de los derechos políticos a los emigrantes, que incluye ya a un gran número de países latinoamericanos (véase el cuadro VI.3), ha sido más lenta que la promulgación de leyes de retención de la nacionalidad.[31] La ausencia o la inestabilidad de las instituciones democráticas ha limitado esta opción en algunos países (por ejemplo, Cuba o Haití). En otros, donde finalmente se obtuvo el voto extraterritorial, los gobiernos y los partidos en el poder se opusieron a la inclusión de un nuevo grupo que podría cambiar el equilibrio interno de poder (por ejemplo El Salvador o

---

[31] En cuatro de estos países dichos derechos no se ampliaron hasta después de 2009: Costa Rica, 2009; Paraguay, 2011; El Salvador, 2013.

CUADRO VI.3. Variaciones en doble ciudadanía y derechos políticos extraterritoriales en los países de América Latina

Doble ciudadanía y derechos políticos extra-territoriales	Sólo doble ciudadanía	Sólo derechos políticos extra-territoriales	Sin doble ciudadanía	Sin derechos políticos extra-territoriales	Ni doble ciudadanía ni derechos políticos extra-territoriales
Bolivia	Guatemala	Argentina	Argentina	Cuba	Cuba
Brasil	Uruguay	Paraguay	Cuba	Guatemala	Nicaragua
Chile	Haití		Nicaragua	Haití	
Colombia			Paraguay	Nicaragua	
Costa Rica				Uruguay	
República Dominicana					
Ecuador					
El Salvador					
Honduras					
México					
Panamá					
Perú					
Venezuela					

Fuente: Elaboración propia con base en la información presentada en este capítulo.

Paraguay). El desafío logístico de llevar a cabo elecciones en el extranjero, que ha contribuido, como hemos visto, a la baja participación, también fue la razón principal para la exclusión de la votación en el exterior de las reformas electorales de 1997 en Guatemala y las dificultades para implementarlo una vez que fue incluido en las reformas a la ley electoral y de partidos políticos en 2013 (Zapata, 2003: 338-339; *Terra*, 2013). De manera más general podemos decir que la adquisición y el ejercicio efectivo de los derechos políticos de los emigrantes —como es el caso de cualquier otro sector de la sociedad— dependen de la existencia de instituciones y prácticas democráticas sólidas.

Conclusiones

El estudio de los mecanismos y los procesos que han permitido la retención de la nacionalidad y la ampliación de los derechos políticos a los nacionales en el exterior por parte de los gobiernos latinoamericanos hace evidente la influencia de la migración en las nociones de nacionalidad y

Estado. La comunidad política en los países de origen se ha transformado a medida que estos países otorgan derechos políticos a sus ciudadanos en el exterior. A su vez, la comunidad política de los países receptores, como Estados Unidos, se transforma a medida que un gran número de inmigrantes, interesados en el mantenimiento de los lazos con sus países de origen, se naturalizan y, al retener su ciudadanía original, se convierten en dobles ciudadanos. Esta situación no sugiere la desaparición del Estado, el cual sigue siendo el principal garante de la condición de ciudadano y de los derechos ciudadanos, sino su transformación, ya que países emisores y receptores comparten un grupo común de ciudadanos y desarrollan políticas que se influyen mutuamente. Un nuevo enfoque transnacional teórico es necesario para abordar esta realidad. Nuestra concepción de la ciudadanía democrática también debe transformarse, puesto que la migración es un reto a los límites territoriales, los cuales habían definido previamente quiénes eran o no portadores de derechos y obligaciones.

La extensión de derechos políticos a los emigrantes se ha generalizado en América Latina en las últimas décadas. Los países han promulgado leyes distintas en momentos diferentes, dando lugar a diversas formas de inclusión de estos emigrantes. He identificado algunas vías de inclusión observando los patrones de incorporación de otros sectores de la sociedad, y analizando en particular, el papel de los principales actores transnacionales, a saber, el Estado, los partidos políticos y las comunidades organizadas en el exterior.

Este ejercicio de identificar estas vías o rutas hacia la adquisición de los derechos políticos extraterritoriales no sólo es útil para lograr una mejor comprensión de la dinámica presente en la extensión de la comunidad política más allá del Estado territorial, sino también para identificar las diferencias en el papel político que los nacionales en el exterior van a desempeñar en sus países de origen. Si vemos estos cambios como episodios en la redefinición de los Estados nacionales en esta era de globalización y migración internacional es posible predecir que, finalmente, todos los países emisores aceptarán la incorporación política de sus emigrantes. Sin embargo, no debemos esperar que las comunidades en el exterior se comporten de manera similar. La forma de incorporación de estos ciudadanos extraterritoriales puede ofrecer algunas pistas sobre su comportamiento político y su dinámica de participación.

La incorporación política de las comunidades en el exterior en sus países de origen ha sido más lenta que el abandono de la exclusividad de la nacionalidad y no es todavía una realidad en algunos países, en donde sigue siendo un factor controvertido. Hoy, tres factores juegan en favor de la obtención de derechos políticos por parte de las comunidades en el extranjero: la influencia cada vez mayor que estas comunidades han adquirido en sus países de origen a medida que crecen sus remesas, la difusión del modelo de derechos políticos extraterritoriales dentro de las comunidades de migrantes en el mundo y en la región, y la democratización en América Latina. La apertura democrática en un comienzo brindó el espacio para la redefinición de la comunidad política y fue en ese momento cuando nuevas constituciones y leyes concedieron derechos políticos a los migrantes. En algunos casos, sin embargo, el principal obstáculo para la promulgación de estos derechos siguieron siendo partidos y gobiernos que temían que este grupo de ciudadanos puediera desafiar su posición de poder. La consolidación democrática y la llegada al poder de partidos de oposición, como en El Salvador o en Paraguay por ejemplo, constituyó otra forma en la cual la apertura democrática ha contribuido a la ampliación de los derechos políticos extraterritoriales. Los tres factores mencionados han fortalecido y hecho mas eficiente la movilización de las comunidades emigrantes, las cuales han logrado estos derechos en varios países en los últimos años. De igual manera habría que decir que la debilidad de las instituciones democráticas o, en algunos casos, la ausencia de estas instituciones, representa también un claro límite no sólo a la promulgación formal de estos derechos sino también a su ejercicio efectivo.

La aceptación de la doble ciudadanía ha sido más rápida en la región que la aceptación de los derechos políticos extraterritoriales. Aunque, como se dijo antes, las vías hacia la doble nacionalidad han sido varias, y las políticas migratorias de Estados Unidos, el país gravitacional de gran parte de la migración latinoamericana, influyeron en la generalización de esta política en el subcontinente. La doble ciudadanía se convirtió en un mecanismo que permite a los emigrantes obtener y defender sus derechos en los países de destino, manteniendo sus lazos formales con los países de origen. Como tal, la doble nacionalidad no representa una amenaza para el equilibrio político interno de estos últimos. Por el contrario, constituye una ventaja al garantizar la estabilidad de los emigrantes en sus países de destino y, por lo tanto, el flujo continuo de remesas, una mayor participación política, puesto que el transnacionalismo político se desarrolla con la estabilidad, como lo han mostrado algunos estudios (Guarnizo, Portes y Haller, 2003; Escobar, Arana y McCann, 2014), y más facilidad de movilidad que la que ofrece el estatus de residente legal (Gilbertson y Singer, 2003; Escobar, 2004). Por otra parte, la doble nacionalidad permite a estos emigrantes transformarse en un grupo de presión potencial dentro del país receptor, en beneficio del país de origen.

Nuestro análisis revela que en algunos países emisores de América Latina fue precisamente el deseo de integrarse más plenamente en Estados Unidos lo que trajo consigo la legislación de la doble ciudadanía en la década de 1990. El análisis también pone en evidencia las consecuencias no previstas de las leyes anti-inmigración de Estados Unidos de esos años. Estas leyes ayudaron a homogeneizar la respuesta de los países emisores latinoamericanos, la mayoría de los cuales han cambiado su legislación, al margen de tradiciones y regímenes políticos, como una medida para proteger los derechos de sus nacionales residentes en Estados Unidos. La legislación anti-inmigrante aceleró un proceso que de otra manera podría haber tomado más tiempo o, en algunos casos, no haber tenido lugar.

En cuanto a la incorporación de los inmigrantes en la comunidad receptora, el análisis anterior contradice las especulaciones de que la doble ciudadanía expresa la desconexión de los inmigrantes, en este caso con Estados Unidos, o representa una amenaza para la unidad y la estabilidad democrática de ese país (Renshon, 2001). Los inmigrantes se han convertido en ciudadanos con doble nacionalidad no al distanciarse de Estados Unidos y orientarse hacia sus países de origen, sino al integrarse a la comunidad política de este país receptor. Ya sea como resultado directo de la demanda de los migrantes o como resultado de la iniciativa de los Estados de origen para proteger los derechos de sus emigrantes, las leyes de retención de la nacionalidad han permitido a los inmigrantes integrarse y mantener, al mismo tiempo, el papel casi inevitable que ahora juegan en sus países de origen (remitentes de remesas, puntos de conexión, grupos de cabildeo, etcétera).

En esta nueva era de globalización, los migrantes están unidos a sus países de origen no sólo gracias a las facilidades de comunicación y transporte sino porque la migración Sur-Norte conecta países emisores y receptores económica, política, cultural y socialmente. Lo que ha cambiado en esta nueva era no es la actitud de los inmigrantes, supuestamente carentes de compromiso o lealtad, sino la forma en la cual el creciente número de inmigrantes se incorpora. La alternativa que existe hoy no es en realidad entre posibles ciudadanos leales y comprometidos —separados de sus países de origen y fieles al nuevo país de adopción— y "bígamos" que quieren evitar una elección y ponen, por lo tanto, en peligro el núcleo de la ciudadanía americana (Huntington, 2004: 212-213). En esta nueva era de globalización, las opciones para un país anfitrión son o bien incorporar a los inmigrantes —incluso si ellos están también unidos a sus países de origen— o crear una subclase de residentes excluidos de los derechos y beneficios de la sociedad.

Bibliografía

Aleinikoff, A. 2000. "Between Principles and Politics: U.S. Citizenhip Policy", en A. Aleinikoff y D. Klusmeyer (eds.), *From Migrants to Citizens*. Washington: Carnegie Endowment for International Peace/Migration Policy Institute. pp. 119-172.

Aleinikoff, A. y D. Klusmeyer. 2001. "Plural Nationality: Facing the Future in a Migratory World", en A. Aleinikoff, y D. Klusmeyer (eds.). *Citizenship Today: Global Perspectives and Practices*. Washington: Carnegie Endowment for International Peace/Migration Policy Institute. pp. 63-88.

Basch, L., N. Glick-Schiller y C. Szanton Blanc (eds.). 1994. *Nations Unbound: Transnational Projects, Postcolonial Predicaments, and Deterritorialized Nation-States*. Langhorne: Gordon and Breach.

Bauböck, R. 2003. "Towards a Political Theory of Migrant Transnationalism". *International Migration Review*, 37 (2), pp. 700-723.

_____. 2005. "Expansive Citizenship: Voting beyond Territory and Membership". *Political Science and Politics*, 35 (4), pp. 683-687.

_____. 2006. "Citizenship and Migration: Concepts and Controversies", en R. Bauböck (ed.), *Migration and Citizenship: Legal Status, Rights and Political Participation*. Ámsterdam: Amsterdam University Press. pp. 15-31.

Berry, F.S. y W.D. Berry. 1999. "Innovation and Diffusion Models in Policy Research", en P.A. Sabatier (ed.). *Theories of the Policy Process*. Boulder: Westview. pp. 169-200.

Blanco, C. 2006. "¿Revolución o neo-autoritarianismo en Venezuela?", en R.O. Lander (ed.). *Venezuelan Politics and Society in times of Chavismo*. Estocolmo: Institute of Latin American Studies, Universite Stockholms. pp. 66-83.

Bloemraad, I. 2004. "Who Claims Dual Citizenship?: The Limits of Postnationalism, the Possibilities of Transnationalism, and the Persistence of Traditional Citizenship". *International Migration Review*, 38 (1), pp. 389-426.

Boccagni, P. y J. Ramírez. 2013. "Building Democracy or Reproducing 'Ecuadoreanness'? A Transnational Exploration of Ecuadorean Migrants' External Voting". *Journal of Latin American Studies*, 45, pp. 721-750.

Calderón Chelius, L. 2003. "Oh, qué será, qué será, del voto de los brasileños en el exterior", en L. Calderón Chelius (ed.). *Votar en la distancia*. México: Instituto Mora. pp. 84-114.

_____. 2003. *Votar en la distancia: La extensión de los derechos políticos a migrantes, experiencias comparadas*. México: Instituto Mora.

Calderón Chelius, L. y J. Martínez Saldaña. 2002. *La dimensión política de la migración mexicana*. México: Instituto Mora.

Calderón Chelius, L. y N. Martínez Cossío. 2003. "'La democracia incompleta': La lucha de los mexicanos por el voto en el exterior", en L. Calderón Chelius (ed.). *Votar en la distancia*. México: Instituto Mora. pp. 217-267.

Castles, S. 1998. *The Age of Migration: International Migration*. Nueva York: The Guilford Press.

_____. 2004. "The Factors that Make and Unmake Migration Policies". *International Migration Review*, 38 (3), pp. 852-884.

Chávez Ramos, E. 2003. "La experiencia argentina del voto en el exterior: Los ciudadanos migrantes", en L. Calderón Chelius (ed.). *Votar en la distancia*. México: Instituto Mora.

Colombian American National Coalition (Canco). 1988. Documents and Correspondence (febero 14, marzo 2, abril 13 y mayo 13).

De la Garza, R. y M. Hazan. 2003. *Looking Backward, Moving Forward: Mexican Organizations in the U.S. as Agents of Incorporation and Dissociation*. Claremont: The Tomás Rivera Policy Institute.

Durand, J. 2003. "Fatalidad democrática o democracia fatal: Las elecciones peruanas y el voto en el exterior", en L. Calderón Chelius (ed.), *Votar en la distancia*. México: Instituto Mora. pp. 168-179.

_____. 2009. "Processes of Migration in Latin America and the Caribbean (1950-2008)". United Nations Development Program-Human Development Reports Research Paper 2009/24.

Escobar, C. 2004. "Dual Citizenship and Political Participation: Migrants in the Interplay of United States and Colombian Politics", *Latino Studies*, 2 (1), pp. 45-69.

_____. 2006. "Migration and Citizen Rights: The Mexican Case", *Citizenship Studies*, 10 (5), pp. 505-523.

Escobar, C., R. Arana y J. McCann. 2014. "Transnational Participation in Colombian Elections: Assessing the Impact of Reception Site". *Migration Studies* en prensa.

Faist, T., J. Gerdes y B. Rieple. 2004. "Dual Citizenship as a Path Dependent Process". *International Migration Review*, 38 (3), pp. 913-944.

Fitzgerald, D. 2000. *Negotiating Extra-Territorial Citizenship: Mexican Migration and the Transnational Politics of Community*. San Diego: San Diego Center for Comparative and Immigration Studies.

_____. 2005. "Nationality and Migration in Modern México". *Journal of Ethnic and Migration Studies*, 31(1), pp. 171-191.

Gilbertson, G. y A. Singer. 2003. "The Emergence of Protective Citizenship in USA: Naturalization Among Dominican Immigrants in the Post-1996 Welfare Reform Era". *Ethnic and Racial Studies*, 26, pp. 25-51.

Gobierno de Chile, Presidencia de la República. 2014. "Jefa de Estado promulgó ley que permite el sufragio de chilenos en el extranjero", 30 de abril. Comunicado de Prensa. Disponible en: http://www.prensapresidencia.cl/default.aspx?codigo=12624

Gómez Calcaño, L. 2005. "Redefinición de la democracia y la ciudadanía en Venezuela: Nuevas relaciones entre Estado y sociedad civil". Caracas: Seminario Venezuela Visión Plural.

Gordon, M.M. 1964. *Assimilation in American Life: The Role of Race, Religion, and National Origins*. Nueva York: Oxford University Press.

Graham, P. 1997. "Reimagining the Nation and Defining the District: Dominican Migration and Transnational Politics", en P. Pessar (ed.). *Caribbean Circuits: New Directions in the Study of Caribbean Migration*. Nueva York: Center for Migration Studies. pp. 91-125.

_____. 2001. "Political Incorporation and Re-incorporation: Simultaneity in the Dominican Migrant Experience", en H.R. Cordero-Guzmán, R. Smith y R. Grosfoguel, *Migration, Transnationalization, and Race in a Changing New York*. Filadelfia: Temple University Press. pp. 87-108.

Guarnizo, L. 1998. "The Rise of Transnational Social Formation: Mexican and Dominican State Responses to Transnational Migration". *Political Power and Social Theory*, 12, pp. 45-94.

_____. 2001. "On the Political Participation of Transnational Migrants: Old Practices and New Trends", en G. Gerstle y J. Mollenkopf (eds.). *E Pluribus Unum?* Nueva York: Russell Sage Foundation. pp. 213-263.

_____. 2003. "The Economics of Transnational Living". *International Migration Review*, 37 (3), pp. 666-699.

Guarnizo, L., A. Portes y B. Haller. 2003. "Assimilation and Transnationalism: Determinants of Transnational Political Action Among Contemporary Migrants". *American Journal of Sociology*, 118 (6), pp. 1211-1248.

Hagan, J., K. Eschbach y N. Rodríguez. 2008. "U.S. Deportation Policy, Family Separation, and Circular Migration". *International Migration Review*, 42 (1), pp. 64-88.

Hartlyn, J. 1998. *The Struggle for Democratic Politics in the Dominican Republic*. Chapel Hill: University of North Carolina Press.

Helpern, G. 2012. "Historia de un hecho Histórico: Referéndum Constitucional y Migración Paraguaya". *Razón y Palabra*, núm. 79, mayojulio. Disponible en: http://www.razonypalabra.orgwww.razonypalabra.org.mx/N/N79/V79/14_Halpern_V79.pdf [consultado el 2 de octubre de 2014].

Hernández J. y G. Melba. 2003. "El Derecho al voto de los ciudadanos hondureños en el exterior: La cultura democrática más allá de las fronteras", en L. Calderón Chelius (ed.), *Votar en la distancia*. México: Instituto Mora. pp. 145-167.

Hinojosa, A., E. Domenech y J.M. Lafleur. 2012. "Seguimiento y desarrollo del 'voto en el exterior' en el 'proceso de cambio boliviano'", en J.M. Lafleur (ed.). *Diáspora y Voto en el Exterior: La participación política de los emigrantes bolivianos en su país de origen*. Barcelona: CIDOB. pp. 39-64

Huntington, S. 2004. *Who are We? The Challenges to America's National Identity*. Nueva York: Simon and Schuster.

International Institute for Democracy and Electoral Assistance (IDEA). 2007. *Voting from Abroad: The International IDEA Handbook*. International Institute for Democracy and Electoral Assistance, and the Federal Electoral Institute of Mexico, Estocolmo y México.

Informe de la Comisión de Asuntos Legales. 2005. VI Reunión de la Junta Consultiva IME, noviembre. Pátzcuaro.

Instituto Federal Electoral (IFE) Estados Unidos Mexicanos. 2006. "Informe final sobre el voto de los mexicanos residentes en el extranjero". Disponible en: http://www.ife.org.mx/documentos/votoextranjero/libro_blanco/pdf/tomoI/presentacion.pdf [consultado el 10 de marzo de 2014].

_____. 2012. "Informe final del voto de los mexicanos residentes en el extranjero. Proceso electoral Federal 2011-2012. Disponible en:

http://www.votoextranjero.mx/c/document_library/get_file?uuid=
fce8dbba-63e7-4e1e-946e-e09fd59de581 [consultado el 10 de marzo
de 2014].

Itzigsohn, J. 2000. "Immigration and the Boundaries of Citizenship: The
Institutions of Immigrants' Political Transnationalism". *International
Migration Review*, 34 (4), pp. 1126-1154.

_____. 2003. "La migración y los límites de la ciudadanía: El voto de los
dominicanos en el exterior", en L. Calderón Chelius (ed.). *Votar en la
distancia*. Mexico: Instituto Mora. pp. 268-288.

Jachimowicz, M. 2003. "Argentina's Economic Woes Spur Emigration". Migration Policy Institute. Disponible en: http://www.mi-
grationinformation.org/Feature/display.cfm?id=146 [consultado en
mayo de 2007].

Jones-Correa, M. 2003. "Under Two Flags: Dual Nationality in Latin
America and Its Consequences for Naturalization in the United States", en D. Martin y K. Hailbronner (eds.). *Rights and Duties of Dual
Nationals: Evolution and Prospects*. La Haya: Kluwer Law International. pp. 303-333.

La Voz Hispana de Connecticut. 2010. "Asociación costarricense impulsa
voto en el exterior y la importancia de la unidad tica". Disponible en:
http://amjbpyj.lavozhispanact.com/stamford/voces-y-rostros/2269-
-asociacion-costarricense-impulso-voto-en-el-exterior-y-la-importan-
cia-de-la-unidad-tica [consultado el 2 de octubre de 2014].

Lafleur, J.M. 2013. *Transnational Politics and the State: The External Voting
Rights of Diasporas*. Londres: Routledge.

Lafleur, J.M. y L. Calderón Chelius. 2011. "Assessing Emigrant Participation in Home Country Elections: The Case of Mexico's 2006 Presidential Election". *International Migration*, 49 (3), pp. 99-124.

Landolt, P., L. Autler y S. Baires. 1999. "From Hermano Lejano to Hermano Mayor: The Dialectics of Salvadorian Transnationalism". Número especial, *Ethnic and Racial Studies*, 22 (2), pp. 290-315.

Levitt, P. 2002. "Variations in Transnational Belonging: Lessons from
Brazil and the Dominican Republic", en R. Hansen y P. Weil (eds.).
*Dual Nationality, Social Rights and Federal Citizenship in the U.S. and
Europe: The Reinvention of Citizenship*. Nueva York: Berghahn Books,
pp. 264-829.

Mahler, S. 2002. "Suburban Transnational Migrants: Long Island's Salva-
dorans", en H.R. Cordero-Guzmán, R. Smith y R. Grosfoguel (eds.).

Migration, Transnationalization, and Race in a Changing New York. Filadelfia: Temple University Press, pp. 109-130.

Maldonado, R. y M. Hayem. 2013. "Las remesas a América Latina y el Caribe en 2012: comportamiento diferenciado entre subregiones". Washington: Fondo Multilateral de Inversiones, Banco Interamericano de Desarrollo.

Martin, D. 2000. "Introduction to Part I", en A. Aleinikoff y D. Klusmeyer (eds.). *From Migrants to Citizens*. Washington: Carnegie Endowment for International Peace/Migration Policy Institute, pp. 25-31.

_____. 2003. "Introduction: The Trend Toward Dual Nationality", en D. Martin y K. Hailbronner (eds.). *Rights and Dutiesof Dual Nationals: Evolution and Prospects*. La Haya: Kluwer Law International, pp. 3-18.

Martin, P. y E. Midgley. 1999. "Immigration to the United States". *Population Bulletin*, 51 (2).

Martin, D. y K. Hailbronner (eds.). 2003. *Rights and Duties of Dual Nationals: Evolution and Prospects*. La Haya: Kluwer Law International.

Massey, D.S. *et al.* 1998. *Worlds in Motion: Understanding International Migration at the End of the Millennium*. Oxford: Oxford University Press.

Massey, D.S., J. Durand y N.J. Malone. 2002. *Beyond Smoke and Mirrors: Mexican Immigration in Era of Economic Integration*. Nueva York: Russell Sage Foundation.

Mazzolari, F. 2005. "Determinants of Naturalization: The Role of Dual Citizenship Laws", Working Paper, 117. San Diego: Center for Comparative Immigration Studies, University of California.

McCann, J.A., W. Cornelius y D. Leal. 2009. "Absentee Votin and Transnational Civic Engagement among Mexican Expatriates", en J.I. Domínguez, C. Lawson y A. Moreno (eds.). *Consolidating Mexico's Democracy: The 2006 Presidential Campaign in Comparative Perspective*. Baltimore: Johns Hopkins University Press, pp. 89-108.

Mejía, W. 2012. "Colombia y las migraciones internacionales: Evolución reciente y panorama actual a partir de las cifras". *Revista Interdisciplinar de Mobilidad Humana*, 20 (39), pp. 185-210.

Mouline, S. 2013. "Finally, the Right to Vote for All Chilean Citizens?", Council of Hemispheric Affairs. Press Releas, 21 de agosto.

Navarro, C. 2007. "El voto en el extranjero". *Treatise on Compared Electoral Law of Latin America*. Estocolmo: International IDEA, pp. 224-252.

Panamá América. 2006. marzo 06. "Por el voto en el exterior". Disponible en: http://www.panamaamerica.com.pa/content/por-el-voto-en-el-exterior [consultado el 2 de octubre 2 de 2014].

Pellegrino, A. 2000. "Trends in International Migration in Latin America and the Caribbean", *International Social Science Journal*, 52 (165), pp. 395-408.

_____. 2002. *Skilled Labor Migration from Developing Countries: Study on Argentina and Uruguay*. Génova: International Migration Programme/International Labour Office.

Perchinig, B. 2006. "EU Citizenship and the Status of Third Country Nationals", en R. Bauböck (ed.). *Migration and Citizenship: Legal Status, Rights and Political Participation*. Ámsterdam: Amsterdam University Press, pp. 67-82.

Pereyra, B. 2003. "Los que quieren votar y no votan: El debate y la lucha por el voto chileno en el exterior", en L, Calderón Chelius (ed.). *Votar en la distancia*. México: Instituto Mora. pp. 181-189.

Pizarro, E. 2002. "La atomización partidista en Colombia: El fenómeno de las micro-empresas electorales", Working Paper núm. 292. The Helen Kellogg Institute for International Studies, University of Notre Dame.

Portes, A., L.E. Guarnizo y P. Landolt. 1999. "Introduction: Pitfalls and Promise of an Emergent Research Field". Número especial. *Ethnic and Racial Studies*, 22 (2), pp. 217-237.

Portes, A., W. Haller y L. Guarnizo. 2002. "Transnational Entrepreneurs: The Emergence and Determinants of a Novel Form of Immigrant Adaptation". *American Sociological Review*, 67 (2), pp. 278-298.

Portes, A., C. Escobar y A. Walton Radford. 2007. "Immigrant Transnational Organizations and Development: A Comparative". *International Migration Review*, 41 (1), pp. 242-281.

Portes, A., C. Escobar y R. Arana. 2008. "Bridging the Gap Transnational and Ethnic Organizations in the Political Incorporation of Immigrants in the United States". *Racial and Ethnic Studies*, 31 (6), pp. 1056-1090.

Renshon, S. 2001. "A Dual Citizenship and American National Identity". Washington, D.C.: Center for Immigration Studies.

República Bolivariana de Venezuela. 1999. Constitución de la República Bolivariana de Venezuela.

_____. 2009. "Ley Orgánica de Procesos Electorales". *Gaceta Oficial*, núm. 5.928 Extraordinario, 12 de agosto.

República de Colombia. 1991. *Gaceta Constitucional.* Asamblea Nacional Constituyente.

_____, Ministerio de Relaciones exteriores (MRE). 2004. "Colombia nos une: Memorias sobre migración internacional colombiana y la conformación de comunidades transnacionales". Bogotá: República de Colombia. Ministerio de Relaciones Exteriores-Organización Internacional para las Migraciones, United Nations Development Programme.

_____, Departamento Administrativo Nacional de Estadística (DANE). 2006. *Censo Nacional 2005.* Bogotá: Departamento Administrativo Nacional de Estadística.

_____, Registraduría Nacional del Estado Civil (RNEC). "Resultados Electorales 2002, 2006, 2010". Disponible en: http://wsr.registraduria.gov.co/-Historico-de-Resultados,2178-.html [consultado el 10 de marzo de 2014].

República de Honduras, Tribunal Supremo Electoral (TSE). 2013. "2013 Elecciones. Resultados". Disponible en: http://siede.tse.hn/app.php/divulgacionmonitoreo/reporte-presidente-municipios/20 [consultado el 10 de marzo de 2014].

República de Haití. 2012. *Le Moniteur*, año 96. núm. extraordinario. 167, 19 de junio.

República de la Argentina, Dirección General de Asuntos Consulares e Instituto del Servicio Exterior de la Nación (DGAC-ISEN). 2002. *Primera jornada sobre el régimen jurídico de la nacionalidad argentina*, 19-20 de noviembre. Buenos Aires: Cancillería Argentina, Organización Internacional para las Migraciones.

República Dominicana. 2012. "Resultados electorales 2012". Junta Central Electoral (JCE).

República Dominicana. 2012a. "Elecciones ordinarias generales presidenciales y de diputados y diputadas en el exterior 2012". Junta Central Electoral (JCE).

Roberts, B., R. Frank y F. Lozano-Ascencio. 1999. "Transnational Migrant Communities and Mexican Migration to the U.S". *Ethnic and Racial Studies*, 22 (2), pp. 238-266.

Rueschemeyer, D., E. Stephens y J. Stephens. 1992. *Capitalist Development and Democracy.* Chicago: University of ChicagoPress.

Sagás, E. 2004. "From *Ausentes* to Dual Nationals", en E. Sagás y S. Molina (eds.). *Dominican Migration: Transnational Perspectives.* Gainesville: University of Florida Press. pp. 53-73.

Serrano Carrasco, A.L. 2003. "Colombia, la posibilidad de una ciudadanía sin fronteras, en L. Calderón Chelius (ed.). *Votar en la distancia*. Mexico: Instituto Mora. pp. 115-144.

Shugart, M.S., E. Moreno y L. Fajardo. 2001. "Deepening Democracy by Renovating Political Practices: The Struggle for Electoral Reform in Colombia". Disponible en: http://dss.ucsd.edu/~mshugart/Deepening_democ_Col.pdf. Revisión de la ponencia para la conferencia, "Democracy, Human Rights, and Peace in Colombia". Notre Dame: Kellogg Institute, Notre Dame University.

Silva, E. 2002. "Chile", en H.E. Vanden y G. Prevost, *Politics of Latin America: The Power Game*, Nueva York: Oxford University Press. pp. 437-481.

Smith, R. 2003. "Diasporic Membership in Historical Perspective: Comparative Insights from the Mexican and Italian Cases". *International Migration Review*, 37 (2), pp. 297-343.

Soysal, Y.N. 1994. *Limits of Citizenship: Migrants and Postnational Membership in Europe*. Chicago: The University of Chicago Press.

Spiro, P. 1997. "Dual Nationality and the Meaning of Citizenship". *Emory Law Journal*, 46, pp. 1411-1485.

Suro, R. y G. Escobar. 2006. *Pew Hispanic Center Survey of Mexicans Living in the U.S. on Absentee Voting in Mexican Elections*. Washington: Pew Hispanic Center. Disponible en: http://pewhispanic.org/reports/report.php?ReportID=60 [consultado en marzo de 2007].

Terra. 2013. noviembre 6. "Piden apoyo a Corte Constitucional para lograr voto a migrantes".

United States Census Bureau. 2004. *Current Population Census*.

_____. 2010. *Population Census*.

Vargas, Y. 2011. "Dominicanos en el exterior: de la participación a la representatividad". Observatorio Político Dominicano. Disponible en: http://www.opd.org.do/index.php?option=com_content&view=article&id=592:dominicanos-en-el-exterior-de-la-participacion-a-la-representatividad &catid=70:analisis-p [consultado el 10 de marzo de 2014].

Vertovec, S. 2009. *Transnationalism*. Londres: Routledge.

Weyland, K.G. 2005. "Theories of Policy Diffusion: Lessons from Latin American Pension Reform". *World Politics*, 57 (2), pp. 262-295.

Zapata, P. 2003. "El voto en el exterior de los guatemaltecos: Reivindicación de los migrantes y promesa presidencial", en L. Calderón Chelius. *Votar en la distancia*. México: Instituto Mora.

VII. Migración y ciudadanía. El caso norteamericano

Jorge Durand*

Introducción

Desde los orígenes del Estado-nación, en los siglos XVIII y XIX, los extranjeros e inmigrantes han puesto en predicamento los principios que sustentan la ciudadanía basada en el derecho de suelo o principio de nacionalidad por nacimiento en el territorio nacional y el derecho de sangre, de tipo hereditario. Los extranjeros e inmigrantes no pueden, por definición, acceder ni a uno ni otro criterio, por eso las legislaciones nacionales de los países receptores de migrantes han adaptado sus leyes para otorgar el acceso a la ciudadanía a los residentes extranjeros o hijos de ciudadanos nacidos en el exterior que eventualmente podrían tener doble nacionalidad. Al mismo tiempo, los países emisores de migrantes han recurrido a diversas disposiciones legales para preservar el vínculo ciudadano con su población radicada en la diáspora.

El caso norteamericano que se presenta con detalle en este capítulo parte del análisis remoto y la discusión originaria sobre el principio del *ius soli* a través de casos judiciales paradigmáticos que cuestionan y modifican los requisitos de acceso a la ciudadanía. Actualmente, estos principios son cuestionados por determinados actores políticos que proponen cambios al fundamento legal constitucional contenido en la Enmienda 14. Por último, se analiza el caso norteamericano a la luz de las tendencias globales sobre cambios y modificaciones en los criterios para acceder a la ciudadanía.

* Profesor e investigador, Universidad de Guadalajara/Centro de Investigación y Docencia Económicas (CIDE), México.

Análisis de cuatro casos

Para entender las características y peculiaridades del modelo de ciudadanía norteamericano resulta indispensable volver a los orígenes y las discusiones primarias que se dieron principalmente en casos judiciales específicos, que son el espacio donde se definieron los criterios, límites y alcances de la ciudadanía, en un modelo legal de tipo consuetudinario.

Al respecto, consideramos elementos clave para el análisis el repaso de cuatro juicios donde la migración puso en tensión los criterios de ciudadanía, nacionalidad y libre tránsito. Son los procesos judiciales del esclavo Dred Scott (1847), del inmigrante chino Chae Chan Ping (1889), del indígena iroqués Paul Diago (1926) y del grupo étnico Kickapoo, de origen americano y nacionalidad mexicana (1859-1983).

El caso Dred Scott (1847) es uno de los más emblemáticos del sistema judicial norteamericano, por infame. Fue un juicio clave para la definición legal de ciudadanía en el caso de los negros, fueran éstos esclavos o libertos, un antecedente directo de la guerra de secesión (1861-1865) y un precedente importante para la decisión de asumir el *ius soli* como criterio general de ciudadanía (Enmienda 14).

El caso viene a colación debido al juicio que promueve Dred Scott contra Sandford en 1847 para lograr su libertad en el estado de Missouri, en el que su argumento principal para reclamar su estatus de hombre libre se centra en la migración y el paso de un territorio a otro. En efecto, siendo esclavo propiedad de un cirujano, viaja primero al estado libre de Illinois y luego a territorio libre de Wisconsin donde se queda varios años. La emigración y el paso de un territorio esclavista a otro libre le confiere el estatus de liberto. Sin embargo, por cuestiones laborales, regresa otra vez al sur y pasa la línea fronteriza del territorio de Missouri, que marca la división entre la zona esclavista y el norte. Al regresar se le considera nuevamente esclavo. Su argumento se centra en que habiendo sido libre por el hecho de emigrar, no puede volver a su estatus anterior al regresar al sur (Spiro, 2008).

El asunto llega a la Corte Suprema de Justicia y la decisión del juez Roger B. Taney define con claridad que Scott, por el hecho de ser negro, no es ciudadano americano. De este modo el tribunal se pronuncia sobre tres criterios fundamentales: primero, que todas las personas de ascendencia africana —esclavos o libres— nunca podrían convertirse en ciudadanos de Estados Unidos y por lo tanto no podían demandar en una corte federal. En segundo término, el tribunal también dictaminó que el gobierno federal no tenía la facultad de prohibir la esclavitud en sus territorios, esta facultad radicaba en los estados que eran independientes. Finalmente, dado que el negro esclavo era considerado como una "propiedad" su dueño podía trasladarlo de un lugar a otro sin perder su condición (Spiro, 2008), lo que en la práctica significaba que se legalizaba la esclavitud en toda la Unión Americana.

El caso Dred Scott, si bien no se refiere directamente a la ciudadanía sino al estatus o condición de esclavitud, pone en evidencia el tema de la soberanía, de las circunscripciones territoriales y de la condición que se le confiere o que adquiere una persona en determinadas circunstancias ligadas al hecho de migrar. En este caso es la migración de un territorio a otro la que confronta y pone en cuestión los sistemas legales, sus diferentes instancias y el acceso a determinados derechos. El caso fue tan emblemático que se considera un antecedente directo de la guerra de secesión (1861-1865) y un detonador de la polarización de posiciones entre el norte abolicionista y el sur esclavista.

Por otra parte, el caso es el primer antecedente legal en el largo camino hacia el cambio en el criterio de nacionalidad que se impone después de la guerra civil, donde se define el *ius soli* como criterio general que otorga la ciudadanía y el derecho al voto a todos los ciudadanos y a ser votado —elegido— en el sistema democrático. En este caso específico está la simiente que delimita los temas de migración y ciudadanía como de competencia federal y no como una potestad en la que puedan legislar los estados. Asunto que hoy en día es de creciente actualidad.

El segundo caso es el de Chae Chan Ping, un ciudadano chino que trabajó en California durante doce años y que decidió regresar de visita a su tierra en 1887. Para ello, obtuvo un certificado de residencia que le daba derecho a volver. Pero al regresar a San Francisco, un año después, lo detienen y no lo dejan ingresar al país. Según esto la ley había cambiado, dado que se hizo una enmienda a la *Chinese Exclusion Act* de 1882, conocida como la Scott Act, que prohibía el retorno de cualquier ciudadano chino al territorio americano.

El caso es llevado a juicio y se saca a colación un tratado entre China y Estados Unidos de 1868 que era muy favorable a la circulación de personas entre ambos países. Entre los artículos del tratado destaca el siguiente por su apertura y amplitud de criterio:

Art. 5. Los Estados Unidos de América y el emperador de China reconocen cordialmente el derecho inherente e inalienable del hombre para cambiar su domicilio y de lealtad, y la ventaja mutua de la libre inmigración y la emigración de sus ciudadanos y súbditos, respectivamente, desde un país al otro a los efectos de la curiosidad, de oficio o como residentes permanentes (US Supreme Court, 1889).[1]

En efecto, en pocas décadas se pasa de un acuerdo que casi podría definirse como de libre circulación entre Estados Unidos y China y que enfatiza el lado positivo del fenómeno migratorio, a una ley que marca la exclusión teñida de fuertes connotaciones racistas. De este tenor fueron las deliberaciones en el estado de California que llevaron a la ley de exclusión china:

> En diciembre de 1878, la convención que enmarca la actual Constitución de California, en periodo de sesiones, retomó este tema y establece, en esencia, que la presencia de trabajadores chinos tuvo un efecto pernicioso sobre los intereses materiales del estado, y sobre la moral pública, que su inmigración en cifras se acerca a la naturaleza de una invasión oriental y que era una amenaza para nuestra civilización, de que el descontento por esta causa no se limita a ningún partido político, ni a ninguna clase o nacionalidad, pero era poco menos que universal, que conservaron los hábitos y las costumbres de su país, y de hecho constituyen un asentamiento chino en el estado, sin ningún tipo de interés en nuestro país y sus instituciones, y se sugiere instruir al Congreso a tomar medidas para evitar su inmigración (Congreso Estatal de California, 1879).

Resulta pertinente señalar que, además de los argumentos sobre el efecto de la migración en la "moralidad pública", de ser una "carga" para el estado de California y de constatar que eran muchos en número, lo que se califica como una "invasión", se señale el hecho de que se considera a este grupo como no integrado a la sociedad y que en la práctica los chinos operaban como si fueran colonos, sin interés en el país y sus instituciones.

El juicio promovido por Chae Chang Ping llegó a la Suprema Corte y ésta confirmó la decisión tomada por el juez en California, quien afirmaba que la capacidad de excluir a un foráneo es un incidente de soberanía y éste es un poder delegado a las autoridades por la Constitución y el gobierno federal. Por lo tanto, el gobierno federal tiene el derecho de ejercer este poder "en cualquier momento en que, a juicio del gobierno, los intereses del país así lo requieran" (Congreso Estatal de California, 1879).

En síntesis, el asunto de la exclusión de un extranjero es un asunto de ciudadanía y es tarea del Congreso legislar y de las autoridades federales ejecutar. No es un asunto que deba litigarse en los juzgados, por lo tanto preva-

---

[1] Todas las citas textuales de originales en inglés se han traducido al español.

lece en el derecho la Ley de Exclusión China aprobada por el Congreso y sus consiguientes enmiendas sobre los tratados firmados anteriormente, como el que se sacó a colación en el juicio (Congreso Estatal de California, 1879).

Un caso similar es el de Wonk King Ark que nació en San Francisco a fines del siglo xix, fue de viaje a China y al regresar le negaron el ingreso. En este caso el juicio fue por el derecho a la nacionalidad por *ius soli*, el cual obtiene una resolución favorable (Spiro, 2008).

A partir de esta decisión judicial se considera que está en manos del Congreso determinar los requisitos o condiciones para ingresar al país o acceder a la ciudadanía y no es un asunto que deba trasladarse al poder judicial. De ahí se deriva la práctica actual de cónsules o funcionarios de migración que pueden decidir con total autoridad si se otorga una visa o si se permite el ingreso al país.

En tercer lugar es pertinente reseñar el caso de Paul Diabo (1926), indígena iroqués considerado por las autoridades como extranjero por ser inmigrante canadiense en el contexto de la reforma migratoria de 1924 (Reid, 2007).

Diabo, indígena mohawk (una de las tribus iroquesas) trabajaba en la construcción del puente Franklin, en Pennsylvania, con otros indígenas especialistas en el trabajo del acero (*ironworkers*). Había transitado libremente desde su comunidad en Lawrence River (Canadá) en varias ocasiones, pero en 1924 las autoridades lo detuvieron y le exigieron el pasaporte, al no tener la documentación lo deportaron.

Volvió a ingresar y se le acusó de extranjero sin documentación y de ser una carga para la sociedad. Ante la deportación inminente Diabo apeló, fue a juicio y planteó su defensa con el apoyo de fondos de su comunidad, que contrató a un abogado de origen italiano, especialista en temas de migración. El argumento que esgrimieron fue que tenían derecho, según el tratado Jay de 1794, a cruzar la frontera (entre Canadá y Estados Unidos) sin interferencia ni restricción (Reid, 2007).

La decisión del juez Dickinson es contundente y dice textualmente que para los indios iroqueses "la frontera no existe", debido a un tratado de límites con Canadá que pone a salvo los derechos de las comunidades que tienen territorios en ambos países. La decisión judicial fue un detonador que sentó precedentes para el caso de otras comunidades o territorios indios que tenían espacios compartidos y que pueden circular sin obstáculo.

El caso Diabo no discute el tema de la nacionalidad o la ciudadanía, pero pone límites a la soberanía nacional, a la manera en que se conceptualiza la frontera y a las autoridades migratorias, además reivindica el derecho ancestral de los pueblos a sus territorios más allá de las fronteras nacionales que son una imposición posterior, de los Estados nacionales, sobre derechos ancestrales adquiridos y ejercidos. En realidad el caso Diabo pone en evidencia la doble nacionalidad *de facto*, el libre tránsito en situaciones de vecindad y los arreglos especiales en contextos coloniales y poscoloniales.

El cuarto caso es similar al de la frontera con Canadá pero sucede en la frontera con México. Se trata de la comunidad indígena kickapoo, originaria de los Grandes Lagos, y posteriormente asentada en Oklahoma y Texas, la cual fue afectada por la expansión de los colonos norteamericanos en sus territorios y por la presión del ejército norteamericano en lucha permanente con las tribus indias.

En ese contexto, una delegación de indios kickapoo visitó México y llegó a un acuerdo con el presidente Juárez en 1859, que les concedió 3 510 hectáreas en el lugar conocido como Nacimiento, en el estado de Coahuila, actualmente municipio de Musquiz. El arreglo consistía en la concesión de tierras y ciudadanía con el encargo y compromiso de frenar las incursiones de apaches que asolaban la frontera norte. De hecho, los kickapoo se asentaban en un amplio territorio y tenían concesiones de tierras desde tiempos coloniales, en lo que fuera territorio español, luego mexicano y finalmente norteamericano. Luego, con la reforma agraria, el presidente Cárdenas les concedió ejidos y amplió la extensión de su territorio a 7 000 hectáreas (Fabila, 1945).

Por otra parte los kickappo tenían ya un acuerdo firmado con las autoridades norteamericanas en el que se les permitía el cruce de la frontera entre México y Estados Unidos en el lugar conocido como Eagle Pass. Los indios kickapoo residentes en México eran en la práctica binacionales y podían cruzar libremente la frontera, pero no lo hacían precisamente por el puente, que era el cruce fronterizo oficial, sino por el río, donde incluso tenían algunas viviendas que utilizaban temporalmente. En ese sentido la comunidad kickapoo, como muchas otras de la frontera entre México y Estados Unidos, podrían considerarse binacionales.

Después de varios juicios y reclamos la comunidad kickapoo logró el reconocimiento legal en el estado de Texas en 1983, como consecuencia se le otorgaron territorios para su reserva. Como era de esperarse, diez años después, pudieron abrir el Kickapoo Eagle Casino, único en esa región.

En este caso es preciso señalar que la comunidad kickapoo nacida en México se mantuvo en contacto con las tribus asentadas en Oklahoma y siempre conservó su condición de comunidad transnacional, término que se usa en sentido estricto y no referido al enfoque transnacionalista. Por lo tanto mantiene derechos y propiedades en ambos lados de la frontera y reclama un reconocimiento, nacionalidad y ciudadanía en ambos países. A diferencia del caso iroqués, en este caso se reconocía en la práctica la doble nacionalidad y ciudadanía *de facto*.

Un caso similar pero en dirección contraria es el de los indios yaquis del estado de Sonora, que entraron en guerra con el gobierno central durante la administración de Porfirio Díaz (1870-1880). En su lucha contra el Supremo Gobierno, los yaquis defendieron sus tierras y se opusieron a los terratenientes y al proceso conocido como "desamortización" de tierras improductivas. Durante la guerra, la frontera con Estados Unidos sirvió de refugio y fuente de abastecimiento de armas. Al igual que los indios pimas, ópatas y mayos, los yaquis se mueven libremente por la frontera entre México y Estados Unidos. Finalmente, cuando perdieron la guerra y para huir de la deportación a las haciendas henequeneras de Yucatán, muchos yaquis se asentaron en Nogales y Phoenix, Arizona, donde también había ido a parar la Santa de Cabora, taumaturga sonorense que se vio envuelta en el conflicto de Tomóchic, considerada protectora de los indios (Frías, 1968; Vanderwood, 1998). Finalmente, un grupo de yaquis se asentó en Phoenix, Arizona, en el poblado de Guadalupe, condado de Maricopa, donde obtuvieron reconocimiento como grupo indígena norteamericano. Por el contrario, los yaquis de Estados Unidos, al igual que las tribus pimas y ópatas, no tienen reconocimiento del gobierno mexicano.

La Enmienda 14: *birth right* o *ius soli*

La Enmienda 14 de la Constitución de Estados Unidos (1866) dice: "Todas las personas nacidas o naturalizadas en los Estados Unidos y sujetas a su jurisdicción, son ciudadanas de los Estados Unidos y del estado en que residen";[2] fue la consecuencia final de una larga y cruenta guerra secesionista entre esclavistas y abolicionistas. En otras palabras, se logró imponer un principio fundamental: que la ascendencia o el origen no debe decidir el destino de una persona. Aún más, pone en el mismo nivel a los ciudadanos por nacimiento y a los naturalizados, no establece distinciones entre ellos y

---

[2] "All persons born or naturalized in the United States and subject to the jurisdiction thereof, are citizens of the United States and the State wherein they reside"

sólo se les limita, por otras disposiciones legales, el acceso a la presidencia del país. Se trata de una proposición inclusiva en todo el sentido de la palabra, pero que recientemente ha sido cuestionada.

No obstante, la Enmienda 14 resultaba ambigua para varios casos específicos, en primer lugar el de los hijos de inmigrantes asiáticos que por la ley racial de exclusión no podían naturalizarse, situación que finalmente se arregló en 1952; en segundo término está el caso paradójico de los indios americanos, que no "estaban sujetos a la jurisdicción", a los cuales sólo en 1924 se les concedió la nacionalidad sin restricciones; por último está el caso de los puertorriqueños y los guameños, cuya nacionalidad se otorga por residencia y no por *ius soli* (Spiro, 2008). Todos estos casos fueron solucionados de manera inclusiva; sin embargo, actualmente podríamos plantear que los inmigrantes "ilegales" se encuentran en la misma situación.

Es la postura del senador David Vitter (R-LA) y del senador Rand Paul (R-KY) quienes afirmaron en 2011 que el derecho a la ciudadanía por nacimiento en Estados Unidos, que ha regido a lo largo de siglo y medio, tiene una redacción ambigua y debe reformarse, por lo cual propusieron derogar la Enmienda 14 y realizar ciertas restricciones (S.723). Su objetivo es negar la ciudadanía a toda persona nacida en Estados Unidos "a menos que uno de los padres sea ciudadano, inmigrante legal, miembro activo de las fuerzas armadas o ciudadano naturalizado". Una propuesta similar la hizo Steve King (R-Iowa). Su argumento se basa en un estudio del Center for Immigration Studies (CIS) un *think tank* de ultraderecha que se especializa en cabildear en contra de los inmigrantes y cualquier tipo de reforma migratoria: "According to a recent study from the Center for Immigration Studies, 200 000 children are born each year to non-immigrant visitors to the United States" (Center of Inmigration Studies; *America's Voice*, 2011).

El argumento para derogar la Enmienda 14 se centra en el análisis de la frase "subject to the jurisdiction thereof", que se dice es redundante, porque todos los ciudadanos están sujetos a la jurisdicción de las leyes. La interpretación oficial al respecto se refiere al caso de los hijos de diplomáticos que no están sujetos a las leyes nacionales y no pueden obtener la nacionalidad por nacimiento, otros opinan que éste también sería el caso de los nacidos de padres "ilegales" que no están sujetos a la jurisdicción, lo que ciertamente es discutible, o aquellos que están de viaje, de visita y se consideran "en tránsito". Para complicar más el asunto; éste sería el caso de las tribus americanas, que están sujetas a su propia jurisdicción (Feere, 2010). Al respecto hay una larguísima discusión jurídica.

La propuesta de enmienda constitucional presentada por el senador Vitter (R-LA) (SJ Res.2) no tuvo mayor eco; al respecto, el jefe de la mayoría del Senado respondió: "Estoy descorazonado cuando senadores que juran defender la Constitución de un momento a otro quieren volver a escribirla, para obtener beneficios políticos. La Constitución es clara: si has nacido en territorio de Estados Unidos eres americano. Los tribunales han reafirmado en repetidas ocasiones la Enmienda 14 porque son los únicos criterios objetivos y no políticos para determinar la ciudadanía" (Feere, 2010).

En efecto, la propuesta de reforma constitucional, en la actualidad, responde a un planteamiento político del *Tea Party* que utiliza el tema migratorio y el argumento de la "ilegalidad" como bandera de lucha político-electoral y que detrás esconde posiciones racistas, nativistas, supremacistas y xenófobas.

Estas posiciones son el resultado de dos décadas de acciones de control fronterizo y una campaña antiinmigrante y antimexicana que, paradójicamente marca su inicio con la Operación Bloqueo (1993), que puso en práctica el jefe de la Border Patrol de El Paso, Texas, Silvestre Reyes, nacido en Canutillo, Texas, que luego el partido demócrata catapultó a la cámara de representantes. El siguiente paso lo dio Pete Wilson, quien lanzó la campaña SOS (Save Our State) y la Proposition 187 y logró la reelección en el estado de California, luego de haber ido atrás en las encuestas. Y tantos otros que aprovecharon el tema migratorio como argumento electoral, como el representante de Colorado Tom Tancredo y la promotora de la Ley Arizona (SB 1070) Jan Brewer, entre muchos otros (Massey, Pren y Durand, 2009; Durand, 2013).

Sin embargo, no se les puede achacar la idea y la práctica de proponer la reforma constitucional sólo a los republicanos. En 1993 el senador demócrata Harry Reid (D-Nev) propuso limitar la ciudadanía a los hijos de migrantes "ilegales"; luego, en 2009, el representante Nathan Deal (R-GA) propuso lo mismo y encontró en la cámara de representantes bastante respaldo en votos (Feere, 2010).

Al parecer, el camino de la reforma constitucional a la Enmienda 14 resulta muy controvertido, de ahí que el senador Vitter haya vuelto a la carga con una nueva táctica, al afirmar que se puede lograr lo mismo modificando las leyes migratorias, sin tener que cambiar la Constitución, propuesta que también apoya el *think tank* del Center for Immigration Studies (Feere, 2010). Sin embargo, vale la pena recordar que la Enmienda 14 se refiere directamente a los migrantes al incluirlos en el mismo plano de acceso a la ciudadanía, no sólo a los nacidos en el territorio, sino a los naturalizados, es decir los inmigrantes que luego adquieren, por opción u otra medida legalmente estipulada, la nacionalidad.

El contexto y tres argumentos: ilegalidad, natalidad y turismo

El discurso antiinmigrante empezó a figurar en las portadas de los principales diarios y revistas del país durante la década de 1970. Leo Chávez (2001) había señalado esta tendencia en su libro *Covering Immigration*, lo que corrobora Massey (2011) de manera estadística al señalar que en los setenta sólo se registraron 18 portadas de tipo nativista y antiinmigrante, en los ochenta fueron 37 y en los noventa 45. La progresión se nota también en el lenguaje, en los ochenta la portada de *US News* bromea así: *English Spoken Here. Our big cities go Ethnic* (1983) y una del *Time* advierte de esta forma: *Los Angeles. America's Uneasy New Melting Pot* (1983). Mientas que en los noventa *American Heritage* se plantea abiertamente la expulsión cuando en la portada figura la Estatua de la Libertad señalado con el dedo y diciendo: *Go Back Where You Came From* (1994) (Chávez, 2001).

En efecto, el discurso nativista y antiinmigrante se vio refrendado por una verdadera avalancha de leyes en contra de los migrantes irregulares. Los legisladores que se vieron favorecidos, después de una campaña electoral antiinmigrante, tenían la obligación de proponer medidas restrictivas. Una investigación realizada por Douglas Massey, Pred y Durand (2009) ponen en evidencia el incremento notable de propuestas de ley antiinmigrantes entre 2005 y 2009.

El notable incremento de propuestas de ley pone de manifiesto la histeria antiinmigrante que se desató en muchos estados de la Unión Americana, muy especialmente aquellos que se habían convertido en lo que en el medio académico se conoce como "nuevos lugares de destino": Arizona, Carolina del Norte, Florida, Georgia, Utah y Nevada (Durand y Massey, 2005). Si bien no todas las leyes se aprobaban, también se nota un incremento notable de ratificaciones a medida que pasan los años. En muchos casos el argumento para desechar una ley era de tipo constitucional, dado que es función del ejecutivo federal controlar la inmigración.

El efecto dominó de sucesivas propuestas de leyes antiinmigrantes y candidaturas políticas al Congreso y las gubernaturas llegó a su máximo

CUADRO VII.1. Propuestas de ley antiinmigrantes y número de aprobadas, 2005-2009

Año	Propuesta de ley	Aprobadas
2005	300	36
2006	570	84
2007	1404	170
2008	1305	206
2009	1405	259

Fuente: Massey, Pred y Durand, 2009.

con la llamada Ley Arizona SB 1070, que catapultó a la gubernatura a la republicana Jan Brewer y propició a su vez otras leyes similares en Alabama, Carolina del Norte y Utah. En ese contexto se dieron una serie de propuestas para reformar la Enmienda 14.

El argumento principal que se esgrime es que se otorga la nacionalidad a los hijos de migrantes "ilegales". Al respecto es pertinente mencionar que la reforma migratoria de 1996, Illegal Immigration Reform and Immigrant Responsibility Act (IIRAIRA) firmada por el presidente Clinton (1993-2001), marca el tono antiinmigrante de la reforma desde la primera letra del acrónimo, la I de *ilegal* que encabeza el título y que retoma los puntos fundamentales de la Propuesta 187 promovida por el republicano de California Pete Wilson en 1994. Como señala Nevens (2002), el lenguaje en el discurso oficial refleja lo que realmente se piensa, en ese sentido la palabra *ilegal* es una categoría discursiva que manifiesta el sentimiento de amenaza a la nación, a la sociedad. No es de extrañar que a partir de esta ley se diera pie a una serie de leyes antiinmigrantes en los estados (Massey, Pren y Durand, 2009). Como dice Leo Chavez (2008), la guerra antiinmigrante no sólo es de palabras, ha pasado a implementarse en políticas públicas y reformar la Enmienda 14 bien podría ser el objetivo final.

Pero también se aduce, en segundo término, que la magnitud del fenómeno migratorio irregular es relevante y se concentra principalmente en los estados fronterizos. Según Feere (2010) sólo en Texas entre 2001 y 2009 nacieron 542 152 niños de madres "ilegales". Una cifra dudosa porque en Estados Unidos no se exige ni se registra la documentación migratoria de los padres para inscribir a sus hijos en el registro civil. Pero más allá del manejo de las cifras por parte del CIS, el argumento de la ilegalidad aplica a los padres, pero no necesariamente a los hijos. Esgrimir ese argumento sería semejante al que se empleaba en el caso de la esclavitud, donde los hijos heredaban la condición de sus padres.

Pero no sólo se trata de inmigrantes, sino de madres latinas cuya sexualidad, se dice, está "fuera de control" y resulta ser una amenaza. El argumento ya estaba planteado en la Proposición 187, que pretendía negar el acceso al cuidado prenatal a madres en situación irregular. Al respecto una de sus promotoras afirmaba: "Vienen aquí, tienen hijos y, después de eso, se vuelven ciudadanas y todos esos niños usan servicios sociales" (Chávez, 2008: 72).

La narrativa antiinmigrante afirma que los latinos tienen en promedio un hijo más que los blancos, por lo tanto constituyen una verdadera explosión demográfica y un peligro para la sociedad, la cultura y los valores norteamericanos. El mismo argumento se ha utilizado, con cada ola migratoria que ha arribado a tierras americanas, sean éstos polacos, judíos, irlandeses, chinos, italianos, filipinos o mexicanos. Según Huntington (2004: 16) "la mayoría de los grupos inmigrantes tienen tasas de fertilidad superiores a las de los habitantes nativos, por lo que el impacto de la inmigración se deja sentir especialmente en las escuelas".

Pero el asunto va más allá, los argumentos viscerales y xenófobos se apoyan en estadísticas analizadas por profesionales que parecen confirmar, con datos duros y científicos, la actual amenaza latina. Para Huntington (2004: 17):

> las anteriores oleadas de inmigrantes como hemos visto decrecieron con el tiempo y las proporciones de personas procedentes de países concretos fluctuaron ostensiblemente. Por el momento, sin embargo, la actual oleada no muestra signo alguno de remitir y es probable que las condiciones que originaron que un gran componente de dicha oleada sea mexicano persistan en ausencia de una guerra o recesión.

En efecto, durante más de un siglo la demanda de mano de obra mexicana por parte del mercado de trabajo estadounidense no ha dejado de crecer, lo que confirma la hipótesis de Huntington, no así su vaticinio de que una guerra reduzca la inmigración: en el caso mexicano las dos grandes guerras fueron el principal factor de incremento de la mano de obra (Durand, 2004). Finalmente, a partir de 2005, la migración mexicana y latina ha dejado de crecer significativamente.

En efecto, mientras en las décadas que van de 1970 a 2000 el flujo migratorio mexicano se duplicaba cada diez años, entre 2000 y 2010 el

CUADRO VII.2. Población mexicana total radicada en Estados Unidos por décadas

Año	1960	1970	1980	1990	2000	2010
Total	575 902	759 711	2 199 221	4 298 014	9 177 487	11 746 539

Fuente de 1960 a 1970: http://www.census.gov/population/www/documentation/twps0029/tab03.html
Fuente 2000: http://www.census.gov/population/www/documentation/twps0081/twps0081.pdf
Fuente 2010: http://www.pewhispanic.org/files/2012/02/PHC-2010-FB-Profile-Final_APR-3.pdf

ritmo se redujo a una quinta parte de lo que había sido en la década anterior (22%). Lo mismo ha sucedido en el caso de otros países latinoamericanos tradicionalmente expulsores como Perú, Ecuador, Colombia, República Dominicana y El Salvador. La única excepción es el caso de Honduras, que ha sido el último en incorporarse a la dinámica migratoria, a partir de la catástrofe ambiental del huracán Mitch (1998).

En efecto, la población latina creció fundamentalmente por el flujo migratorio, pero no necesariamente al mismo ritmo por crecimiento natural, aunque se diga y afirme lo contrario. Emilio Parrado (2011) señala serios errores de interpretación en las conclusiones y el análisis de las estadísticas de fertilidad de los latinos. Según el autor, no se consideran varios sesgos y se manejan mal las temporalidades (que es clave en este tipo de análisis), lo que termina por exagerar los índices de fertilidad de los latinos, cuando en realidad se acercan "al nivel de reemplazo". A la misma conclusión llega la investigación de Chávez (2008), quien señala una media de 1.91 hijos para los inmigrantes latinos en general (entre 18 y 44 años) y de 1.63 hijos para las mujeres blancas. Hay cierta diferencia, pero no se acerca nada a lo que popularmente se afirma en la prensa de manera habitual y se considera *vox populi*.

El tercer argumento esgrimido por nativistas y antiinmigrantes en contra del *ius soli* es el del turismo natal o *birth tourism* que practican personas pudientes que llegan en jet particular y se van en limusina al hospital o, de manera mucho más modesta, sectores populares y medios que aprovechan las ventajas de vivir en la frontera. Se aduce, como argumento adicional, que esos niños, que tienen el "regalo de la ciudadanía" únicamente por haber nacido en suelo estadounidense podrían, eventualmente, traer a sus padres y hermanos una vez que hayan cumplido los 21 años y tengan derecho a solicitarlos como parte de un proceso de reunificación familiar.

Esta disposición legal de los 21 años precisamente trata de fijar fuertes límites al turismo natal: son muchos años, a lo que habría que sumar dos o tres de trámites y serían realmente muy pocos los que podrían cumplir con las expectativas previstas con tanta anticipación. Lo que no deja de llamar la atención es que esta disposición atenta de manera directa contra los derechos del niño, que necesita precisamente el apoyo de sus padres y de la legalización de éstos durante la niñez, no cuando es adulto. La importación de padres de familia, por hijos a los 21 años, implica traer adultos y adultos mayores, lo que presumiblemente no beneficia para nada al país de destino.

En otros casos se argumenta, a nivel periodístico, que algunos chinos planifican su estrategia a largo plazo para asegurar la educación futura de su hijo, que puede resultar muy cara por ser extranjero, y de este modo les reditúa la inversión anticipada (Feere, 2010). No obstante, las referencias a estos temas en el reporte del CIS son básicamente artículos periodísticos, posiblemente ciertos, pero que en realidad se trata de casos aislados.

Los datos e informes que ofrece el CIS, dirigido por Mark Krikorian, de corte marcadamente restriccionista, son muy citados por ciertos políticos republicanos. Muchos de sus reportes tienen cierto barniz académico:

> Algunos observadores han comenzado a centrarse en el hecho de que, con cierta frecuencia, mujeres embarazadas cruzan la frontera de manera ilegal con la intención específica de dar a luz a sus hijos en Estados Unidos, ganando así para los niños el regalo de la ciudadanía y, finalmente, ser un punto de apoyo legal para los padres y sus hermanos, una vez que el niño tenga la edad suficiente (21 años de edad) para presentar una petición que les otorgue la residencia (Feere, 2010).

En realidad es casi imposible que hoy en día una mujer cruce de manera "ilegal" la frontera estando embarazada para dar a luz en Estados Unidos, el riesgo y el costo son muy altos. Lo que sí sucede en la práctica, son casos de mujeres con documentos que viven en la frontera, trabajan en Estados Unidos y que prefieren dar a luz en Estados Unidos, para tener una mejor atención o que sus hijos tengan doble nacionalidad. En este sentido, se ha acuñado el término de *anchor baby* o bebé ancla, que según algunos autores y el discurso antiinmigrante imperante, a largo plazo pudiera redituar ciertos beneficios al sujeto o a sus familiares (Stock, 2012).

En realidad esto forma parte de un proceso mucho más amplio en el que la apertura o tolerancia de muchos países, aproximadamente 50 por ciento, hacia la aceptación de múltiples nacionalidades permite desarrollar estrategias a largo plazo, que pueden beneficiar al sujeto y eventualmente a sus familiares, cuando se abre la posibilidad legal de la reunificación familiar (Honohan, 2010). En ese sentido, hay países como Estados Unidos que priorizan la reunificación familiar, no sólo de padres e hijos, sino también de hermanos, lo que amplía quizá demasiado el espectro. Éste es un asunto que se discute en la actualidad debido a los cambios en los tipos de familia, donde la cercanía o necesidad de los hermanos es mucho menor y no se justificaría esta modalidad de reunificación familiar (Massey, Pred y Durand, 2009). En muchos casos se hace la solicitud y diez años después han cambiado totalmente las condiciones de las familias en los países de origen y la posibilidad de acceder a una visa es más un problema a resolver que una magnífica oportunidad.

Por otra parte, algunos analistas consideran que un cambio en la política del *ius soli* en Estados Unidos acarrearía una serie de consecuencias negativas: se perdería la situación actual del país que crece poblacionalmente y se estima que se provocaría una pérdida de población de entre cinco y 13 millones para el año 2050, lo que significaría mayor envejecimiento y necesidad de importar mano de obra en el futuro; por otra parte se incrementaría el número de indocumentados, de niños y jóvenes nacidos en el país en una situación de extrema vulnerabilidad; se desarrollaría un mercado negro de trabajo y la economía informal de personas socializadas en el medio, pero sin documentos. También se considera que habría una reducción en la captación de impuestos de gente joven, que es vital para los programas de seguridad social; otra consecuencia lógica es que se reforzaría una política de más gobierno y más burocracia con los costos que esto supone; también significaría mayores costos para los ciudadanos que tendrían que demostrar legalmente su identidad; finalmente todo esto llevaría a imponer un sistema nacional de identidad rechazado por muchos y considerado una intromisión del Estado en la vida personal de los ciudadanos (Stock, 2012; Spiro, 2008).

Al parecer, el camino emprendido de cambiar la Constitución y en especial la Enmienda 14 ha demostrado ser demasiado complicado y es un tema muy sensible al estar directamente relacionado con la guerra civil y el fin de la esclavitud. Más aún, las tensiones por motivos raciales que todavía persisten en Estados Unidos ya no se encuadran entre el norte y el sur, sino entre las costas Atlántica y Pacífica, los Grandes Lagos y los estados que quedan en el centro y sur de este gran arco que se manifiesta mucho más inclinado a asumir posiciones liberales.

Al percibirse que el camino de la reforma constitucional está prácticamente cerrado, algunos connotados juristas argumentan que se puede solucionar el "problema" sin cambiar la Constitución y reformular la Enmienda 14, que se trata finalmente de un asunto migratorio (Feere, 2010).

Tendencia global sobre reformar el *ius soli*

Si bien el principio del *ius soli* tiene un origen marcadamente europeo, primero en el contexto del sistema legal inglés, ligado al modelo monárquico y a la dependencia de los "súbditos" al rey y luego en la Francia revolucionaria, que le otorga derechos al ciudadano, es en Europa donde se ha empezado a modificar y adecuar el criterio para responder a demandas nacionalistas en contra de contingentes de migrantes y su descendencia que puede acceder fácilmente a la ciudadanía.

En la actualidad se constata un contraste muy marcado sobre la utilización del criterio del *ius soli* entre la Europa ampliada (33 países considerados en el estudio de Honohan, 2010) y las Américas. En 14 países de Europa no se aplica el criterio del *ius soli* y en 19 sólo se aplica de manera condicionada o restrictiva, en ningún caso se da el llamado *ius soli puro* que otorga el derecho a la nacionalidad por el simple hecho del nacimiento en el territorio nacional, todos los países tienen restricciones de algún tipo, sea por temporalidad, residencia, parentesco u otro requisito (Honohan, 2010).

Por el contrario en las Américas, de Tierra del Fuego al Estrecho de Bering, en todos los países, incluidos los desarrollados (Estados Unidos y Canadá) se aplica el criterio del *ius soli*. La única excepción que confirma la regla es el caso de República Dominicana, que en 2010 cambió su legislación.

En los casos de países europeos con ausencia total de *ius soli* hay una variedad de rangos en cuanto a tamaño, antigüedad en la Unión Europea (UE), historia reciente (cuatro países ex soviéticos) y región geográfica (tres países nórdicos) y pertenencia a la UE. En este grupo se incluye a Suiza, que tiene una política muy restrictiva respecto a la nacionalidad y la migración. No obstante, en muchos de estos casos no se percibe necesariamente que el criterio para excluir el *ius soli* de su aparato legal haya sido la migración.

Por el contrario, en la mayoría de los casos del segundo grupo que considera alguna variante de *ius soli* (19 países), el criterio para adecuar su legislación puede tener conexión directa con el factor de la inmigración y la presencia de importantes contingentes de migrantes (Honohan, 2010). El caso alemán es quizá el más paradigmático por su larga historia de excluir el principio del *ius soli* en su legislación y finalmente tener que aceptar ciertas modalidades de acceso a la ciudadanía por nacimiento y tiempo de residencia, entre otros requisitos.

En 1973 había en Alemania 14 millones de trabajadores huéspedes y cerca de tres millones se quedaron a vivir en el país de manera definitiva, pero sus hijos y nietos no tenían derecho a la nacionalidad. Tres reformas consecutivas (1990, 1993, 1999) finalmente concedieron de manera indirecta el *ius soli*: "los hijos de extranjeros que hayan residido ocho años legalmente recibirán automáticamente la ciudadanía". De este modo se pasa de una concepción etno-genealógica a una cívico territorial, en donde el nacimiento, la permanencia y la socialización en el territorio (lengua y cultura) son principios básicos para otorgar la nacionalidad. El principio absoluto de la descendencia se convirtió en obsoleto y disfuncional (Anil, 2003). No fue así en otros países donde todavía rige el criterio absoluto del *ius sanguinis*, pero que no tienen flujos migratorios relevantes que pongan en cuestión el acceso a la ciudadanía.

No obstante, las reformas que se han dado en Alemania no operan en un marco de multiculturalidad. En ese sentido la nacionalidad es un factor necesario pero no suficiente para lograr la integración, que sigue siendo un problema serio a resolver. Es el mismo caso de Estados Unidos donde la Enmienda 14 elimina la esclavitud, si bien eso no soluciona el problema del racismo y la discriminación, que ha tomado casi siglo y medio moderar y que empieza a considerarse "políticamente incorrecto". Como quiera, en Alemania hay avances en otros campos, como la concesión de ciertos derechos políticos a los extranjeros, y la facilitación de los acuerdos de integración de la comunidad europea y los acuerdos de Maastricht (Anil, 2003).

De cualquier forma, hay a sectores que se oponen a la integración de todos los europeos, especialmente de los recién ingresados y que reniegan de las ventajas de la libre circulación. El argumento de que los extranjeros vienen a aprovecharse de las ventajas y las ayudas sociales sigue vigente en muchos países, como Alemania, Holanda, Francia, Reino Unido, etcétera.

En Alemania los democristianos bávaros se oponen frontalmente a que búlgaros y rumanos tengan acceso a la seguridad social (*El País*, 2014). Sin embargo, la información estadística dice que la media de edad en

2013 era de 44 años y que se requiere de manera urgente mano de obra joven y migrante (*Le Nouvelle Observateur*, 2013).

Según el estudio de Honohan (2010) de los 33 países europeos estudiados, sólo 14 aceptan la doble nacionalidad. No obstante, en estos casos también hay variantes y una casuística muy amplia. Más allá de la legislación y las restricciones impuestas, es prácticamente imposible controlar y aplicar el principio de la nacionalidad única, dado que muchos países han empezado a legislar en el sentido de que la nacionalidad es irrenunciable. Al no poder renunciar a la nacionalidad de origen, los que optan por adquirir otra nacionalidad pueden renunciar formalmente e incluso se les puede retirar el pasaporte, pero no sirve de nada, en la práctica se puede sacar otro pasaporte y nadie lo impide. En el caso de México, por ejemplo, se retiraba el pasaporte a los naturalizados y se enviaba la información al país de origen, pero al cambiar la legislación en 1999 y aceptarse la doble nacionalidad, o como se dice formalmente en la ley "no pérdida de la nacionalidad mexicana independientemente de que se adopte otra nacionalidad o ciudadanía" ya no resultaba coherente ni conducente retirar el pasaporte, si bien en este caso existen limitaciones y penalidades al uso de pasaporte extranjero en territorio mexicano.

Pero precisamente el cambio de muchos países receptores de migrantes, sobre todo europeos, de eliminar o limitar el criterio de *ius soli* y privilegiar el del *ius sanguinis*, ha propiciado y fomentado las dobles nacionalidades y los procesos de recuperación y opción de la nacionalidad por derecho de sangre (Mateos y Durand, 2012). Un caso más donde se constatan las "consecuencias no anticipadas" y los resultados son contrarios a las pretensiones u objetivos de determinadas políticas públicas que se sujetan indefectiblemente a encuadres sociales.

Tratar de modelar y cambiar los principios básicos del concepto y la lógica en la que se sustenta la adscripción al Estado-nación y la nacionalidad, para inhibir o controlar procesos migratorios, puede tener implicaciones que van mucho más allá de los supuestos que se pretendían corregir. Por ejemplo, los peruanos tienen limitaciones serias para obtener visa para ingresar a Europa, sin embargo, éste no es el caso de sus vecinos argentinos o chilenos, por lo que aquellos que tienen la posibilidad de adquirir otra nacionalidad por la vía de la residencia o el *ius sanguinis*, la tramitan, no con el criterio de vivir o trabajar en Argentina o Chile, sino con el fin de viajar a Europa sin el requisito de visa. Algunos coreanos, por ejemplo, suelen ir a Paraguay, donde han formado una importante colonia, país en el cual con dos años de residencia pueden obtener la nacionalidad, pero para algunos el objetivo no es quedarse en Paraguay sino ir a Estados Unidos, para ello se acogen como paraguayos al sistema de visas estadounidenses que tiene cuotas por país y que generalmente no son muy demandadas por los paraguayos, lo que incrementa notablemente las posibilidades de obtenerla. A esto le hemos llamado en otro trabajo la "migración a tres bandas" (Durand, 2011). Estos ejemplos son puntuales, estadísticamente no significan nada, pero muestran cómo la apertura hacia la aceptación de varias nacionalidades y los diferentes caminos de acceso a la nacionalidad ofrecen distintas oportunidades y alternativas a aquellos que tienen doble o triple nacionalidad.

En efecto, las restricciones a la circulación migratoria en los países centrales han provocado que se busquen alternativas que hace unas décadas ni siquiera podían ser pensadas o imaginadas, como en el caso de los argentinos, que buscan la posibilidad de obtener una doble nacionalidad masivamente, dado que pertenecen a un país de inmigrantes, muchos son la segunda o tercera generación de inmigrantes italianos, españoles o de otros países europeos. Para el año 2009 figuraban como registrados 4.2 millones de italianos en el exterior, de los cuales 704 mil estaban en Argentina, el grupo con mayor representación (Cook-Martín, 2013).

En el caso de España, la Ley de la Memoria Histórica otorgó la posibilidad de acceder a la nacionalidad española a los hijos y nietos de emigrantes —tanto exilados políticos como económicos— a cerca de medio millón de personas. En Cuba se concentró el mayor número de peticiones, cerca de 200 mil, lo que se explica por su peculiar política migratoria restrictiva, por ser el país que más tarde se independizó de la madre patria, a comienzos del siglo xx, y por recibir muchos inmigrantes españoles durante la primera mitad de ese siglo. A este mismo programa se registraron más de 100 mil personas de Argentina, una cantidad similar en México y en menor medida en Brasil, Chile y Uruguay (Izquierdo, 2011).

Por otra parte, las razones que se aducen en torno al impacto cultural y a la perdida de la identidad nacional no tienen que ver con el *ius soli*, que precisamente es lo que otorga la identidad, la identificación con los símbolos y valores patrios y el sentido de la pertenencia, aspecto que no necesariamente se logra con el derecho de sangre. No se hereda el apego al terruño, a la "matria" como diría Luis González, al lenguaje o la cultura cotidianos. La socialización y el sentido de pertenencia a un país, a una nación, se logran en la escuela, en el barrio, en el trabajo. Allí, en el suelo patrio se forjan las amistades y el compañerismo que te acompañan a lo largo de la vida, se consolidan los gustos, se arraigan las costumbres, se perfilan las preferencias culinarias; es con el tiempo y la permanencia en un lugar donde se aprende de los amores y sinsabores, de las pasiones y desilusiones cotidianas. Son las experiencias vitales y personales las que dan sentido y pertenencia a una nación, por eso muchos países que han modificado el *ius soli*, han reconocido esta realidad inobjetable y se ven obligados a otorgar la nacionalidad al tomar en consideración la residencia y el tiempo de permanencia, lo años vividos en el país y las raíces, saberes y aprendizajes que inevitablemente se profundizan con el tiempo.

Un nuevo argumento

La reforma del *ius soli* parece ser un camino difícil en algunos casos, como el de Estados Unidos, otros lo consideran insuficiente y proponen endurecerlo, como en Francia y Holanda, y finalmente en un caso se vio como necesario aceptarlo y liberalizarlo para incluir a las segundas y terceras generaciones de inmigrantes, como sucedió en Alemania. No obstante, el problema no se centra tanto en la inmigración en general, sino en la que se califica como ilegal, irregular o indocumentada. Lo que se pretende es negar el acceso a la ciudadanía, en las diversas modalidades de *ius soli*, a los hijos de inmigrantes en situación irregular.

Ese es el objetivo principal de la propuesta de reforma a la Enmienda 14 en el caso de Estados Unidos, pero dado que resulta un camino muy complicado, se buscan nuevos argumentos y uno de ellos es que los migrantes ilegales están en situación de tránsito, por lo tanto sus hijos no tendrían derecho a la nacionalidad.

Este argumento ha sido utilizado en países como Francia, Chile y República Dominicana. En Francia la Union pour un Mouvement Populaire (UMP), partido minoritario de derecha, propone negar el acceso a la nacionalidad en el caso de los "hijos de clandestinos". La propuesta surge en el contexto de la deportación de una familia de gitanos a Kosovo, que había pedido asilo en tres oportunidades, uno de los hijos había nacido en Francia y eventualmente a los 18 años tendría derecho a la nacionalidad francesa (*El País*, 2013).

En el caso de Chile se utilizó en 2007 el argumento del "tránsito" al negársele la inscripción a Valentina Alcántara, nacida en Chile e hija de una artesana inmigrante de origen peruano. El funcionario la inscribió como "hija de extranjera transeúnte", negándole el acceso constitucional al *ius soli*. El asunto llegó a los juzgados con el recurso 6073/2009 donde se cuestiona la resolución administrativa que priva de la nacionalidad chilena a la reclamante. Se aduce que la madre ingresó "clandestinamente" aunque en la práctica hay libre tránsito entre Perú y Chile y varios convenios al respecto. Sin embargo la discusión se centró en lo que legalmente se considera como situación de tránsito. Finalmente la corte señaló: "no obstante su desplazamiento irregular por el país en el año 2006, ella se ha mantenido en el territorio nacional precisamente con el ánimo de permanecer en él, lo que la ha llevado a detentar la calidad de residente provisoria, evento en el que no puede ser considerada como extranjera transeúnte" (Corte Suprema, Chile, recurso 6073/2009). Sin duda este tipo de resolución sienta un precedente importante en este tipo de litigios.

Este caso pone en evidencia cómo funcionarios menores toman decisiones arbitrarias sobre registro de nacionalidad cuando se constata que los padres son extranjeros. De hecho algo similar sucedió en República Dominicana y fue el detonador de un conflicto de mayores proporciones.

El caso de los menores Yean y Bosico fue llevado a la Corte Interamericana de Derechos Humanos (CIDH) en 2005 y se determinó que no se puede considerar a los trabajadores migrantes como si estuvieran en tránsito, porque la misma legislación migratoria de República Dominicana establece un plazo máximo de diez días para estos casos. Por lo tanto el niño o niña nacido en el territorio tiene derecho a la nacionalidad, porque la ilegalidad de los padres no puede heredarse, ni puede ser motivo para negar el registro. Esta decisión de la CIDH es vinculante y República Dominicana tiene que acatar el fallo, que es definitivo e inapelable (CIDH, Sentencia del 8 de septiembre de 2005).

Posteriormente, en 2010, República Dominicana se convirtió en el primer país americano en cambiar su legislación de nacionalidad y aceptar como único criterio el *ius sanguinis*, o el derecho de sangre. Es decir, a partir de que se promulga esta legislación todos los nacidos en República Dominicana de padres extranjeros no tendrán acceso a la nacionalidad.

Sin embargo, el Tribunal Constitucional, al retomar el caso de una mujer nacida en 1984 de padres haitianos, a la que la burocracia le negó el documento de nacionalidad y, en vez de legislar sobre el asunto, se fue mucho más allá y determinó que todos los hijos de extranjeros en situación irregular que hayan tenido hijos en República Dominicana serían considerados "en tránsito" y perderían el derecho a la nacionalidad, dado que se equipara esa situación de tránsito a estar irregular (Sentencia del TC 169/13). Se estima que en República Dominicana han perdido su derecho a la nacionalidad cerca de 244 mil descendientes de extranjeros, de los cuales 86 por ciento son haitianos.

Al considerar que la Constitución define a las personas en tránsito en 1929, todos aquellos hijos de extranjeros que nacieron entre 1929 y 2010 tendrán que ser sistemáticamente evaluados para determinar su nacionalidad. El caso de los haitianos es obviamente el más fácil de detectar, no sólo porque son mayoritarios, sino por los apellidos de origen francés o patois (*La Jornada*, 6 de octubre, 2013).

De trece juristas del Tribunal Constitucional once aprobaron la sentencia y sólo dos magistradas se han opuesto, argumentando que no se puede aplicar retroactivamente el criterio de nacionalidad por vía sanguínea. Igualmente han señalado que las decisiones de la CIDH son vinculantes y han dictaminado al respecto.

El caso de la reforma constitucional de 2010 en República Dominicana está directamente relacionado con el fenómeno migratorio histórico y tradicional que proviene de Haití, pero se da en una coyuntura específica como una medida preventiva después del terremoto de Haití del 12 de enero de 2010. Sin embargo, la resolución del Tribunal Constitucional 169/13 y su carácter retroactivo ponen en evidencia un serio conflicto histórico en un contexto de vecindad, pero también actitudes xenófobas, patrioteras y racistas envueltas en el manto de la legalidad, como ha sido comentado dentro y fuera del país y que se haya calificado el hecho como de "genocidio civil" (*La Jornada*, 3 de noviembre, 2013).

Conclusiones

A escala global se perciben dos grandes tendencias: el uso generalizado del criterio de *ius sanguinis* en Europa y un acceso restringido a la nacionalidad por la vía del *ius soli*, y el caso del continente americano, donde el principio general es el de *ius soli*, sin restricciones, salvo el caso reciente y excepcional de República Dominicana, que transformó su Constitución en 2010 y sólo acepta el criterio de *ius sanguinis*.

En el caso de Estados Unidos hay opiniones diversas sobre la modificación de la Enmienda 14 y el criterio del *ius soli* pero no se ha realizado ninguna acción concreta al respecto. No hay referencias de otros países americanos donde se haya puesto en cuestión la pertinencia de modificar el criterio del *ius soli*. Por el contrario, en la mayoría de países latinoamericanos se ha legislado sobre la no perdida de la nacionalidad y, por lo tanto, la posibilidad del acceso a la doble nacionalidad.

Otra tendencia clara a nivel global es la del incremento de dobles nacionalidades, como una respuesta a las restricciones de ingreso por parte de ciertos países, por lo general receptores de migrantes; como consecuencia de haberse cancelado o limitado en muchos países la opción de la nacionalidad por nacimiento y como resultado de las corrientes migratorias históricas, principalmente de origen europeo, regadas por el mundo, pero muy particularmente en América, que tiene la posibilidad de acceder a la nacionalidad por la vía del *ius sanguinis*.

Paradójicamente, los países desarrollados que ya realizaron el proceso de transición demográfica y han entrado en un franco proceso de envejecimiento son los que ponen más trabas para el ingreso de migrantes y el acceso a la nacionalidad. Hasta el momento, el único país que ha rectificado su posición y ha abierto la posibilidad a liberalizar el *ius soli* es Alemania, que era el más restrictivo de los europeos en cuanto a acceso a la nacionalidad.

También se constata una tendencia a reforzar los criterios de etnicidad por parte de los países desarrollados y receptores de migrantes, lo que lleva a priorizar el *ius sanguinis* sobre el *ius soli*, al cual se le añaden condicionamientos y requisitos. No obstante, la evidencia empírica señala que la segunda generación de migrantes suele desarraigarse fácilmente en su esfuerzo por integrarse al lugar de destino y diferenciarse de la primera generación. Sin embargo, es la tercera generación, los nietos, los que afectiva y personalmente se sienten más involucrados e interesados con el país de sus ancestros. Sin embargo las legislaciones de muchos países suelen limitar el acceso a la ciudadanía únicamente a la segunda generación.

Por último, se constata la persistencia de los mismos argumentos en contra de los migrantes, que resisten el paso del tiempo, se adaptan a nuevos contextos, se reacomodan a distintos grupos étnicos y se siguen aplicando en la actualidad. El argumento de que los migrantes son una "carga social" se ajusta en la actualidad a los reclamos de nativos que consideran afectados sus intereses por inmigrantes que llegan para "aprovecharse" de los beneficios y el sistema de seguridad social del país.

Bibliografía

Anil, M. 2003. "The New German Citizenship Law and Its Impact on German Demographics: Research Notes". *Population Research and Policy Review*, 25 (5-6), Fulbright Papers. pp. 443-463.

Chávez, L. 2001. *Covering Immigration. Popular Images and the Politics of the Nation*. Berkeley: California University Press.

_____. 2008. *The Latino Threat*. California: Stanford University Press.

Congreso Estatal de California. 1879. febrero. *Memorial presentado al Congreso Estatal en California*.

Cook-Martín, D. 2013. *The Scramble for Citizens*. California: Stanford University Press.

Durand, J. 2004. Ensayo teórico sobre la migración de retorno. El principio del rendimiento decreciente. *Cuadernos Geográficos*, 35, pp.103-116.

_____. 2011. "Ethnic Capital and Relay Migration: New and Old Migratory Patterns in Latin America". *Migraciones Internacionales*, 6 (1), junio. pp. 61-96.

_____. 2013. "Nueva fase migratoria". *Papeles de población*. México: Universidad del Estado de México.

Durand, J. y D.S. Massey. 2005. "The New Geography of Mexican Immigration" (con D.S. Massey y C. Capofello), en V. Zúñiga y R. Hernández-León (eds.), *New Destinations. Mexican Immigration in the United States*. Nueva York: Russell Sage Foundation, pp. 1-20.

El País. 2013. octubre 22. "La derecha francesa clama por un endurecimiento de la ley de ciudadanía", Miguel Mora y Lucía Abellán.

_____. 2014. enero 2. "La política de inmigración desata una polémica en el gobierno alemán", Enrique Müller.

Fabila, A. 1945. *La tribu kikapoo de Coahuila*. México: SEP.

Feere, J. 2010. "Birthright Citizenship in the United States. A Global Comparison". Report, Backgrounder. Washington: Center for Migration Studies.

Feldmann, B. 2011. "The Impact of Repealing Birthright Citizenship", *America's Voice*. Disponible en: http://americasvoice.org/blog/the_impact_of_repealing_birthright_citizenship/

Frías, H. 1968. *Tomóchic*. México: Porrúa.

Honohan, I. 2010. *The Theory and Politics of Ius Soli*. Florencia: EUDO Citizenship Observatory. Disponible en: http://eudo-citizenship.eu/docs/IusSoli.pdf

Huntington, S. 2004. "El desafío hispano". *Letras Libres*, abril. pp. 12-20.

Izquierdo, A. (ed.). 2011. *La migración de la memoria histórica*. Barcelona: Ediciones Bellaterra.

La Jornada. 2013. octubre 6. "Racismo y migración", Jorge Durand.

La Jornada. 2013. noviembre 3. "Genocidio civil", Jorge Durand.

Le Nouvelle Observateur. 2013.

Massey, D.S. 2011. "Epilogue: The Past and Future of Mexico-U.S. Migration", en M. Overmeyer-Velazquez (ed.). *Beyond the Border: The History of Mexico-U.S. Migration*. Nueva York: Oxford University Press.

Massey, D., K. Pred y J. Durand. 2009. "Nuevos escenarios de la migración México-Estados Unidos. Las consecuencas de la guerra antiimigrante". *Papeles de Población*, 15 (61), pp. 101-128.

Mateos, P. y J. Durand. 2012. "Residence vs. Ancestry in Adquisition of Spanish Citizenship: a 'Netnography' Approach". *Migraciones Internacionales*, 6 (4), julio-diciembre. pp. 9-46.

Nevens, J. 2002. *Operation Gatekeeper*. Nueva York: Routledge.

Parrado, E. 2011. "How High is Hispanic-Mexican Fertility in the United States? Immigration and Tempo Considerations". *Demography*, 48, pp. 1059-1080.

Portes, A. 2012. *Economic Sociology*. Princeton: Princeton University Press.

Reasorner, W.D. 2011. marzo. "Birthright Citizenship for the Children of Visitors: A National Security Problem in the Making?", Center of Inmigration Studies. Disponible en: http://cis.org/birthright-citizenship-for-visitors

Reid, G.F. 2007. "Illegal Alien? The Immigration Case of Mohawk Ironworker Paul K. Diabo". Sociology Faculty Publications. Paper 4. Disponible en: http://digitalcommons.sacredheart.edu/sociol_fac/4

Spiro, P. 2008. *Beyond Citizenship*. Londres: Oxford University Press.

Stock, M. 2012. marzo. "The Cost to Americans and America of Ending Birthright Citizenship". *National Foundation for American Policy Brief*.

US Supreme Court. 1889. mayo 13. Chae Chan Ping vs. United States. Decisión 130 U.S. 581 (9 S.Ct. 623, 32 L.Ed. 1068). Disponible en: http://www.law.cornell.edu/supremecourt/text/130/581

Vanderwood, P. 1998. *The Power of Good Against the Guns of Government*. California: Stanford University Press.

VIII. Migración de retorno y ciudadanía múltiple en México

Agustín Escobar*

El análisis de los cambios que se han sucedido en las leyes de nacionalidad y las capacidades de las personas para manejar múltiples nacionalidades parte de la hipótesis de que, para ciertas personas, los cambios legales han ampliado su abanico de derechos y de capacidades para manejar distintos ámbitos normativos y territorios. Este capítulo aborda justamente lo contrario: las limitaciones de las personas para manejar una o más nacionalidades. Se basa en la experiencia de investigación del autor en estudios de la migración México-Estados Unidos. Pero de manera especial, no se basa tanto en las conclusiones de otros trabajos académicos del autor, sino en veinte años de diálogo con grupos de trabajo académico-gubernamentales tanto en México como fuera del país que discutieron de manera intensa la ampliación y la limitación de derechos de las poblaciones migrantes. Esos diálogos fueron facilitados por varios proyectos estructurados para ese fin: proyectos binacionales de estudio de la migración México-Estados Unidos,[1] la comunidad transatlántica de aprendizaje (Transatlantic Learning Community o TLC), que reunió expertos de Norteamérica, Europa, Asia y África; Cooperative Efforts to Manage Emigration (CEME), los foros globales sobre migración (GMF), así como reuniones de expertos propiciadas por la Organización de las Naciones Unidas (ONU) para preparar las posiciones del diálogo (migratorio) de alto nivel de esa organización. Dado que gran parte de las interacciones fueron informales, no se cita a las personas que manifestaron las posiciones.

* Profesor e investigador, CIESAS Occidente, México.
[1] Me refiero a procesos de diálogo migratorio binacional entre expertos como los que sostuvieron la Commission for Immigration Reform y la Secretaría de Relaciones Exteriores, 1998; el *Estudio binacional sobre gestión migratoria* (Escobar y Martin, 2008), y finalmente el *Diálogo binacional sobre migrantes mexicanos en Estados Unidos y en México* (Escobar, Martin y Lowell, 2013). Agradezco el apoyo de Alicia García y Laura Pedraza en la asistencia de investigación para elaborar este artículo.

Entiendo la nacionalidad como una identidad asociada con el territorio o la sangre, identificada con un Estado-nación y ligada a derechos reconocidos por éste. No se ejerce la nacionalidad por el simple hecho de nacer en un lugar, o de tener padres que nacieron allí. El ejercicio de la nacionalidad tiene condiciones, incluso para quien tiene el documento que parece garantizarla. En otras palabras, me propongo contrastar la nacionalidad de papel o jurídica *versus* la nacionalidad que efectivamente brinda acceso a derechos; explicar por qué son distintas y describir cómo se llega a una situación de no ejercicio de la nacionalidad.

Para comprender este tema, marco dos oposiciones: la primera, entre la posesión de una nacionalidad y el ejercicio de los derechos asociados a ella. La segunda, entre quienes pueden manejar con relativa libertad varios "haces de derechos" a los cuales se accede con más de una nacionalidad, y quienes carecen de dicha posibilidad. Para llevar a cabo este análisis, expongo primero la importancia de las estructuras y los actores en la interacción de la política pública con las vidas de las personas de distintas condiciones de ciudadanía y nacionalidad. En segundo lugar, del miedo mexicano al migrante y la "nueva" agenda del Estado mexicano expresada en la ley de migración de 2011, pero que se fundamenta en cambios legales que aparecieron por primera vez, pero no se instrumentaron, desde 1998. En tercer lugar, se analiza de manera somera la ley de nacionalidad de 1998, conocida como la ley de no pérdida de nacionalidad. Por fin, usando un término mexicano-americano, se expone la situación de quienes "volvieron p'atrás", es decir, que regresaron a México con o sin hijos nacidos en Estados Unidos. Exploro, gracias a mi propio trabajo y el de los equipos en que participo, qué sucede con quienes retornan de Estados Unidos, en principio con el deseo o la necesidad de permanecer en México. El análisis de este proceso en la última sección muestra que los mexicanos por nacimiento o por descendencia que vuelven al país, a pesar de ser mexicanos o tener derecho a la nacionalidad mexicana, tienen dificultades de acceso al ejercicio de derechos. Se expone en detalle cuáles son los derechos sociales de los retornados y de sus hijos, en gran medida nacidos en Estados Unidos, y a cuáles derechos acceden o no.

Transnacionalidad, libertad y derechos

El transnacionalismo aparece por primera vez con este nombre en 1992 (Schiller, Basch y Blanc-Szanton, 1992). Fundamentalmente, afirma que existen grupos entre los cuales existe una continuidad cultural entre espacios en distintos territorios nacionales. Sin embargo, puesto que la formulación inicial se refería a puertorriqueños en Nueva York, mismos que eran ciudadanos de Estados Unidos, en su momento no se analizó de manera crítica la capacidad de distintos grupos para manejar, al mismo tiempo, haces de derechos inherentes a esos distintos territorios. Sin esta capacidad, el desarrollo del transnacionalismo es extremadamente difícil. Posteriormente, este enfoque se nutrió de trabajos que mostraban una serie de comunidades y grupos que mantenían interacciones intensas entre puntos de diversos territorios nacionales o culturales: contribuían a comunidades en México, mandaban a los hijos donde conviniera más con tal de que tuvieran una socialización correcta para ejercer derechos políticos y económicos en las dos sociedades. La densidad de intercambios basados en la movilidad y en la multiplicidad de "haces de derechos" era tal que las comunidades se habían "transterritorializado", es decir que como colectividades cubrían varios puntos en varios países, pero estaban constituidas por lazos que rebasaban a cada una.

Un caso muy conocido es el de la elección de Andrés Bermúdez, un migrante mexicano retornado que fue alcalde de un municipio zacatecano y después diputado, conocido como "el rey del tomate" porque era un empresario agrícola exitoso en Estados Unidos. En este caso, los recursos de una empresa agrícola de Estados Unidos se usaron para hacer campaña y conseguir una alcaldía y una diputación en México. A través de esta persona, puede afirmarse que no se representaba a la población de un municipio o un distrito electoral del Congreso mexicano, sino a una comunidad transnacional que —y desde este punto surgen paradojas con el enfoque— no tenía representación en ninguno de los dos países.

En este enfoque, la posesión de derechos de residencia y de más de una nacionalidad era producto de un proceso de formación histórica de comunidades transnacionales. La movilidad, los intercambios, la fluidez intercultural parecían demostrar el manejo flexible de derechos ligados a territorios de varios Estados. Indudablemente existen grupos y comunidades asentadas simultáneamente en México y en Estados Unidos que son capaces de vivir y pensar sus espacios, sus opciones y sus grupos de esta manera. Sin embargo, para la mayoría de los migrantes pobres mexicanos éste no es el caso. La historia de la migración mexicana de los últimos veinte años ha ido en el sentido contrario: el endurecimiento de la frontera, del empleo, la coordinación de los cuerpos policiacos y migratorios, la aplicación de medidas cada vez más severas contra el lavado de dinero y las expulsiones y deportaciones masivas han puesto un freno sustantivo a la transnacionalidad. Hemos pasado de pensar en comunidades que ejercen flexiblemente derechos en varios Estados nacionales, a pensar en minorías y subculturas, algunas con grandes libertades y diversidad de opciones, y otras insertas o "atrapadas" en la sociedad de destino y así crecientemente marginadas de derechos no sólo múltiples, sino incluso de los ligados a una sola nacionalidad. En otras palabras, los procesos ligados al transnacionalismo, por una parte, y aquellos que crecientemente han restringido los derechos de los migrantes, han obrado para crear condiciones que en unos casos están dominadas por las capacidades de los actores, mientras que en otros restringen estas capacidades de manera creciente.

Economía política: un enfoque de restricción de derechos

En el extremo opuesto del enfoque del transnacionalismo, en donde los actores determinan qué hacen y qué recursos nacionales o transnacionales usan, está el enfoque de la economía política. En éste existe un mercado laboral binacional de trabajadores fundamentalmente mexicanos que van a Estados Unidos y cuya condición legal y de derechos se mantiene intencionalmente en la precariedad, es decir, son intencionalmente excesivos para el sistema de cuotas migratorio de Estados Unidos y ese número excesivo es lo que hace posible que sean más explotados y expulsados cuando convenga. La premisa fundamental de este enfoque es que el conjunto institucional en nuestras sociedades se articula para favorecer las condiciones de acumulación de capital y riqueza y de explotación de la fuerza de trabajo y que las condiciones de distinto trato según raza, educación o inmigración no son externas al sistema de economía política sino endógenas: construidas y mantenidas para facilitar dicha explotación. Los derechos, por lo tanto, son limitados de entrada por este conjunto institucional.

Hay otra construcción histórica: la de las condiciones por las cuales este grupo de trabajadores, con cierta nacionalidad, termina asimilándose a la sociedad de destino pero no integrándose a ella. El concepto de "asimilación segmentada" describe una situación en la cual este grupo se convierte en uno excluido de las condiciones de movilidad y oportunidad que la sociedad de destino ha concedido a otros. Los descendientes de este grupo tampoco superan esta situación, como sostenía Jorge Bustamante desde la década de 1970. Alejandro Portes y Robert L. Bach (1985) argumentan algo similar, aunque se centran más en las diferencias entre grupos étnicos inmigrantes. Portes (1995) propone el concepto de asimilación segmentada al discutir la reproducción intergeneracional de esta condición. El fenómeno de la migración laboral México-Estados Unidos y la concentración de los mexicanos en ciertas industrias en Estados Unidos obedecía a una época de reestructuración económica en ese país, en la que las industrias que más estaban perdiendo sindicatos eran a su vez aquellas donde más crecía la contratación de inmigrantes, es decir, estaban reemplazando una fuerza de trabajo con derechos por otra fuerza de trabajo sin derechos (Escobar, 1995).

Sin embargo, estos dos enfoques son los extremos. Los actores sí pueden manejar condiciones nacionales en ciertas circunstancias, y evidentemente las estructuras también condicionan y restringen esas acciones, aunque son más o menos determinantes de las oportunidades y recursos de cada grupo social. En el caso del grupo social que analizo (los mexicanos), claramente pesa más la construcción de una situación de restricciones que la de un manejo flexible de los derechos y las identidades: atrapados en Estados Unidos y con escaso acceso a los derechos otorgados por el Estado mexicano. Su valoración de los servicios y programas en Estados Unidos normalmente es positiva en comparación con México, pero a pesar de eso se encuentran excluidos, crecientemente, de la capacidad de ejercer la mayoría de los derechos que conceden los gobiernos de distintos niveles en Estados Unidos.

Conservadurismo en Estados Unidos y restricción de derechos

El tercer punto que contribuye a explicar la erosión de los derechos nacionales y territoriales es la política (en su sentido de rejuego y negociación de fuerzas) y su impacto en la política pública, que redefine los mercados y los ámbitos de acción de los individuos. Un fenómeno cuya fuerza no se anticipaba a finales de la década de 1980 es el auge del conservadurismo electoral, reforzado y manipulado después de 2001, pero no por causa de los ataques terroristas. La agenda conservadora en Estados Unidos ha buscado restringir los derechos en general: ha puesto a disposición de los oficiales de casillas la información sobre antecedentes delictivos de las personas para excluirlas, y ha exigido la correspondencia exacta de todos los datos registrados en el padrón electoral con los presentados por el ciudadano como condición para votar.

Una parte de la agenda de restricción migratoria y de derechos de los migrantes, la inspección reforzada de seguridad en la frontera y en los sitios de trabajo, era una agenda que ya estaba ofrecida al Congreso de Estados Unidos mucho antes de los ataques terroristas. En las minutas de las audiencias del Congreso de Estados Unidos revisadas por el autor puede observarse que la mayor parte de la tecnología y las opciones de nuevos servicios y de servicios privatizados de seguridad para el Estado eran promovidas ya por empresas y consorcios de seguridad desde antes de los ataques. La agenda de estas empresas ya estaba ahí, y con los ataques del 11 de septiembre se volvió incuestionable. Esta agenda doblemente restriccionista[2] —menos derechos para los migrantes y menos migrantes— sí provoca un cambio sustancial en Estados Unidos y en Europa. Hasta el año 2000, aproximadamente, los gobiernos mostraban a los electores un conjunto de acciones tendientes a impedir el ingreso ilegal a los territorios nacionales, pero la fuerza de las policías migratorias y las medidas de identidad dentro de los territorios —en los sitios de trabajo y de residencia— era muy pequeña. Quien lograba entrar y podía contribuir a la riqueza nacional con su trabajo difícilmente era deportado.[3]

A partir de 2001, y en parte con el argumento de impedir que los terroristas puedan vivir dentro de los territorios nacionales susceptibles de ataque, se aplica una serie de medidas tecnológicas que estrechan el espacio de vida de los migrantes en general y de los migrantes indocumentados de manera especial. Un concepto conservador muy manejado en las discusiones migratorias del senado de Estados Unidos en 2006 era el concepto de *attrition*. En otras palabras, lograr disminuir la población inmi-

---

[2] Este doble restriccionismo es distinto del que se había manifestado hasta esa fecha en Estados Unidos. La iniciativa IRCA de 1986-1987, que legalizó la estancia y el trabajo de 2.6 millones de migrantes, puede concebirse como parte de una agenda conservadora que buscaba aumentar la oferta libre de trabajadores en Estados Unidos en el momento en que se restringían sus derechos (residentes legales o nativos). La novedad es que la visión doblemente restriccionista es la dominante a partir de 2001, y se refuerza en 2008 con la crisis económica.

[3] Esta es una sobresimplificación: en sus cátedras sobre política migratoria a mediados de los años noventa, Jonas Widgren, uno de los pioneros en el estudio de las políticas públicas en migración, dividía las políticas migratorias en dos tipos: "insulares" y "continentales". En las insulares el supuesto es que hay pocos puntos de contacto con el exterior. Si se controlan esos puntos no es necesario controlar el interior del territorio, y quien ingresa prácticamente es ciudadano. Lo contrario de las continentales. Hoy, sin embargo, se han multiplicado las revisiones tanto fronterizas como interiores, y la estratificación de los derechos.

grante e indocumentada por medio de restricciones a su espacio de maniobra y calidad de vida: quitarle los derechos de educarse, tratar sus enfermedades, emplearse, transportarse, rentar una vivienda, pagar impuestos. Muchos derechos que se habían considerado universales dejaron de serlo, y de esta manera se estratificó a la población y se limitaron sus derechos. Es parte de una agenda conservadora más amplia: no hay Estado de bienestar porque no hay derechos universales, sino conjuntos limitados de bienes, cada uno con un filtro o un precio. La misma tendencia que favoreció el crecimiento de la desigualdad de derechos entre connacionales favoreció el crecimiento de la brecha entre inmigrantes, sobre todo los poco capacitados o indocumentados, y el resto de la sociedad.

El gobierno mexicano y el reconocimiento de la diáspora mexicana

De la misma manera que ha habido movimientos de la macro-política hacia la derecha y el cuestionamiento de los derechos tanto de los nacionales como de los extranjeros que han limitado el ejercicio de derechos, ha habido otros que lo promueven, aunque con pocos resultados. Entre ellos está el proceso gradual de acercamiento entre el gobierno mexicano y su diáspora. En México hubo un periodo de tensión y alejamiento entre la diáspora mexicana y el gobierno. En la década de 1930 la diáspora mexicana en Estados Unidos era básicamente identificada con la oposición política al régimen, relacionada con el éxodo creado por la Revolución y la Cristiada (guerra religiosa en México). En ambos casos hubo cuantiosos exiliados, entre ellos los líderes de facciones perdedoras, que en efecto eran exiliados políticos. Esto favoreció que hubiera una distancia enorme entre los emigrados y el gobierno mexicano, misma que persistió hasta 1980.[4] Sin embargo, en 1988 un candidato presidencial de izquierda, Cuauhtémoc Cárdenas, hizo una campaña vigorosa para su elección en Estados Unidos, cosa aparentemente absurda porque los mexicanos en el exterior no votaban: no tenían papeles para votar en México, y era muy difícil que llegaran a México para votar. Cuando lo intentaban, normalmente las casillas no les concedían el voto por razones técnicas, a menos que se trasladaran a su dirección registrada en la entonces llamada Comi-

---

[4] En 1981 se creó el Programa para las Comunidades Mexicanas en el Exterior dentro de la Secretaría de Relaciones Exteriores, con el fin de recrear los lazos entre esas comunidades y el gobierno mexicano.

sión Federal Electoral.[5] Sin embargo esa campaña hizo que una gran cantidad de mexicanos en el exterior recuperara la noción de su ejercicio de derechos e influencia en México al encontrar a alguien que parecía representarlos. Tanto ellos como el gobierno mexicano cobraron conciencia de la fuerza de esa población en Estados Unidos.

Esto generó mucho temor y cautela. Poco a poco se formuló e instrumentó una nueva política en el gobierno mexicano justamente durante el periodo en que se impulsaba el Tratado de Libre Comercio de América del Norte (TLC). El gobierno mexicano tuvo un rol muy proactivo en Norteamérica y una agenda de integración de toda la región, que empezaba con el Tratado de Libre Comercio (Escobar, Bean y Weintraub, 1999; Alba, 2000).[6] Propuso también el TLC-M, es decir que el tratado incluyera un apartado migratorio para ordenar el flujo de mexicanos a Estados Unidos. Aunque la narrativa migratoria pública quedó manifestada en la expresión de que el TLC buscaba "exportar tomates, no jornaleros del tomate", hubo una insistencia mexicana en incluir medidas sustanciales que resolvieran el problema de la migración indocumentada.

Se esperaba que el TLC generara más empleos en México con la mayor capacidad exportadora, pero también se esperaba llegar a un acuerdo que permitiera poner orden en los movimientos de trabajadores. México no generaba los empleos formales que necesitaban los jóvenes que llegaban a la edad de trabajar. Aunque se impulsara el empleo con el TLC habría un déficit de empleo por un tiempo, y un acuerdo migratorio con EUA podría ayudar a salvar esa brecha durante el periodo de transición. Esta iniciativa mexicana se rechazó; a la propuesta de incluir un capítulo migratorio sustantivo en el TLC, la respuesta fue "si ustedes ponen migración en la mesa, nosotros ponemos petróleo". Como no se aceptó poner el petróleo mexicano en la mesa de negociación tampoco se habló de una reforma migratoria amplia para México, como una forma de acuerdo binacional.

Sin embargo, el Capítulo XVI del TLC, firmado en 1992 y que empieza a operar en 1994, sí incluye movilidad binacional bastante libre para 67

---

[5] Sólo algunas casillas contaban con boletas excedentes destinadas a votantes de fuera de la jurisdicción. Estos votantes sólo podían elegir al presidente.

[6] Según el grupo de promotores del TLC, Miguel de la Madrid inició su sexenio con la posición tradicional mexicana de fortalecer el país y sus mercados desde dentro y mostrar una gran independencia respecto de Estados Unidos. Después de una segunda crisis con devaluación en 1986, sin embargo, el presidente indicó al grupo promotor del TLC que el gobierno veía con buenos ojos que avanzaran en ese proyecto.

categorías de profesionales: las visas TLC (TN) siguen el modelo que ya existía entre EUA y Canadá pero para México operan de manera más restringida. Muchos otros países latinoamericanos que firmaron tratados de libre comercio con Estados Unidos buscaron tener este capítulo y no lo lograron. El gobierno de Colombia intentó esta negociación pero no se agregó ningún capítulo, ni siquiera para profesionales. Los profesionales extranjeros sólo tendrían los beneficios que ya les otorgaba la ley de Estados Unidos. Así, la primera gestión activa mexicana para ponerse al frente de su diáspora, defenderla y asegurarle derechos en Estados Unidos, fracasó, pero desde 1988 se instaló la idea de que ésta era importante para México, y que era necesario trabajar con ella. Se pensaba que se debía emular el trabajo de cabildeo de otras diásporas, la israelí o las múltiples del Oriente Cercano y Medio, que colaboran de cerca con sus gobiernos de origen y cosechan beneficios significativos al hacerlo. A partir de 1990 se crearon programas para los mexicanos en el exterior y se reforzó el mecanismo de representación consular mexicano en Estados Unidos.

El camino a la no pérdida de la nacionalidad mexicana

Entre 1995 y 1997, los dos gobiernos llevaron a cabo un estudio binacional de migración México-Estados Unidos (Mexican Ministry of Foreign Affairs and U.S. Commission on Immigration Reform, 1998). El gobierno mexicano quedó muy sorprendido cuando el estudio mostró la escasa ciudadanización de los mexicanos en Estados Unidos. Es decir, incluso quienes tenían ya la residencia, y así la posibilidad de optar por derechos políticos en Estados Unidos, no lo hacían. La pregunta era por qué no. Uno de los mejores trabajos al respecto es "Socially Expected Durations and the Economic Adjustment of Migrants", en donde Bryan Roberts (1995) afirma que el horizonte de vida para los mexicanos en el largo plazo siempre es México y que por lo tanto los migrantes mexicanos tienden mucho menos que otros a comprometerse con la sociedad de destino. Su futuro estaba siempre en un regreso real o hipotético a México. Esto se combina con su real renuencia a perder la mexicanidad.

Un testimonio elocuente derivado de nuestra investigación sobre migración y pobreza (Escobar y González de la Rocha, 2008) es el de una familia en la mixteca poblana. Una de las hijas, que vivía en Estados Unidos, no había visto más opción para quedarse allá, que optar por la ciudadanía. Era residente pero estaba agotando los recursos de la residencia; en la entrevista lloró mientras nos decía: "tuve que jurar lealtad a esa bandera que no es la nuestra". Ella y su familia vivieron esa experiencia de manera trágica. El papá decía: "mi hija ya no es mía, pero es lo que conviene que haga". Entonces, realmente se percibe como una pérdida de la identidad adquirir otra nacionalidad. El pragmatismo en el uso de diversas nacionalidades y pasaportes no era el denominador común en México hace quince años. En ese momento se veía como un acto existencial, en el sentido señalado por Abbagnano (1948): una decisión irreversible de la cual depende lo que se llegará a ser. El gobierno mexicano sacó una conclusión de la muy baja tasa de naturalización de los mexicanos residentes en EUA: permitirles optar por la ciudadanía de ese país sin perder la de origen. Este hecho es el germen de la ley mexicana de nacionalidad, que no es lo mismo que una ley de nacionalidad múltiple.

La Ley de Nacionalidad tiene entre sus objetivos la no pérdida de la nacionalidad mexicana y se dirige a la población mexicana en Estados Unidos que tenía opciones pero no las ejercía. Ofrece a los mexicanos mantener su nacionalidad y facilitar de esa manera la adquisición de la ciudadanía estadounidense. Fue aprobada en 1997 y publicada en enero de 2008, es decir, pasaron diez años para reglamentarla. Lo importante de estas fechas es que la ley fue votada en los últimos meses de un Congreso sumiso que hacía lo que el presidente quería y el presidente quería que esa población tuviera más opciones: que adquiriera más derechos. Afortunadamente se plantea sola, es decir no se plantea junto con la ley para el voto de los mexicanos en el exterior. Las dos cosas quedan separadas. Esto es afortunado porque si se hubiera planteado junto con el derecho al voto por parte de los mexicanos en el exterior se hubiera rechazado. La ley de no pérdida de nacionalidad es parte de la ley de población de 1970, muy reformada para entonces, mientras que el voto se discute en otra ley.[7]

La ley de no pérdida de la nacionalidad dice que son mexicanos por nacimiento quienes son hijos de mexicanos aunque tengan nacionalidad de otro país. Sin embargo hay restricciones y una muy clara es que si durante el ejercicio de una función en México que requiera la nacionalidad

---

[7] Esto último se discutió después y el Partido Revolucionario Institucional (PRI), el partido en el poder, que sabía de la simpatía de los mexicanos en Estados Unidos por el Partido de la Revolución Democrática (PRD), fue muy renuente a ampliar el voto de los mexicanos en el exterior. Sin embargo, aceptó que hubiera una ley pero la definió con muchas restricciones. Este es otro aspecto de la discusión sobre los derechos de los mexicanos en el exterior: la Constitución mexicana reconocía su derecho, pero no existía un mecanismo para votar.

mexicana, una persona adquiere otra nacionalidad, puede ser cesada en el acto de su puesto en México. Si bien eso nunca se ejerce, en parte porque es una ley que estuvo diez años sin reglamento. Otra limitación importante es que no pueden votar, aunque esta restricción tampoco se ha ejercido. En estos momentos, muchos mexicanos están recuperando la nacionalidad para votar y nadie lo impide. Además, la ley mexicana establecía que los extranjeros no podían ser propietarios de ninguna tierra en los litorales mexicanos ni en las fronteras. Esta ley no prohíbe a estos mexicanos recuperados tener esas propiedades pero sí afirma que para cualquier efecto ellos son mexicanos si deciden tener propiedades en México, es decir, no pueden recurrir a ningún gobierno extranjero para que los apoye si se sienten vulnerados en sus derechos de propiedad.

¿Cuál es el objetivo de esta ley? A pesar de todas estas previsiones relacionadas con su ejercicio de derechos en México, la población objetivo de la ley es la de los mexicanos de allá, la diáspora. Es una ley que busca renovar o mejorar las relaciones entre el gobierno mexicano y la diáspora, además de empoderarlos como inmigrantes naturalizados de Estados Unidos. Dada la gran lealtad que esta población parecía tener a la nacionalidad mexicana, se le permite adquirir otra nacionalidad sin perder la propia. Se fomenta su ciudadanización en Estados Unidos y se cimenta una alianza política; es decir, acaba con esa distancia que marcó sesenta años de relación y se propone recrear una relación política estable con los mexicanos del exterior. También busca impedir, o tratar de limitar, que esta población se vuelva automáticamente simpatizante de los enemigos del gobierno mexicano, en México o en Estados Unidos.

Obviamente, la ley tiene un sentido positivo para los migrantes. Crear un grupo político de mexicanos con derechos ciudadanos en Estados Unidos los fortalece ante los ataques antiinmigrantes que ya se estaban produciendo en los años noventa. Si son ciudadanos estadounidenses, pueden tener un *lobby* y defenderse. Además, el gobierno mexicano pensaba que este *lobby* le podía ayudar a lograr más acuerdos con Estados Unidos, por ejemplo, un acuerdo migratorio, pero también otros que condujeran hacia una mayor integración.

Cabe preguntarse si hubo un mal cálculo. Es posible que sí. Los trabajadores de Estados Unidos que se ven más afectados por la migración de mexicanos son precisamente los trabajadores mexicanos que ya estaban allí. Es justo en los nichos de trabajo de mexicanos donde una migración masiva golpea más los salarios. Había entonces una renuencia de los mexicanos que ya estaban en Estados Unidos a que llegaran más mexicanos, y por lo tanto no se debe suponer que los mexicanos en Estados Unidos serán aliados de una reforma migratoria que busque incrementar la competencia laboral en esos nichos.

Hay una brecha entre las actitudes generales y las acciones en las redes sociales. En una gran cantidad de medios, los mexicanos de allá manifiestan su oposición a más migración, pero cuando se trata de ayudar a un familiar a migrar y trabajar, se le ayuda. Sin embargo, sólo una vez se conformó una agenda política conjunta con ellos para exigir derechos para los mexicanos de allá y más visas de trabajo para los de acá. Lo hizo el entonces secretario de Relaciones Exteriores Jorge G. Castañeda a principios del año 2001, y ese esfuerzo fracasó. Según una interpretación, fracasó porque no tomó en cuenta que la legislación sobre inmigración ha sido tradicionalmente una iniciativa del Congreso de Estados Unidos. La propuesta en este caso venía de los ejecutivos de ambos países, pero el Congreso se oponía a ambas cosas. Según otra visión, las pláticas migratorias de 2001 fueron descarriladas por los ataques terroristas de ese año, que hicieron virar la agenda hacia el cierre de fronteras y la seguridad, no a la apertura. Si bien no se ha obtenido una reforma migratoria que ciudadanice en EUA a estos mexicanos y que permita mayores flujos de trabajadores, el balance de la ley de no pérdida de nacionalidad no es negativo: aunque de manera modesta, ha crecido la cantidad de personas que ha recuperado la nacionalidad mexicana y muchas familias han registrado a sus hijos en ambos países. Sin embargo, nunca hubo un movimiento masivo ni de recuperación de la nacionalidad mexicana, ni de naturalización en Estados Unidos, por lo que tampoco puede considerarse que la ley fuera exitosa.[8]

Las respuestas que suscitaron estas iniciativas mexicanas fueron variadas. Reaccionaron grupos conservadores importantes y la visión que trataron de comunicar a la opinión pública era que esta doble nacionalidad mexicana era un "caballo de Troya", es decir, una punta de lanza para la acción política de los mexicanos en Estados Unidos a favor del gobierno de México, un ejército allá que hiciera el trabajo del gobierno mexicano. Los alcances limitados de la ley de no pérdida de nacionalidad, sin embargo, propiciaron que el tema perdiera importancia. Al mismo tiempo, se dieron otros pasos para documentar a esos mexicanos, por ejemplo, la

---

[8] Según una publicación de la Dirección General de Asuntos Jurídicos de la Secretaría de Relaciones Exteriores, del año 2000 al 2013 se han expedido 87 140 declaratorias de nacionalidad (Secretaría de Relaciones Exteriores, 2000-2013).

matrícula consular que ya tenía tiempo,[9] se masifica y se fortalece justo en esta época, lo que permitió que un conjunto muy amplio de mexicanos sin documentos tuvieran acceso a servicios bancarios y licencias de conducir, antes de que esos derechos se cancelaran por ley en muchos estados de Estados Unidos. Los mismos grupos han atacado la matrícula consular desde dos frentes. Primero, porque el documento expedido casi instantáneamente por los consulados en los años noventa era fácilmente falsificable. Cuando se protegió mejor el documento, entonces el ataque afirmó que el gobierno mexicano estaba documentando a su población en Estados Unidos, prerrogativa que únicamente corresponde al gobierno de ese país. La matrícula sigue expidiéndose y es un documento fundamental que confiere identidad y algunos derechos básicos a su portador. Parece deleznable, pero ha sido un instrumento de empoderamiento en estados con legislación liberal hacia los migrantes que les ha permitido ejercer múltiples derechos.

Una representación formal de los mexicanos en el exterior: el IME

El intento de consolidar, ampliar e institucionalizar la relación con la diáspora adquiere un nivel institucional sin precedentes con el Instituto de los Mexicanos en el Exterior (IME), que establece una relación directa entre representantes electos de la diáspora mexicana en Estados Unidos[10] y el gobierno mexicano. Es una representación cuya elección es vigilada por el consulado y donde se elige a 300 representantes que cada año analizan la relación política y de derechos sociales de estos mexicanos con el ejecutivo y el legislativo para intercambiar exigencias y demandas sobre derechos, salud, educación, etcétera.

Por último, la ley moviliza un poco a los mexicanos poderosos de Estados Unidos. Se habla por ejemplo de los intentos de ley o actas legislativas en California en favor de los inmigrantes. Una parte importante de ese *lobby* surge de la constitución de clubes de mexicanos ricos y poderosos en Estados Unidos. Esto es algo que se conoce mucho menos pero existe y

---

[9] Las primeras matrículas consulares se expidieron en el siglo XIX. Sin embargo, la política de ofrecerlas a los mexicanos en EUA se masifica en los años noventa del siglo XX, en coincidencia con este acercamiento entre gobierno y diáspora.

[10] El instituto comenzó a operar en 2002, y posteriormente el mecanismo de elección de representantes se expandió a otros países.

hay que darle su importancia (Club de los 100 Sacramento). Resumiendo, la ley es para los mexicanos de allá, para movilizarlos, para que tengan derechos. Existe el riesgo de que regresen y exijan derechos aquí, pero esa no es la idea, sino que se organicen allá. Ese es el objetivo de la doble nacionalidad.

Los desafíos del retorno: ¿México respeta los derechos de sus migrantes?

La ley, que buscaba que los migrantes ejercieran derechos en Estados Unidos, tuvo una consecuencia inesperada: la cuestión central a partir de 2008 es si ejercen sus derechos en México. En el año 2005, 230 mil mexicanos respondieron al Conteo de Población y Vivienda que su residencia había estado en Estados Unidos por lo menos durante los cinco años anteriores. Cinco años después, en el Censo de Población y Vivienda de 2010, los mexicanos que respondieron esto mismo fueron 980 mil, cuatro veces más. Hoy en día el número de migrantes de retorno en México no tiene precedentes, es el más alto de la historia. Además de esos 980 mil hay otros 773 mil nacidos en Estados Unidos que no necesariamente regresaron en esos cinco años previos y que son sobre todo menores de edad. Aunque documentalmente unos son nativos de México y otros no, ambos forman parte del flujo de migración de retorno. Estos 773 mil, compuestos en su mayoría por menores de 16 años que llegaron en los últimos cinco años, no estarían en México si los otros 980 mil no hubieran regresado, es decir, regresan porque regresan sus padres mexicanos. Como conjunto tenemos 1.7 millones de personas que o bien han nacido en Estados Unidos y llegan a México o bien han regresado recientemente a México, y que son fruto de deportaciones, remociones y regresos voluntarios.

Pero hay un cambio en la conducta migratoria: deportados, regresados y aprehendidos ha habido siempre. De hecho, las cifras de expulsiones del año 2000 de Estados Unidos son mucho mayores que las cifras de 2007-2009. Lo que sucedía es que en aquel entonces los aprehendidos y retornados podían volver a intentar el cruce casi inmediatamente sin mayores consecuencias, es decir, el retorno a México de ninguna manera era permanente. En cambio ahora, como comentaba una señora que, con su pequeño hijo nacido en Estados Unidos, esperaba en el aeropuerto de Chicago un vuelo de regreso a Concepción de Buenos Aires, "es que ahora ya sé que este regreso es para siempre". La conducta migratoria ha cambiado de manera radical porque los migrantes saben que sus empleos en Estados Unidos no son los mismos que antes, que sus derechos o la capacidad de construir una vida allá ya no es como antes; muchos, además, perdieron su casa, y la reforma migratoria se ve cada vez más lejana. Lo que esto significa para México es la demanda y la necesidad de programas sociales y derechos de todo tipo. Hay también una posible consecuencia en los niveles absolutos de pobreza en México. Si bien en los años noventa México "resolvía" una parte de su insuficiencia de empleo por medio de la migración, pues los migrantes dejaban de demandar empleo en México, después de 2008 esto ya no sucede. Aunque es una relación más compleja (quienes se iban no eran desempleados ni necesariamente subempleados), es un hecho que hay más gente que necesita un empleo.

El desafío que plantea este retorno se ilustra bien con el grupo de los jóvenes universitarios. El flujo de retorno incluye todo tipo de personas y todo tipo de motivos. Hiram Ángel (2013) estudia, por ejemplo, un grupo llamado *Dream in Mexico*. Se trata de jóvenes que han logrado pasar exitosamente y con muy buenas calificaciones toda su historia educativa en Estados Unidos y que deberían haber podido acceder a universidades estadounidenses, pero que por razones de indocumentación, de ellos o de sus padres, no tienen la posibilidad de optar por la educación universitaria en aquel país y la buscan aquí en México. Se trata de un grupo que tiene una historia dramática, muy dura, de enfrentamiento con un sistema universitario que no sabe que existen, que no quiere saber que existen, y que les está poniendo muchas dificultades. Algunos estados (15) les han ofrecido una vía para estudiar y permanecer allí, pero muchos de ellos no han tenido otra opción que el retorno. Su inserción en el sistema universitario mexicano ha sido muy difícil. Felipe Martínez Rizo, ex rector y miembro del consejo de la Universidad de Aguascalientes, logró abrir las puertas para que estos jóvenes pudieran demostrar su capacidad académica. También el Tec de Monterrey abrió sus puertas, pero en general las instituciones mexicanas no lo han hecho.

Otro factor en el proceso de retorno es el desempleo creciente de los mexicanos en EUA entre los años 2007 y 2009. La tasa de desempleo de los mexicanos en ese periodo alcanza 11 por ciento (Kochhar, Espinoza y Hinze-Pifer, 2010), que es la más alta de los grupos étnicos en Estados Unidos, aunque después baja. Hay restricciones crecientes al empleo, mayor necesidad de pruebas, mayor castigo por uso de tarjetas de identidad falsas o prestadas y eso produce no un retorno masivo, pero sí una lumpenización o precarización de las condiciones de trabajo de los mexicanos en Estados Unidos. Aunque cuesta trabajo aceptarlo, también es cierto que si se le quitan a una persona todas las fuentes legales de empleo, sólo le quedan las ilegales. Hay mayor participación de muchos de estos migrantes en actividades delictivas o de drogas donde no necesariamente (hasta el momento) piden pasaporte de Estados Unidos. Lo que esto produce es una profecía autocumplida: los mexicanos de Estados Unidos se involucran en actividades más marginales y clandestinas, y esto se esgrime como evidencia de la orientación destructiva de esta comunidad en general, y como razón para no tratarlos como a otros migrantes, sino restringir sus derechos y deportarlos.

Estamos ante un fenómeno muy complejo y variado: por una parte personas con retornos planeados que están pidiendo el pasaporte del hijo desde seis meses antes de regresar a México, y personas que salen de la noche a la mañana porque son ingresados a un centro de detención y abandonados en la frontera de México sin un solo papel. Y sobre todo, hay una mayoría de familias mixtas, esto es, muchas familias que están volviendo con miembros documentados e indocumentados, y nacidos en ambos países. Por ejemplo, el Instituto Nacional de Migración da a las personas que no tienen documentos, pero que son deportadas, un documento provisional de identidad. El ejército y la policía mexicanos en la frontera, en muchas ocasiones, les dicen que ese documento no sirve, se lo quitan y lo rompen. Esto les impide abordar un avión o un autobús (cada vez requieren más pruebas de identidad) para regresar al centro del país. Si los dejan sin identidad, los están lumpenizando también en México, dificultando su retorno.

Ejercicio de derechos sociales en México

En México hay cada vez más gasto en programas sociales. El gasto real en salud pública creció nueve veces de 1991 a 2009 (Escobar, 2012); el gasto en educación primaria creció 2.3 veces (Escobar, 2012); el gasto en programas sociales como Progresa, Oportunidades, Seguro Popular, pensiones no contributivas, etc., es totalmente nuevo. Hay 150 mil millones de pesos más en programas sociales nuevos que no existían hace veinte años y que le dan dinero directamente a la población. Esto es importante en dos sentidos: en primer lugar, el ejercicio de derechos en México, si es efectivo, debe reducir el incentivo para migrar; en segundo

CUADRO VIII.1. México: Probabilidad de asistir a la escuela
(14-18 años de edad)

Migración en hogar	Varones	Mujeres
Sin experiencia	0.637*	0.640
Con migrantes de retorno	0.618*	0.586*
Con remesas	0.675*	0.672
Nació en EUA de padres mexicanos	0.707*	0.692*
Migrantes de retorno	0.542*	0.567*
Migrantes circulares	0.439*	0.626

Fuente: Escobar, Martin y L. Lowell, 2013; Giorguli *et al.,* en prensa. * Estadísticamente significativo
al nivel $p > 0.05$.

lugar, debe atraer migrantes de regreso, siempre y cuando tengan acceso
a esos programas y servicios.

Frente a la pregunta de si se están ejerciendo esos derechos sociales, en
el caso de la educación (veáse el cuadro VIII.1) se muestra la tasa de asistencia escolar de distintos grupos en México según su calidad migratoria; la
tasa de asistencia más alta está entre quienes nacieron en Estados Unidos de
padres mexicanos que posiblemente sean fronterizos. Sin embargo, la tasa
de asistencia de los niños de familias con migrantes circulares, que van y
vienen con mucha frecuencia y que tienden a ser agrícolas, es 40 por ciento
menor. La migración importa mucho para definir las posibilidades de acceso a servicios sociales en México y también importa en Estados Unidos.

El cuadro VIII.2 muestra que el progreso de los mexicanos en el sistema escolar de Estados Unidos es extremadamente lento. En la primera
generación, la generación migrante, se puede ver que la educación del
padre es de 5.7 años y que después va creciendo en la siguiente generación.
Pero si se contrasta este progreso de las distintas generaciones de descendientes de mexicanos con los niveles escolares de los blancos no hispanos
en Estados Unidos, vemos que de todas maneras después de tres generaciones siguen estando por debajo de otros grupos poblacionales. Entonces
importa mucho la condición migratoria, tanto allá como acá, para calibrar
la capacidad de las personas de ejercer derechos sociales.

En cuanto a los efectos del proceso migratorio en la salud, a pesar de
que existen pocos estudios, al salir de sus comunidades, los migrantes parecen estar más saludables que sus vecinos. Sin embargo, la salud de las
comunidades mexicanas con migrantes empeora: alimentación, hiperten-
sión arterial, diabetes mellitus, enfermedades de transmisión sexual, enfer-

CUADRO VIII.2. Estados Unidos: Años de escolaridad terminada por generación

Generación informante	Hombres		Mujeres	
	Educación padre	Educación informante	Educación madre	Educación informante
0 (migrante)	5.7	N/A	4.7	N/A
1	7.4	9.6	6.6	8.5
2	11.7	12.9	11.2	12.8
3	12.6	13.4	11.8	13.6
Periodo histórico en high school	1950-1980	1980-2000	1950-80	1980-2000
Blancos no hispanos	14.6	14.5	14.0	14.9

Fuente: Escobar, Martin y L. Lowell, 2013; Giorguli *et al.*, en prensa.

medades mentales. Al llegar a Estados Unidos, los migrantes tienen mejor salud que el promedio, pero va empeorando por factores similares, agravados por exposición a riesgos de salud en el trabajo y la carencia de acceso a servicios de salud.

Existen dos tendencias contrarias, debido a las prohibiciones legales explícitas de exclusión de indocumentados de los seguros de salud y a la creciente precarización ocupacional de los mexicanos, que trabajan cada vez más en empleos que no ofrecen seguro de salud, la cobertura sanitaria de los mexicanos en Estados Unidos ha bajado de 40 por ciento a 35 por ciento en diez años. Al mismo tiempo, en México gracias al Seguro Popular prácticamente se duplicó en los mismos años (de 22.8 a 44.6%) (Salgado de Snyder *et al.*, en prensa). Aunque el gasto real se hizo en el programa, la cobertura médica en México es mala, puesto que la mejoría en el servicio es mucho más lenta, la afiliación no es lo mismo que el servicio. Existe pues una serie de problemas para acceder a los programas sociales: los mexicanos llegan sin documentos, aunque puedan llegar con un acta de nacimiento no tienen la posibilidad inmediata de tramitar una Clave Única de Registro de la Población (CURP, una clave de identificación personal a nivel federal). Si no existen en el sistema que registra esas claves de población (deberían aparecer, pero muchas actas de nacimiento no están todavía registradas) entonces no es fácil ni acceder a una CURP ni a programas de apoyo social como "70 y más", Oportunidades o el Seguro Popular.

Al llegar sin documentos, se cierran muchas puertas de acceso a servicios y programas. Sin la información precisa de un acta de nacimiento es prácticamente imposible conseguir un duplicado. Se trata de esperar, hacer trámites muy largos, o de conseguir un acta por otros medios. Entre nuestros entrevistados, varios tuvieron que sobornar a los funcionarios de los registros para obtener lo que saben que existe en los mismos. Muchos mexicanos han recurrido a esta opción cuando no tendrían por qué necesitarlo. Se ha delegado gran parte de las decisiones de documentar a las personas en autoridades locales. Es legal porque los registros civiles son locales, pero al mismo tiempo es extralegal, porque una persona en el Registro Civil puede decidir, por razones diversas, dar o no un acta de nacimiento. El director de una escuela en Oaxaca, entrevistado en el curso de nuestro estudio sobre acceso efectivo a los servicios sociales (Sánchez, 2012), por ejemplo, decía a una pareja recién retornada que si querían que sus hijos fueran mexicanos "¿para qué los tuvieron allá en Estados Unidos?" y no los aceptaba en la escuela. Un oficial del Registro Civil de un municipio de Oaxaca negó el acta de nacimiento a un migrante retornado de la tercera edad que quería tramitar su pensión del programa 70 y más diciéndole que "la pensión es para viejitos sin dinero, no para usted que trae pensión gringa. Yo no le doy el acta de nacimiento" (Sánchez, 2012). Otro maestro de primaria afirmaba que los niños "no son mexicanos, no se saben el himno nacional. Que no asistan los días de prueba. Como no entienden español bien, sacan malas calificaciones". Hay arbitrariedad de las autoridades locales y de otro tipo (de las que deben revalidar estudios en el extranjero, por ejemplo), hay mayor discriminación contra estos migrantes retornados y sus hijos cuando no traen todos los papeles. En los municipios más pobres, donde los funcionarios no tienen mucha capacitación, pero tienen el poder de decidir, no se basan en la ley para tomar las decisiones. Y en municipios gobernados por usos y costumbres donde los oficiales del registro civil son electos cada año sin ninguna capacitación y están a cargo de documentar a toda su población, este problema es significativo.

Conclusiones

Este texto excluye, por razones de espacio y complejidad, lo sucedido durante el siglo XIX, durante el Programa Bracero (1942-1964), y la exploración detallada del voto de los mexicanos en el exterior, aunque este último punto se menciona. Los tres merecen una revisión detallada desde el punto de vista de los derechos de los migrantes y los no migrantes.[11] Sin embargo, los temas analizados permiten visualizar ciertas dinámicas.

Desde la cancelación del Programa Bracero en 1964 hasta 1990, aproximadamente, lo que sucedía a los migrantes en Estados Unidos se consideraba asunto de Estados Unidos. Por razones de doctrina diplomática, de diferencias políticas (con los exiliados y sus descendientes) y en parte porque México se había opuesto a la emigración indocumentada, los migrantes mantenían una relación tenue, distante y en todo caso conflictiva con el gobierno mexicano. La incorporación social de los mexicanos en Estados Unidos ya era diferencial y discriminatoria, pero la constelación de derechos era distinta a la actual. Si bien se les discriminaba en el acceso a puestos, universidades de élite y otros bienes primarios, el fenómeno de "asimilación segmentada" les permitía construir una vida con menores oportunidades que las de otros grupos, pero que en conjunto llegaba a ser mucho mejor que la que habían abandonado en México. Por otra parte, para un gran grupo, posiblemente la mayoría, la migración era una estrategia temporal de acumulación de activos para mejorar su vida en México, por lo que, si su existencia les permitía trabajar, ahorrar y remitir dinero, no resultaba problemático para ellos acceder a los derechos de quienes se asentaban en ese país.

Este panorama cambia por dos razones. En primer lugar, el conservadurismo de Estados Unidos complica y condiciona el acceso a condiciones de vida tolerables, y así convierte en visibles derechos que parecían obvios y por eso eran invisibles. Este fenómeno debería estudiarse en términos de economía política: ¿se asiste a la construcción de condiciones de explotación laboral y de discriminación social entre nativos parecidas a las de los inmigrantes indocumentados, de tal manera que los inmigrantes son redundantes; es la desigualdad social creciente entre nativos el sustituto de la inmigración?, ¿o es el nativismo conservador una fuerza contraria a la economía política que produce disfunciones en la economía de Estados Unidos? Probablemente hay aciertos en ambas hipótesis, pero la respuesta seguramente es compleja.

En segundo lugar, el panorama cambia porque México cambia. Este autor piensa que en México se ha construido una estructura de acceso a mayores servicios, programas y derechos sociales que la existente hace

---

[11] Tal como lo ha expuesto Vélez-Ibáñez (1999), el suroeste de los Estados Unidos fue colonizado por mexicanos, quienes en sucesivas oleadas de proletarización, mercantilización y despojo, fueron extranjerizados.

treinta años. Esta construcción no es simple ni unidireccional. La tendencia ha restringido derechos y servicios sociales de acceso laboral y sindical, incluso el salario (los ingresos de los trabajadores perdieron su participación en el PIB y no han recuperado ese nivel relativo desde 1982), pero al mismo tiempo se han multiplicado los servicios, esquemas y programas de acceso a bienes y dinero. Sin embargo, éstos tienen filtros y pruebas, que contradicen su afán de universalidad. Dicha construcción está definiendo nuevas formas de diferenciación de la población mexicana en términos de derecho. La nacionalidad, la residencia, las pruebas económicas, los certificados de educación son cada vez más relevantes para acceder a ellos.

El resultado es una "pinza": empeoramiento del acceso a los derechos en Estados Unidos y condicionamiento de acceso a ellos en México. No la nacionalidad múltiple, sino la incapacidad de ejercer cualquier nacionalidad de manera efectiva. La lección clara, en mi opinión, es que debe construirse una política pública mexicana de incorporación de los inmigrantes, y de incorporación de los de retorno, que no sea discriminatoria, y que cuando se precise cuente con acciones afirmativas que "nivelen el piso" de acceso a derechos y oportunidades.

Éste es un diagnóstico pesimista. Debe equilibrarse con el reconocimiento de que para un grupo la transnacionalidad existe, y que otro grupo ha accedido a la nacionalidad y a condiciones de vida muy positivas en Estados Unidos. Sobre ellos se borda con detalle en el resto de este libro. Pero este capítulo afirma que un grupo creciente ha quedado excluido de estos horizontes de vida y debe recibir atención.

Bibliografía

Abbagnono, N. 1948. *Existencialismo positivo*. Buenos Aires: Paidós.

Alba, F. 2000. "Integración económica y políticas de migración: un consenso en revisión", en *Migración México-Estados Unidos: Opciones de política*. México: SG/Conapo/SER. pp. 33-44.

Ángel Lara, H.A. 2013. "¿Un sueño posible? Retos y dificultades que enfrentan los estudiantes mexicanos indocumentados por ingresar a la universidad en Estados Unidos y en México a principios del siglo XXI". Tesis de doctorado. México: CIESAS.

Escobar, A. 1995. "Reestructuración en México y Estados Unidos y migración internacional". *Revue Européenne des Migrations Internationales*, 11 (2), pp. 73-95.

_____. 2012. "Acción pública y sociedad: dos contextos imprescindibles de programas de transferencias condicionadas", en A. Escobar y M. González de la Rocha, *Pobreza, transferencias condicionadas y sociedad.* México: CIESAS. pp. 99-137.

Escobar, A., F.D. Bean y S. Weintraub. 1999. *La dinámica de la emigración mexicana.* México: CIESAS-Miguel Ángel Porrúa.

Escobar, A. y M. González de la Rocha. 2008. *Pobreza y migración internacional.* México: CIESAS.

Escobar, A. y S. Martin. 2008. *La gestión de la Migración México-Estados Unidos: un enfoque binacional.* México: DGE El equilibrista/INM/CIESAS/SRE.

Escobar, A., S. Martin y L. Lowel. 2013. *Binational Dialogue on Mexican Migrants in the U.S. and in Mexico.* México: CIESAS-Georgetown University.

Giorguli, S. *et al.* En prensa. "Educational Well-being for Children of Mexican Immigrants in US and in Mexico", en A. Escobar, S. Martin y L. Lowell. *Binational Dialogue on Mexican Migrants in the U.S. and in Mexico.* México: CIESAS-Georgetown University.

Kochhar, R., C.S. Espinoza y R. Hinze-Pifer. 2010. "After the Great Recession: Foreign Born Gain Jobs; Native Born Lose Jobs". Reporte. Pew Hispanic Center.

Mexican Ministry of Foreign Affairs and U.S. Commission on Immigration Reform. 1998. "Migration Between Mexico and the United States. Binational Study". México-Washington, D.C.

Masferrer, C. y B. Roberts. 2011. "Going back home? The Ambiguities of Contemporary Mexican Return Migration". UTSA Mexico Centre Conference on Bilateral Perspectives on Mexican Migration Conference. Austin: McGill University-The University of Texas.

Portes, A. 1995. *The Economic Sociology of Immigration. Essays on Networks, Ethnicity, and Entrepreneurship.* Nueva York: Russell Sage Foundation.

Portes, A. y R.L. Bach. 1985. *Latin Journey: Cuban and Mexican Immigrants in the United States.* Berkeley: University of California Press.

Roberts, B. 1995. "Social Expected Duration and the Economic Adjustment of Immigrants", en A. Portes (ed.). *The Economic Sociology of Immigration. Essays on Networks, Ethnicity, and Entrepreneurship.* Nueva York: Russel Sage Foundation. pp. 42-86.

Salgado de Snyder, V.N. *et al.* En prensa. "Migrant Health Vulnerability Through the Migration Process: Implications for Health Policy in

Mexico and the United States", en A. Escobar, S. Martin y L. Lowel, *Binational Dialogue on Mexican Migrants in the U.S. and in Mexico*. México: CIESAS-Georgetown University.

Sánchez, G. 2012. "Acceso a la información, servicios y apoyos en zonas de atención prioritaria, Oaxaca", en A. Escobar, y M. González de la Rocha. "Transparencia y acceso efectivo a programas sociales en México". Reporte. CIESAS-Fundación Hewlett-Fundación MacArthur.

Schiller, N.G., L. Basch y C. Blanc-Szanton. 1992. *Transnationalism: A New Analytic Framework for Understanding Migration*. Nueva York: Annals of the New York Academy of Sciences, vol. 645, pp. 1-24.

Secretaría de Relaciones Exteriores. 2000-2013. Estadísticas de los Permisos, artículo 27 constitucional y documentos, artículo 30 constitucional. Disponible en: http://www.sre.gob.mx/index.php/-estadisticas-de-documentos-art-30-constitucional

Vélez-Ibañez, C.G. 1999. *Visiones de frontera: las culturas mexicanas del suroeste de Estados Unidos*, K. Rheault (tr.). México: CIESAS-M.A. Porrúa.

Conclusión: La doble nacionalidad como herramienta geopolítica, régimen de movilidad y forma de capital

Yossi Harpaz*

Tal como se ha señalado en los distintos capítulos de este libro, hasta hace poco la doble o múltiple nacionalidad era considerada por los Estados como una aberración, una consecuencia accidental y dañina de movimientos migratorios que los gobiernos intentaban restringir (Spiro 1997; Faist, Gerdes y Rieple, 2004). Durante la mayor parte del siglo xx, sólo un puñado de gobiernos permitió que sus ciudadanos poseyeran la nacionalidad de otro Estado. Sin embargo, en las dos décadas pasadas, un grupo cada vez mayor de países cambiaron sus leyes para permitir la doble nacionalidad: mientras que en 1990, sólo 25 por ciento de los estados europeos y latinoamericanos permitían la doble nacionalidad, para 2010 este número llegó 75 por ciento.[1] En la actualidad, decenas de millones de personas ya tienen más de una nacionalidad (Sejersen, 2008).

Este nuevo régimen global refleja una transformación profunda de las relaciones entre Estados e individuos, que representa un desafío empírico y teórico. Las temáticas de investigación más vinculadas a la nacionalidad, como la movilidad, los derechos y la identidad, están obligadas a replantear seriamente sus preceptos debido a estos cambios; la lógica de la pertenencia exclusiva a una sola nación está siendo reemplazada por pertenencias múltiples y superpuestas (Capítulos I y II de este volumen; Joppke, 2010).

La investigación del fenómeno de la ciudadanía múltiple nos permite examinar los efectos de la globalización, es decir la interconexión creciente entre economías y sociedades en diferentes partes del mundo. Asimismo,

---

* Doctorando en Sociología, Princeton University, Estados Unidos.

[1] Cálculo del autor basado en Liebich, 2000; Bloemraad, 2004; Howard, 2005; Escobar, 2007; Blatter, Erdmann y Schwanke, 2009; Pogonyi, Kovács y Körtvélyesi, 2010. Entre los países del Caribe, el cálculo incluye solamente a República Dominicana, Cuba y Haití.

el fenómeno de la doble nacionalidad revela dos paradojas de soberanía e identidad que están asociadas con la globalización. Primero, ¿cómo entendemos la transformación del Estado que, por un lado, implementa sofisticados dispositivos tecnológicos y burocráticos sin precedentes en el control de flujos poblacionales y, por otro lado, parece mostrar cada vez menos autonomía jurídica e ideológica debido a la globalización? Segundo, ¿cómo se transforman las identidades colectivas e individuales frente a las ideologías de cosmopolitismo, multiculturalismo y posnacionalismo? y, ¿cómo se explican estos cambios a la luz de la reemergencia de políticas basadas en divisiones étnicas y religiosas, especialmente en Europa y Oriente Medio?

Los dos capítulos teóricos incluidos en este libro, que conforman la primera parte, ofrecen perspectivas originales sobre las implicaciones de la ciudadanía múltiple para los Estados nación y los individuos. En el capítulo II, David FitzGerald se compromete directamente con la primera de las preguntas planteadas en el párrafo anterior; la cuestión de la soberanía del Estado. Posicionándose él mismo en contra de la tendencia dominante en la literatura sociológica de la globalización, que ve un debilitamiento del Estado-nación y la emergencia del Estado "posnacional" o "desterritorializado", FitzGerald defiende el argumento contraintuitivo de que la ciudadanía múltiple y la "ciudadanía emigrante" en realidad reflejan un fortalecimiento de la soberanía del Estado nacional. Nuevas tecnologías y recursos administrativos permiten a los Estados incluir de manera efectiva a poblaciones que residen fuera de sus territorios, respetando a la vez la soberanía de los Estados "receptores". La oferta de derechos de ciudadanía a los emigrantes refleja nuevas capacidades del Estado, pero también requiere la formación de un nuevo "contrato social" que no incluya el uso coercitivo de la autoridad, dado que la violencia legítima no puede ser aplicada fuera de las fronteras del Estado. Esto significa que la ciudadanía emigrante toma la forma de una "ciudadanía a la carta", voluntaria, selectiva y plural. Ésta otorga varios derechos nuevos pero exige pocas o ninguna obligación nueva.

Esta propuesta, aunque altamente convincente, no lleva inevitablemente a la conclusión de que la soberanía nacional se esté fortaleciendo en todos los frentes. En primer lugar, los Estados geopolíticamente débiles pueden verse empujados a permitir la ciudadanía múltiple como respuesta a políticas promulgadas por Estados más poderosos y, por lo tanto, pueden experimentar una erosión de su soberanía (véase la discusión sobre la ciudadanía múltiple Estados Unidos-Latinoamérica que se ofrece más adelante). En segundo lugar, no es descabellado pensar que los principios selectivos y voluntarios de la "ciudadanía a la carta" estén comenzando a repercutir en la ciudadanía de manera amplia, reduciendo la legitimidad de cualquier coerción u obligación. Dado que cada ciudadano es un emigrante potencial, ¿cuál sería el efecto de la "ciudadanía a la carta" en la capacidad de los Estados para demandar sacrificios de todos sus ciudadanos?

Estas preguntas cruciales acerca de la soberanía y la identidad también son discutidas por Thomas Faist (capítulo I, este volumen), quien defiende la prominencia de la ciudadanía para regular las relaciones políticas y sociales en décadas recientes, descritas como "la era de la ciudadanía" (un término propuesto por el ex presidente de Brasil, Fernando Cardoso). Faist identifica tres tendencias simultáneas que operan en la ciudadanía contemporánea: expansión, extensión y erosión. La ciudadanía múltiple se sitúa en el cruce de estas tres tendencias: significa una expansión de los derechos de los migrantes (inmigrantes y emigrantes), y una extensión de las posibilidades de pertenencia más allá del Estado-nación territorial (tendencia integradora), pero de manera simultánea también provoca temores sobre la erosión de la solidaridad y la soberanía nacional (tendencia desintegradora). El "kit conceptual" que aporta Faist nos permite apreciar el papel crucial que la ciudadanía múltiple —incluyendo la posibilidad legal de convertirse en ciudadano múltiple— desempeña en las transformaciones políticas contemporáneas, incluso aunque el número de personas que actualmente ostentan más de una ciudadanía no sea demasiado alto. Nos surge la siguiente pregunta, ¿cuál de las tendencias sobre la ciudadanía planteadas por Faist dominará en el futuro, la integradora o la desintegradora?

Los capítulos empíricos del libro nos permiten examinar la manera en la que estas dinámicas contradictorias y complementarias de la ciudadanía operan en el escenario todavía poco estudiado de Latinoamérica y sus vínculos con la Unión Europea y Estados Unidos. La ciudadanía múltiple opera en dos niveles distintos; por un lado funciona como una herramienta geopolítica a disposición del Estado, y también como un régimen internacional que vincula a dos o más Estados que comparten personas y poblaciones entre ellos. Al mismo tiempo, también opera en el ámbito individual, ya que crea nuevas posibilidades para los individuos y funciona como una forma de capital disponible para fines personales. Los hallazgos de los casos latinoamericanos de ciudadanía múltiple aquí analizados sin duda contribuirán a expandir nuestro conocimiento preexistente basado en otras regiones del mundo; asimismo, nos permitirán desarrollar un marco teórico-comparativo a través del cual podremos apreciar las posibilidades de la ciudadanía como herramienta estatal, régimen internacional y capital individual. En el resto de esta conclusión, se examinan brevemente las implicaciones que emergen de las investigaciones y trabajos empíricos incluidos en la segunda y tercera partes de este volumen.

Euro-latinoamericanos: la reactivación de una ventaja étnica

Los euro-latinoamericanos, categoría discutida en este libro por Pablo Mateos, Antonio Izquierdo y Luca Chao, y David Cook-Martín (respectivamente capítulos III, IV y V de este volumen) constituyen una categoría de ciudadanos múltiples que es relativamente nueva. Ésta fue ampliada muchísimo desde los años noventa como resultado de los cambios en las leyes de ciudadanía a ambos lados del Atlántico y la propia creación de la ciudadanía europea y el mercado único con el tratado de Maastricht de 1992. Utilizando una metodología mixta, que incluye entrevistas, técnicas etnográficas, investigación en línea (netnografía) y datos estadísticos, Mateos, Izquierdo y Luca, y Cook-Martín muestran a los euro-latinoamericanos en sus dos "hábitats naturales": América Latina y Europa.

En el capítulo V, Cook-Martín explora el significado que tiene el pasaporte europeo para los argentinos que tratan de obtenerlo: una posibilidad de escape en medio de la crisis económica, una suerte de seguro de vida y una garantía de movilidad y prestigio global. En el capítulo IV, Izquierdo y Chao proporcionan una visión sinóptica de las causas y consecuencias de la ley española de la memoria histórica de 2007, que ha producido medio millón de españoles en el espacio de unos pocos años; 90 por ciento de estos proceden de países latinoamericanos —principalmente Cuba, México y Argentina— y de acuerdo con los datos que aportan, muchos de ellos no llegaron a solicitar el pasaporte español sino que se quedaron satisfechos con la adquisición de la ciudadanía como un "seguro de vida" y una cuestión de identidad familiar. En el capítulo III, Mateos investiga las complejas estrategias de los inmigrantes latinoamericanos en Europa y encuentra que estos inmigrantes a menudo no residen en el país europeo donde tienen ciudadanía sino que usan la doble nacionalidad para maximizar su movilidad y sus oportunidades de vida. En los tres casos, los euro-latinoamericanos parecieran desafiar las categorías conceptuales desarrolladas por los estudiosos de la migración y la ciudadanía. Examinamos aquí algunas implicaciones, enfocándonos en los individuos que residiendo en el exterior recibieron la ciudadanía europea por tener ascendientes europeos —los *extrazens*— de la Unión Europea, como sugiere llamarlos Mateos (capítulo III de este volumen).

Primero, examinamos el papel clave que juegan la etnicidad y la demografía. Cook-Martín identifica una "competencia por ciudadanos" entre los Estados europeos y los latinoamericanos. Esta competencia tiene su origen en la gran emigración europea de finales del siglo xix y principios del xx, cuando millones de personas salieron de Europa para establecerse en América Latina (así como en EUA, Australia, etc.). En esta época, los países latinoamericanos buscaron un refuerzo demográfico blanco proveniente de países del sur de Europa, como España e Italia, donde el crecimiento demográfico era alto y el nivel de vida bajo. En el siglo xxi, las relaciones económicas y demográficas se revirtieron: Italia y España disfrutan de un nivel de vida superior al de Argentina y México (al menos hasta la crisis económica de 2008), y están enfrentándose a una complicada realidad demográfica, caracterizada por muy bajas tasas de fertilidad y una inmigración de origen no-europeo y no-cristiano que muchos perciben como una amenaza.

Dichas condiciones impulsan a los Estados europeos como España e Italia en tratar de "recuperar" a los descendientes de emigrantes que viven en América Latina como política migratoria selectiva. En este contexto, los individuos se convierten en un recurso escaso desde el punto de vista de los Estados, y el criterio principal de selección que determina su valor es el origen étnico. El resultado, argumenta Mateos (capítulo III de este volumen), es que la etnicidad (la etnicidad *correcta* por supuesto) se convierte en una forma de capital disponible para ciertos individuos en América Latina, el capital étnico. Esta condición es análoga al mercado de trabajo, donde los patrones compiten por el recurso escaso de los trabajadores usando las habilidades de estos trabajadores como el criterio de selección. En el "mercado" de ciudadanos entre Europa del Sur y América Latina, el capital valorado es la etnicidad (simbolizada por el fenotipo, idioma, apellido e incluso clase social). La ciudadanía, como indicador de ascendencia, es una manera de seleccionar por etnicidad sin practicar una discriminación abierta.

¿Es acaso la selección étnica de migrantes un fenómeno nuevo? Ciertamente no. En el siglo XIX, eran los Estados latinoamericanos los que —al igual que Estados Unidos o Canadá— implementaban políticas migratorias selectivas para sus proyectos de construcción de nación (Appelbaum, Macpherson y Rosemblatt, 2003; Telles, 2004; Cook-Martín, 2013; FitzGerald y Cook-Martín, 2014). Uno de los objetivos era "blanquear" o volver más europeas a estas incipientes naciones por medio de la promoción de la inmigración europea y el asentamiento blanco en regiones despobladas. Por lo tanto, los abuelos y bisabuelos de los euro-latinoamericanos contemporáneos, que viajaron en barco a través del océano Atlántico hasta los puertos de Veracruz y Buenos Aires, también disfrutaron de un capital étnico preferente en un sistema jerárquico de movilidad global. Si hubieran sido de origen chino o hindú, por ejemplo, sus oportunidades de migración hubieran sido mucho más limitadas (y probablemente hubieran terminado como peones de plantación en Surinam o Barbados). De esta manera, las mismas familias de origen europeo se están beneficiando de una segunda ronda de favoritismo étnico "de ida y vuelta" en las políticas de migración un siglo después.

¿Qué hay de nuevo entonces en el caso de los euro-latinoamericanos contemporáneos? La diferencia clave en relación con la migración histórica de Europa a Latinoamérica es que el mecanismo de selección (o el principio de regulación) esta vez no opera por medio de políticas de reclutamiento laboral o visas de inmigración sino por medio del estatus legal de la ciudadanía doble. Este nuevo estatus representa un lazo legal más profundo y duradero entre el individuo y el Estado que intenta atraerlo o retenerlo. También refleja un cambio dramático en el balance de poder entre individuos y Estados —a favor de los individuos (FitzGerald, en este volumen), que nunca antes habían tenido una capacidad de acción semejante.

La expansión de la doble nacionalidad en las últimas décadas coincide con el declive de las obligaciones que los Estados democráticos requieren de sus ciudadanos, que se refleja más claramente en la abolición del servicio militar obligatorio en muchos países (Koslowski, 2003; Sejersen, 2008). Al mismo tiempo, los Estados reconocen más derechos a los individuos, no necesariamente derechos sociales sino civiles, como el de apelar a organismos internacionales y derechos políticos como el voto en el extranjero (Bauböck, 2005; Ellis *et al.*, 2007).

Otro elemento que resalta en los capítulos de Mateos, Izquierdo y Chao, y Cook-Martín, y que subraya el cambio en el papel que juega el Estado, es la importancia de la Unión Europea como régimen supranacional (véase también Faist, capítulo I de este volumen). Mateos en el capítulo III describe la nueva manera en que la nacionalidad en un país europeo asegura derechos amplios en todos los países de la Unión, produciendo una "intercambiabilidad" de la nacionalidad en Europa. La expansión de la UE hizo la ciudadanía de cualquier país europeo muy atractiva para millones de personas que nacieron fuera de la UE, pero que tienen derecho a solicitarla por medio de ancestros en otros países europeos. Éstos forman una gran parte del colectivo *extrazens*, o ciudadanos externos, que no incluye sólo a latinoamericanos sino también a cientos de miles, tal vez millones, de personas en Estados Unidos, Europa del Este y el Oriente Medio (Tintori, 2009; Harpaz, 2013; Mateos, 2013; Harpaz, 2015). La literatura naciente sobre esta población no-latinoamericana revela que sus motivaciones e intereses básicos son comparables con los de los eurolatinoamericanos, pero con diferentes énfasis. Por ejemplo, para las personas de Moldavia, el pasaporte europeo significa el poder trabajar en la UE de manera temporal (Iordachi, 2004; Görlich y Trebesch, 2008); para los israelíes, dicho pasaporte es atractivo no necesariamente para obtener trabajo sino más bien como un "seguro de vida" (Harpaz, 2013). Los usos y los sentidos de la segunda ciudadanía de estos *extrazens* —sean de Argentina, México, Israel o Moldavia— no están completamente determinados por el Estado que ofrece la ciudadanía, sino también por los individuos, que pueden tener mucha libertad para encontrar usos prácticos a sus pasaportes que no coinciden con los previstos por el Estado.

La discusión anterior, que se enfoca en los nuevos derechos a disposición de los individuos, podría dar la impresión de que la doble nacionalidad implica el debilitamiento del Estado-nación y que promueve la creación de "ciudadanos del mundo" o individuos motivados por intereses económicos y liberados de lealtades nacionales. Esta perspectiva no está del todo desprovista de justificación. Sin embargo, también hay que tener en cuenta dos factores que apuntan al argumento contrario: primero, la política de ciudadanía es "uno de los últimos bastiones de la soberanía nacional" (Brubaker, 1992) —incluso los Estados miembros de la UE no aceptan regulaciones supranacionales que restrinjan su soberanía para decidir a quién otorgan su nacionalidad—; segundo, el poder de tomar decisiones sobre la ciudadanía es más importante para individuos y Estados ya que a partir de la deslegitimación de la discriminación por motivos de género, raza o religión, la ciudadanía es uno de los últimos criterios de discriminación legítima en derechos (Shachar y Hirschl, 2007; Wimmer, 2013).

Por esta razón, esperaríamos que la política de ciudadanía fuese un sitio muy activo de negociación sobre los intereses y la identidad del Estado-nación (capítulo I de este volumen). En consecuencia, numerosos proyectos de construcción de nación que en el pasado fueron ejecutados por medio de métodos coercitivos, ahora son implementados usando la doble nacionalidad. Como vimos anteriormente, Cook-Martín (capítulo V de este volumen) arguye que los Estados-nación están confeccionando "la ciudadanía dual emigrante" como parte de un nuevo proyecto histórico de inclusión de poblaciones que residen en el extranjero. Aquí yo propongo que la doble ciudadanía (tanto del tipo emigrante como inmigrante) también es usada por los Estados y los gobiernos como un instrumento para desarrollar proyectos más "tradicionales", incluyendo la construcción simbólica de la nación, mediante la selección e integración de los inmigrantes, obteniendo ventajas políticas e incluso reclamando territorios en países vecinos.

El capítulo IV, de Izquierdo y Chao, que analiza los motivos e intereses detrás de la Ley de la Memoria Histórica (LMH) de 2007 y de las políticas de ciudadanía en España, nos brinda un ejemplo relevante de la doble ciudadanía como herramienta en manos del Estado. Su discusión muestra la complejidad del proceso político que desembocó en la decisión de ofrecer la nacionalidad española a los hijos y nietos de los emigrantes españoles. En un nivel, es una ley que ofrece la restitución y justicia retroactiva. En este aspecto, es comparable a la ley alemana que otorga la ciudadanía a los descendientes de judíos que emigraron de Alemania por la persecución nazi entre 1933 y 1945 —una ley que ya produjo más de cien mil ciudadanos dobles alemano-israelíes en Israel (Harpaz, 2013)—. Pero en otro nivel, como señalamos antes, la ley está vinculada con preocupaciones demográficas y económicas que aquejan a España desde comienzos del siglo XXI. Desde esta perspectiva, la LMH española se puede comparar con las políticas de inmigración selectivas de Rusia, Japón u otros países con baja fertilidad y preocupaciones demográficas, que ofrecen facilidades para el acceso a la ciudadanía o inmigración a los descendientes de emigrantes (Tsuda, 2010; Salenko, 2012).

El "refuerzo demográfico" que se busca a través de la doble nacionalidad no tiene que implicar una migración de "retorno transgeneracional" en la actualidad, sino que también puede tener un objetivo más simbólico, como es la construcción de una diáspora nacional. Así fue analizada la política reciente del gobierno mexicano que, desde 1998, permite la doble nacionalidad y desde 2006 el voto en el exterior (Escobar A., capítulo VIII de este volumen; FitzGerald, capítulo II de este volumen; Ellis *et al.*, 2007) o las políticas históricas de Italia (Smith, 2003a; Choate, 2008) que reconocieron a los emigrantes como "miembros de la nación en el exterior".

A otro nivel, la expansión de la ciudadanía española se puede ver también como estrategia de política electoral: la Ley de la Memoria Histórica fue aprobada por el gobierno socialista de Zapatero, como parte de una serie de leyes con tendencia izquierdista de expansión de derechos (Izquierdo y Chao, capítulo IV de este volumen). La oferta de nacionalidad a los hijos y nietos de los exiliados de la guerra civil (1936-1939) fue parte de un esfuerzo de reconstruir la memoria histórica de España de una manera que se correspondiera más con la visión de los vencidos en dicha guerra y posterior dictadura franquista, y por lo tanto próxima al partido socialista. Así, había una cierta expectativa de que estos nuevos votantes apoyaran al partido que les brindó la ciudadanía.[2] Intereses electorales similares también influyeron en la expansión de la ciudadanía y el derecho al voto del exterior en los casos de Hungría (Csergo, 2005; Kovács y Tóth, 2010), Italia (Tintori, 2011) y Croacia (Koska, 2012) —aunque a menudo estas políticas no tuvieron el impacto electoral esperado (Pogonyi, 2011).

Estas perspectivas nos llevan a la conclusión de que en la actualidad la doble nacionalidad sirve como una herramienta usada por el Estado-nación, así como por los partidos políticos dentro del Estado, para el proyecto de construcción de la nación. Además de los usos mencionados para el caso español —doble nacionalidad como restitución histórica, política de migración, construcción de diáspora y nacionalismo simbólico— se pueden añadir dos más.

Ofrecer la doble nacionalidad a personas no residentes de la misma "etnia" puede ser, especialmente en Europa del Este, una estrategia de política irredentista y ambiciones geopolíticas. En regiones con fronteras en disputa, históricamente objeto de luchas sangrientas (como Macedonia, Transilvania, Silesia o Istría) varios Estados ofrecen la ciudadanía múltiple con el fin de reclamar población y por ende territorio. En consecuencia, los pasaportes reemplazan a los tanques y soldados en la competencia por territorios y poblaciones entre países vecinos. Mientras tanto, países occidentales que reciben inmigrantes, como Gran Bretaña, Estados Unidos y

---

[2] Sin embargo, hay que notar que el número de votantes del exterior en las elecciones españolas de 2008 no se incrementó significativamente en relación con 2004, y en 2011 disminuyó dramáticamente, lo que demostró que el partido que aprobó la ley no ganó más votos debido a ella.

Francia, también usan políticas de doble nacionalidad permitiendo que los inmigrantes adquieran su ciudadanía sin tener que renunciar a la de origen. El propósito en este contexto es facilitar la integración y la asimilación al remover los obstáculos para la naturalización (Joppke, 2010).

Vemos entonces que la doble ciudadanía, que a primera vista parecería ser parte de una era posnacional, a menudo sirve como una herramienta clave que los Estados usan para promover sus proyectos nacionales. Las "constelaciones de ciudadanía" (Bauböck, 2010) son al mismo tiempo un principio de interacción internacional, es decir de colaboración, integración y competencia. Esta interacción entre Estados, que en el caso euro-latinoamericano toma la forma de la competencia por ciudadanos, es aún más visible en el caso de la doble nacionalidad entre México y Estados Unidos, donde parece más una forma de cooperación.

Latinoamérica-Norteamérica y el caso mexicano-estadounidense: un nuevo nivel de simbiosis

Cristina Escobar demuestra en el capítulo VI que en los últimos veinte años ha habido un cambio dramático en las leyes de ciudadanía de los países latinoamericanos: mientras que antes de 1991 sólo cuatro de ellos permitían la ciudadanía múltiple, hoy en día prácticamente todos ellos la permiten de alguna manera. Este cambio a lo ancho de toda una región, según arguye Escobar, ha sido motivado no sólo por un deseo de incorporar a la diáspora, sino también —y quizá más importante— como una respuesta a las políticas de Estados Unidos (EUA) que desde midiados de los años noventa ha presionado a los inmigrantes para naturalizarse.

El capítulo VI proporciona otra perspectiva acerca de los muy diversos procesos históricos que llevaron a una convergencia regional acerca de las posturas sobre la doble nacionalidad en Latinoamérica. Como Cristina Escobar muestra, la doble nacionalidad y los derechos extraterritoriales fueron iniciados en cada país por distintos actores institucionales —organizaciones de la diáspora, gobiernos y partidos políticos— y aun así, el resultado final fue sorprendentemente similar en toda América Latina. Esto puede sugerir que los contornos generales de la política de ciudadanía de cada país dependen más de su posición geopolítica y económica global que de procesos políticos internos (cf. FitzGerald y Cook-Martín, 2014). La combinación de procesos de democratización, presión de la diáspora y una creciente naturalización de los emigrantes en el país de destino son los factores clave que permiten entender la expansión de la nacionalidad múltiple en los países latinoamericanos.

Vemos por tanto que, aunque los Estados ejercen su soberanía formal para determinar sus propias leyes de ciudadanía, están obligados a tomar en cuenta las políticas y las prácticas de otros Estados —sobre todo si son geopolíticamente débiles y dependen de un vecino mucho más fuerte como EUA—. Este aspecto queda muy claro con el caso mexicano-estadounidense en el que me centro especialmente para comentar la tercera parte del libro.

Las relaciones diádicas entre México y EUA ejemplifican otra manera en la que puede funcionar la doble ciudadanía. A través de este caso, podemos identificar cómo cada uno de los dos Estados utiliza la doble nacionalidad para realizar sus objetivos. En EUA, la creciente restricción de los derechos a inmigrantes no ciudadanos (Massey y Pren, 2012), junto con la tolerancia de la doble nacionalidad (Spiro, 1997; Weil, 2013), fomenta que los inmigrantes se naturalicen y adquieran la nacionalidad estadounidense. Esta es una ilustración de la manera en que las políticas de doble nacionalidad se utilizan como políticas de integración de inmigrantes —aunque hay algunos autores que argumentan que la doble nacionalidad impide la integración en EUA (Renshon, 2001; Staton, Jackson y Canache, 2007)—. Para el Estado mexicano, el reconocimiento legal de la doble nacionalidad, que ocurrió en 1998 con la ley de no pérdida de la nacionalidad, ayuda a mantener el contacto con los emigrantes y promueve la construcción de la diáspora, parecida a los casos mencionados de Italia y España (Agustín Escobar, capítulo VIII de este volumen; Smith 2003, 2003a).

Sin embargo, los capítulos incluidos en este libro permiten el análisis de la doble nacionalidad en este caso no sólo como políticas de dos Estados distintos, sino también como una interacción entre dos Estados vinculados. El caso de México y Estados Unidos presenta una interacción muy íntima entre países vecinos: cerca de 11 por ciento de la población mexicana —98 por ciento de todos los emigrantes mexicanos— viven en EUA (FitzGerald, 2012); la migración en la otra dirección es también significativa: según algunas estimaciones, un cuarto de todos los ciudadanos estadounidenses en el exterior viven en México (Shachter 2006; Smith 2010). Una gran parte de estos migrantes tienen doble nacionalidad actual o potencial.

Vista como un elemento de dicha interacción diádica, la doble nacionalidad México-EUA funciona como un régimen de regulación y control de la movilidad entre los dos países, que en cierta medida reemplaza a las antiguas normas migratorias. El régimen de cooperación del programa Bracero, entre 1942 y 1965, dio un marco legal al patrón de migración temporal y circular entre México y EUA. Después de la abolición del programa en 1965, el mismo patrón continuó, pero de manera ilegal y en condiciones de forcejeo entre los gobiernos. La criminalización de la frontera desde los años ochenta hizo más difícil a los inmigrantes indocumentados poder ir y venir entre los países, y forzó a muchos a quedarse definitivamente en EUA (Massey, Durand y Malone, 2003; Massey y Pren, 2012). El principio de selección de inmigrantes en esas condiciones de cruce ilegal era la resistencia de los propios migrantes, que tenían que cruzar desiertos y ríos, su necesidad económica, su capacidad de tener éxito en los trabajos no calificados que les esperan y, tal vez lo más importante, sus vínculos sociales con redes preexistentes de inmigrantes.

El nuevo régimen de movilidad, como lo describen Jorge Durand (capítulo VII de este volumen) y Agustín Escobar (capítulo VIII), está vinculado no sólo con desarrollos legales sino también tecnológicos y organizacionales. El control de la frontera con México es cada vez más férreo, el número de deportaciones crece y el régimen de identificación en el interior de EUA es más estricto. Todos estos cambios hacen que cruzar la frontera sin documentos sea mucho más difícil que antes. En estas circunstancias, la migración indocumentada entre México y Estados Unidos ha disminuido desde 2004. Al mismo tiempo, el número de inmigrantes legales fluctúa en torno al mismo nivel y la inmigración temporal autorizada aumenta (Massey y Pren, 2012). La crisis económica también hace a EUA menos atractivo para los inmigrantes mexicanos, un hecho que se refleja en el aumento de la migración de retorno (capítulo VIII de este volumen).

Sin embargo, como argumenta Agustín Escobar en el capítulo VIII, existe un elemento en la población migratoria que crece rápidamente: las personas con doble nacionalidad. El crecimiento de la población estadounidense-mexicana es el resultado de una nueva situación demográfica creada por la migración de retorno y las deportaciones, que juntos devuelven a México cientos de miles de personas que pasaron largas temporadas en EUA o incluso nacieron allí. En conjunto, Agustín Escobar sostiene que un total de 1.7 millones de mexicanos actualmente residentes en México bien nacieron en EUA o pasaron largos periodos en ese país. Como las condiciones actuales de seguridad en la frontera y la política de deportaciones no les asegura un regreso pacífico a EUA (los deportados tienen miedo a las sanciones legales si son arrestados de nuevo, y otros tienen menores incentivos económicos para volver a emigrar), se espera que muchos de estos retornados y mexicanos nacidos en EUA se asienten de manera definitiva en México. Esto supone un importante reto para las autoridades mexicanas, que si bien adoptan el papel de "reclamarlos" como ciudadanos propios, no terminan de asumir la necesidad urgente de proporcionarles documentación, derechos y servicios públicos, tal como ilustra Agustín Escobar (capítulo VIII de este volumen).

Las implicaciones de esta nueva situación son discutidas por Agustín Escobar, quien presenta un panorama complejo; la discriminación que enfrentan los retornados de Estados Unidos en México, muchos de ellos con derecho a la doble ciudadanía. Este es un fenómeno que va en contra de los esperados beneficios del transnacionalismo. De hecho, la discriminación de los migrantes retornados no ha recibido gran atención en la investigación sobre migración, que se centra siempre en discriminación en el destino (Portes y Bach, 1985; Escobar, 1995; Telles y Ortiz, 2008) o los beneficios que se asocian con el transnacionalismo y la doble nacionalidad (Portes, Guarnizo y Landolt, 1999; Ong, 1999; FitzGerald, 2012).

En el caso de los hijos de mexicanos deportados que llegan a México como menores de edad la exclusión es doble; su familia fue expulsada por el país donde nacieron y ellos experimentan discriminación social y legal por un sistema educativo que no reconoce sus documentos de identidad y les margina por no dominar el idioma español, además de carencias en el acceso a servicios sociales en México, tal como argumenta Agustín Escobar. La paradoja es que como dobles ciudadanos, cuando cumplan 18 años podrán vivir, trabajar y estudiar en ambos lados de la frontera y tendrán acceso a un amplio mercado de oportunidades de manera legal.

La consolidación de un gran contingente de población de dobles ciudadanos residentes en México con acceso privilegiado a Estados Unidos creará un nuevo régimen de movilidad basado en otro principio de selección que reemplazará la capacidad de cruzar fronteras y las conexiones de redes sociales que han caracterizado la era de la migración indocumentada. Tampoco la etnicidad funciona aquí como criterio de selección de los inmigrantes potenciales, como era el caso de los euro-latinoamericanos. En su lugar, el nuevo principio que determina el acceso al mercado de trabajo estadounidense es el lazo formal con EUA, es decir, la ciudadanía, que puede asegurarse por el lugar de nacimiento, por vínculos familiares o por haber pasado una estancia larga con una visa de inmigrante legal. En consecuencia, el lazo ciudadano con EUA se convierte en una nueva forma de capital, y los individuos adoptan varias microestrategias destinadas a obtenerla. Entre ellas las más importantes son la naturalización y dar a luz a sus hijos en EUA. Existe nueva evidencia empírica acerca del número creciente de residentes mexicanos que nacieron en Estados Unidos pero de padres mexicanos (Cobo Quintero y Ángel Cruz, 2012). Este incremento es el resultado del retorno voluntario y las deportaciones, pero también de una práctica deliberada de "nacimientos estratégicos" que se benefician de la ley norteamericana de *ius soli* y de la tolerancia de la doble nacionalidad (fenómeno que despectivamente se conoce en los medios de comunicación estadounidenses como "turismo de nacimiento" o "bebés ancla", *birth tourism* o *anchor babies*).

Jorge Durand (capítulo VII de este volumen) hace una revisión de la trayectoria histórica que ha llevado a la adopción universal del derecho automático a la ciudadanía por nacimiento en el territorio, o *ius soli* de EUA, plasmado en la Enmienda 14 de la Constitución como resultado de la guerra civil estadounidense y la abolición de la esclavitud. Durand discute las propuestas recientes de legisladores de dicho país para abolir este derecho, aireadas con frecuencia en círculos conservadores que ven una amenaza en el denominado "abuso del turismo de nacimiento", o en el concepto de los "bebés ancla" (*anchor baby*), que asegure la regularización de los padres cuando el hijo tenga 21 años. Estos círculos arguyen que este derecho de nacimiento ha generado un lucrativo negocio para proveedores de servicios médicos y de hospedaje, que se encargan de acoger a madres expectantes de un amplio número de países que buscan la ciudadanía estadounidense para sus hijos. Las protestas en contra de dichas propuestas de abolir el *ius soli* hechas desde México (especialmente en los estados fronterizos), así como desde otros países de origen, manifiestan la fuerte interdependencia entre los sistemas de migración y ciudadanía en las políticas de EUA. Sin embargo, tal como describe Durand en el capítulo VII, la amenaza de erosión del derecho universal de nacimiento en suelo en todo el continente americano ya ha comenzado de manera drástica en República Dominicana. La eliminación de dicho derecho con carácter retroactivo desde 1929 ha desposeído de su nacionalidad a varias generaciones de descendientes de migrantes haitianos nacidos en Dominicana, un fenómeno de despojo masivo de ciudadanía por motivos raciales sin precedentes en el mundo contemporáneo.

El caso mexicano-estadounidense representa un ejemplo muy claro en que la doble ciudadanía se produce por la interacción entre dos países vinculados por migración. Este caso se caracteriza por un gran volumen de migrantes, dado el tamaño demográfico de México y su proximidad geográfica con EUA. Sin embargo, como presenta Cristina Escobar (capítulo VI de este volumen), los patrones básicos que caracterizan este fenómeno también pueden ser identificados en otros países latinoamericanos.

En el caso latinoamericano-estadounidense, como en el caso euro-latinoamericano, parece claro que la doble nacionalidad no refleja un debilitamiento de la autoridad estatal sino, al contrario, un cambio hacia un régimen de movilidad más selectivo y más sistemático, basado en tecnologías superiores de identificación personal y control de territorio (véase la recapitulación de Torpey [2000] sobre "la invención del pasaporte" a principios del siglo XX). Este nuevo régimen de doble ciudadanía "selecciona" un grupo específico dentro de la población mexicana o latinoamericana (los que tienen lazos legales con EUA por nacimiento, familia o naturalización) y amplía en gran medida sus derechos y oportunidades como resultado de la permisividad de la doble ciudadanía. Sin embargo, al mismo tiempo, el acceso del resto de la población mexicana a EUA está más restringido que nunca, debido al fortalecimiento tecnológico, administrativo y legal de la frontera, que prácticamente elimina la posibilidad de migración indocumentada, y a un sistema de migración legal altamente restrictivo.

El incremento en el número de países que permiten la nacionalidad múltiple en el mundo está por lo tanto fuertemente asociado con la creación de regímenes de selectividad externa. Los Estados están adoptando de manera creciente una actitud proactiva acerca de las poblaciones fuera de su territorio que son vistas como un recurso que puede ser gobernado y del que se pueden beneficiar (Gamlen, 2008; Ragazzi, 2009). Desde esta perspectiva, la propagación de la doble nacionalidad está fuertemente vinculada con fenómenos como la institucionalización mundial del voto ausente (Ellis *et al.*, 2007) y la creación de los programas de ciudadanía-por-inversión (Dzaknic, 2012). Todos estos cambios reflejan un salto hacia un nuevo régimen que ha sido denominado como la "gobernabilidad neoliberal" (Ragazzi, 2009), en el cual el ciudadano es construido como un *homo economicus* (Ong, 1999) que obedece a una lógica económica individual y racional. Este nuevo régimen reemplaza el antiguo contrato social entre el ciudadano y el Estado, en el cual la lealtad y el servicio militar jugaban un papel crucial (Tilly, 1995). Bajo el modelo emergente neoliberal de las relaciones ciudadano-Estado, el "buen ciudadano" es, sobre todo, uno que puede contribuir a la prosperidad económica, independientemente de su ubicación geográfica o sus otras lealtades nacionales. Estos cambios explican la expansión de la práctica de pertenencias múltiples; los ciudadanos dobles son valorados por su potencial añadido para el envío de remesas, inversión y emprendimiento transnacional, mientras que las cuestiones de lealtad exclusiva son menos importantes.

Podemos concluir diciendo que estamos siendo testigos del comienzo de una convergencia en los regímenes de ciudadanía a nivel mundial, con una persistente (aunque todavía reversible) tendencia hacia una relación entre los ciudadanos y los Estados más flexible, menos territorializada y más mercantilizada. De manera simultánea, muchos países permiten la ciudadanía doble y extraterritorial obedeciendo a motivos y expectativas muy diversas. Este patrón complejo de convergencia y variaciones nacionales presenta importantes retos empíricos y teóricos para las ciencias sociales y los estudios políticos y legales, y enfatizan la necesidad de nuevas investigaciones sobre esta temática en distintas zonas del mundo.

Retos metodológicos

Las futuras investigaciones en esta área tendrán que superar una serie de retos metodológicos. La doble nacionalidad es un fenómeno muy nuevo y las herramientas para medirlo y estudiarlo apenas están comenzando a desarrollarse. Esto afecta en primer lugar la disponibilidad de las estadísticas oficiales, como los censos de población y las encuestas públicas. Solamente algunos países recolectan oficialmente información sobre los ciudadanos múltiples entre su población residente, por ejemplo Canadá, Alemania, Rusia y Reino Unido, pero no Estados Unidos o Francia (Mateos, 2014). Incluso cuando estos datos son recogidos, se hace a través de declaración propia, y dependiendo de cómo estén formuladas las preguntas es muy probable que se subestime el número de ciudadanos múltiples. La ciudadanía múltiple estará subestimada por el censo como resultado del nivel de "deseo social" —muchas personas quizá no quieran admitir que tienen una segunda ciudadanía, especialmente si ese segundo país no está bien considerado en el país de residencia— pero también como resultado de que muchas personas no saben si tienen el estatus de dobles ciudadanos o no (Bloemraad, 2004) (por ejemplo, personas con uno de los dos pasaportes caducados o que piensan que perdieron la nacionalidad de su país de origen al naturalizarse).

Algunos países publican estadísticas acerca del número de sus ciudadanos no-residentes que están registrados en los consulados en el extranjero (por ejemplo, véase el cuadro III.2 en el capítulo III de este volumen para los datos de España), aunque no todos los residentes en el extranjero se toman la molestia de registrarse en los consulados. Estas estadísticas son útiles cuando especifican si el ciudadano ausente también es ciudadano de otro país (como en Suiza), pero en algunos casos (Francia e Italia) la información sobre la ciudadanía múltiple es antigua o está incompleta. Algunos países, como España, incluyen el país de nacimiento y el de residencia de los nacionales en el extranjero, lo que permite establecer algunas hipótesis sobre la doble ciudadanía en países de nacimiento que reconocen el derecho *ius soli* de manera automática y que no revocan la nacionalidad tras la naturalización en otro país. Por lo tanto, las estadísticas oficiales sobre ciudadanía múltiple están incompletas y son poco consistentes en definiciones y cobertura de colectivos poblacionales, menos aún a lo largo del tiempo.

Por último, si se recurre a la generación de datos primarios sobre ciudadanos múltiples a través de encuestas o entrevistas propias, emerge el problema de la incertidumbre sobre el muestreo, al carecer de un registro base de ciudadanos dobles que permita realizar un muestreo aleatorio. Por lo tanto la mayoría de los estudios han de recurrir a muestreos de conveniencia o de bola de nieve, que no permiten establecer la representatividad de los resultados. Estos son algunos de los retos metodológicos principales a los que se enfrentan las futuras investigaciones en esta área, y que deberán generar recomendaciones para la elaboración de futuros instrumentos de medición y estudio país por país.

Esbozando una agenda futura de investigación

Este volumen es un primer paso hacia la comprensión del fenómeno global de la ciudadanía múltiple o doble nacionalidad. A modo de conclusión, formulamos tres preguntas generales que invitan a abordar futuras investigaciones en esta área.

Primero, es necesario realizar una exploración más profunda de la perspectiva de los individuos que tienen la doble nacionalidad. Gracias a Mateos, Izquierdo y Chao, y Cook-Martín (capítulos III, IV de V de este volumen) conocemos los sentimientos y prácticas de los euro-latinoamericanos, una élite seleccionada por su etnicidad y sus habilidades y que disfruta de movilidad ampliada. Entendemos mejor lo que piensan acerca de su segundo pasaporte y cómo cambian sus oportunidades y su autoidentidad. ¿En qué medida son sus experiencias también representativas de los ciudadanos múltiples en el resto de América Latina y del mundo? Particularmente nos falta la perspectiva de los estadounidense-latinoamericanos: ¿cómo entiende al pasaporte estadounidense una persona con doble ciudadanía que reside en la Ciudad de México, en Oaxaca, en Bogotá o en Santo Domingo? ¿Qué significado tiene el pasaporte mexicano, colombiano o dominicano en Brownsville, Texas, en Nueva York o en Chicago? Éstas son preguntas empíricas que merecen ser abordadas en nuevos estudios que partan de las prácticas de los individuos y las familias.

Segundo, ¿cuál es el futuro de la doble nacionalidad en América Latina? Desde el punto de vista de los Estados, se puede imaginar una consolidación y expansión de la doble nacionalidad en los próximos años o, por el contrario, un surgimiento de condiciones que la restrinjan. Sería ingenuo ver el giro global permisivo en relación con la ciudadanía múltiple como inevitable o irreversible. En Europa, por ejemplo, Holanda y Ucrania anularon la doble nacionalidad solamente unos pocos años después de ser aprobada. En el primer caso, por la sospecha de que estaba retrasando la integración de los inmigrantes, y en el segundo por miedo a una intervención rusa —que al momento de escribir estas líneas, en mitad de 2014, parece especialmente relevante (Van Oers, De Hart y Groenendijk, 2010; Pogonyi, 2011)—. Es por eso necesario constatar si la tendencia general en América Latina hacia la tolerancia de la doble nacionalidad, identificada por Cristina Escobar (capítulo VI de este volumen), se mantiene como la política hegemónica de ciudadanía en todo el continente. Durand (capítulo VII de este volumen) destaca las tendencias hacia la restricción de la ciudadanía que se observan en algunos países de América y Europa, y presenta el reciente caso, espantoso y racista, de la abolición retroactiva de ciudadanía a cientos de miles de dominicanos nativos de padres de origen haitiano. Falta por ver si otros países recorrerán el mismo revirtiendo la tendencia liberalizadora.

Otro aspecto cuyo futuro no es muy claro es el efecto de la doble ciudadanía sobre los individuos y su identidad. Cook-Martín (capítulo V de este volumen) utiliza el término "desasimilación" para describir cómo los argentinos que reciben el pasaporte italiano se distancian del país latinoamericano en el que sus abuelos se asimilaron a comienzos del siglo pasado. ¿Qué va pasar con la población de dobles ciudadanos "desasimilados"? ¿Cuántos entre ellos regresaran a sus países de origen en América Latina y se "reasimilaran", y cuántos se asimilaran en Europa o en EUA? Sería interesante saber si algunos entre ellos desarrollarán una identidad de doble ciudadanos cosmopolitas o pan-europeos, que no están vinculados a ningún país en particular sino que se mueven con libertad entre su país latinoamericano y Europa o Estados Unidos, motivados por intereses personales pragmáticos.

Finalmente, las aportaciones hechas en este libro exponen claramente el valor de la comparación internacional de las experiencias concretas de los ciudadanos duales, en lugar del simple estudio aislado de casos-país. Otros contextos en donde encontramos prácticas frecuentes de doble nacionalidad incluyen —entre otros— Europa occidental, donde viven millones de descendientes de inmigrantes con doble nacionalidad (por ejemplo, marroquíes en Francia o pakistaníes en Gran Bretaña); Europa oriental, donde hay minorías étnicas con doble nacionalidad (por ejemplo, húngaros en Rumania o croatas en Bosnia), y los países clásicos de inmigración como Australia o Canadá (o, de manera un tanto diferente, Israel), donde un alto porcentaje de la población es de dobles ciudadanos. Esperamos que este libro anime al abordaje de futuras investigaciones en otras partes del mundo que desentrañen la operatividad de la doble nacionalidad como herramienta estatal, régimen internacional y capital personal, y la comparen con los patrones revelados en las investigaciones de los casos euro-latinoamericano y estadounidense-mexicano o latinoamericano abordados en este libro.

Bibliografía

Appelbaum, N.P., A.S. Macpherson y K.A. Rosemblatt (eds.). 2003. *Race and Nation in Modern Latin America*. Carolina del Norte: University of North Carolina Press.

Bauböck, R. 2005. "Expansive Citizenship: Voting beyond Territory and Membership". *Political Science and Politics*, 38 (4), octubre, pp. 683-687.

_____. 2010. "Studying Citizenship Constellations". *Journal of Ethnic and Migration Studies*, 36 (5), pp. 847-859.

Blatter, J., S. Erdmann y K. Schwanke. 2009. "Acceptance of Dual Citizenship: Empirical Data and Political Contexts". Working Paper Series, *Glocal Governance and Democracy*, 2. Lucerna: Institute of Political Science. University of Lucerne.

Bloemraad, I. 2004. "Who claims dual citizenship? The Limits of Postnationalism, the Possibilities of Transnationalism, and the Persistence of Traditional Citizenship". *International Migration Review*, 38 (2), verano, pp. 389-426.

Brubaker, R. 1992. *Citizenship and Nationhood in France and Germany*. Cambridge: Harvard University Press.

Choate, M.I. 2008. *Emigrant Nation: the Making of Italy Abroad*. Cambridge: Harvard University Press.

Cook-Martín, D. 2013. *The Scramble for Citizens: Dual Nationality and State Competition for Immigrants*. Stanford: Stanford University Press.

Csergo, Z. 2005. "Kin-State Politics in Central and Eastern Europe: the Case of Hungary". George Washington University.

Cobo Quintero, S. y J. Ángel Cruz. 2012. "Población nacida en el extranjero en México: inmigrantes y mexicanos por ascendencia", en T. Ramírez García y M.A. Castillo (coords.), *México ante los recientes desafíos de la migración internacional*. México: Conapo. pp. 127-156.

Dzaknic, J. 2012. The Pros and Cons of *Jus Pecuniae:* Investor Citizenship in Comparative Perspective. EUI Working Paper RSCAS 2012/14. Florencia: Robert Schuman Centre for Advanced Studies, European University Institute.

Ellis, A. *et al.* 2007. *Voting from Abroad: the International IDEA Handbook*. Estocolmo: International IDEA.

Escobar, A. 1995. "Reestructuración en México y Estados Unidos y migración internacional". *Revue Européenne des Migrations Internationales*, 11 (2), pp. 73-95.

Escobar, C. 2007. "Extraterritorial Political Rights and Dual Citizenship in Latin America". *Latin American Research Review*, 42 (3), pp. 43-75.

Faist, T., J. Gerdes y B. Rieple. 2004. "Dual Citizenship as a Path-Dependent Process". Working Paper 7. Bremen: Center on Migration, Citizenship and Development.

FitzGerald, D. 2012. "Citizenship a la Carte: Emigration and the Strengthening of the Nation-State", en T. Lyons y P. Mandaville (eds.), *Politics from Afar: Transnational Diasporas and Networks*. Nueva York: Columbia University Press. pp. 197-212.

FitzGerald, D.S. y D. Cook-Martín. 2014. *Culling the Masses: The Demo-*

cratic Origins of Racist Immigration Policy in the Americas. Cambridge: Harvard University Press.

Gamlen, A. 2008. "The emigration state and the modern geopolitical imagination". *Political Geography*, 27 (8), pp. 840-856.

Görlich, D. y C. Trebesch. 2008. "Seasonal Migration and networks: Evidence on Moldova's Labour Exodus". *Review of World Economics*, 144 (1), pp. 107-133.

Harpaz, Y. 2013. "Rooted Cosmopolitans: Israelis with a European Passport. History, Property, Identity". *International Migration Review*, 47 (1) pp. 166-206.

_____. 2015. "Ancestry into Opportunity: How Global Inequality Drives Demand for Non-Resident EU Citizenship". *Journal of Ethnic and Migration Studies*. Disponible en http://dx.doi.org/10.1080/136918 3X.2015.1037258

Howard, M.M. 2005. "Variation in Dual Citizenship Policies in the Countries of the EU". *International Migration Review*, 39 (3), pp. 697-720.

Iordachi, C. 2004. "Dual Citizenship in Post-Communist Central and Eastern Europe: Regional Integration and Inter-ethnic Tensions", en O. Ieda y U. Tomohiko (eds.), *Reconstruction and Interaction of Slavic Eurasia and its Neighboring World*. Sapporo: Slavic Research Center, Hokkaido University. pp. 105-139.

Jones-Correa, M. 2001. "Under Two Flags: Dual Nationality in Latin America and Its Consequences for Naturalization in the United States". *International Migration Review*, 35, pp. 997-1029.

Joppke, C. 2010. *Citizenship and Immigration*. Cambridge: Polity Press.

Koslowski, R. 2003. "Challenges of International Cooperation in a World of Increasing Dual Nationality", en D.A. Martin. y K. Hailbronner, *Rights and Duties of Dual Nationals. Evolution and Prospects*. La Haya: Kluwer Law International. pp. 157-182.

Koska, V. 2012. "Framing the Citizenship Regime Within the Complex Triadic Nexuses: the Case Study of Croatia". *Citizenship Studies*, 16 (3-4), pp. 397-411.

Kovács, M.M. y J. Toth. 2010. "Country Report: Hungary". *EUDO Citizenship Observatory.*

Liebich, A. 2000. "Plural Citizenship in Post-Communist States". *International Journal of Refugee Law*, 12 (1), pp. 97-107.

Massey, D.S. *et al.* 1993. "Theories of International Migration: A Review and Appraisal". *Population and Development Review*, pp. 431-466.

Massey, D.S., J. Durand y N.J. Malone. 2003. *Beyond Smoke and Mirrors: Mexican Immigration in an Era of Economic Integration*. Nueva York: Russell Sage Foundation.

Massey, D.S. y K.A. Pren. 2012. "Unintended Consequences of US Immigration Policy: Explaining the Post-1965 Surge from Latin America". *Population and Development Review*, 38 (1), pp. 1-29.

Mateos, P. 2013. "External and Multiple Citizenship in the European Union. Are 'Extrazenship' Practices Challenging Migrant Integration Policies?" Paper presented at the Population Association of America annual conference. Nueva Orleans. Abril 13.

_____. 2014. "The International Comparability of Ethnicity Classifications and Its Consequences for Segregation Studies", en C. Lloyd, I. Shuttleworth y D. Wong (eds.), *Social-Spatial Segregation: Concepts, Processes and Outcomes*. Bristol: Policy Press. pp. 163-193.

Ong, A. 1999. *Flexible Citizenship: The Cultural Logics of Transnationality*. Durham: Duke University Press.

Portes, A. y R.L. Bach. 1985. *Latin Journey: Cuban and Mexican Immigrants in the United States*. Berkeley: University of California Press.

Portes, A., L.E. Guarnizo y P. Landolt. 1999. "The Study of Transnationalism: Pitfalls and Promise of an Emergent Research Field". *Ethnic and Racial Studies*, 22 (2), pp. 217-237.

Pogonyi, S. 2011. "Dual Citizenship and Sovereignty". *Nationalities Papers*, 39 (5), pp. 685-704.

Pogonyi, S., M. Kovács y Z. Körtvélyesi. 2010. "The Politics of External Kin-State Citizenship in East Central Europe". Working paper, EUDO *Citizenship Observatory*.

Ragazzi, F. 2009. "Governing Diasporas". *International Political Sociology*, 3 (4), pp. 378-397.

Renshon, S.A. 2001. *Dual Citizenship and American National Identity*. Washington: Center for Immigration Studies.

Salenko, A. 2012. Country Report: Russia. EUDO *Citizenship Observatory*.

Sejersen, T.B. 2008. otoño. "I Vow to Thee My Countries. The Expansion of Dual Citizenship in the 21st Century". *International Migration Review*, 42 (3), pp. 523-549.

Shachar, A. y R. Hirschl. 2007. "Citizenship and Inherited Property". *Political Theory*, 35 (3), pp. 253-287.

Shachter, J.P. 2006. "Estimation of Emigration from the United States

Using International Data Sources". United Nations Secretariat, Department of Economic and Social Affairs, Statistics Division.

Smith, C.M. 2010. "These Are Our Numbers: Civilian Americans Overseas and Voter Turnout". *ovf Research Newsletter*, 2 (4).

Smith, R.C. 2003. "Migrant Membership as an Instituted Process: Transnationalization, the State and the Extra-Territorial Conduct of Mexican Politics". *International Migration Review*, 37 (2), pp. 297-343.

_____. 2003a. "Diasporic Memberships in Historical Perspective: Comparative Insights from the Mexican, Italian and Polish Cases". *International Migration Review*, 37 (3), pp. 724-759.

Spiro, P.J. 1997. "Dual Nationality and the Meaning of Citizenship". *Immigration and Nationality Law Review*, 18, p. 491.

Staton, J.K., R.A. Jackson y D. Canache. 2007. "Dual Nationality Among Latinos: What Are the Implications for Political Connectedness?" *Journal of Poilitics*, 69 (2), pp. 470-482.

Telles, E.E. 2004. *Race in Another America: the Significance of Skin Color in Brazil*. Princeton: Princeton University Press.

Telles, E.E. y V. Ortiz. 2008. *Generations of Exclusion: Mexican-Americans, Assimilation and Race*. Nueva York: Russell Sage Foundation.

Tilly, C. 1995. "Citizenship, Identity and Social History". *International Review of Social History*, 40 (S3), pp. 1-17.

Tintori, G. 2009. *Fardelli d'Italia? Conseguenze nazionali e transnazionali delle politiche di cittadinanza italiane*. Roma: Carocci.

_____. 2011. "The Transnational Political Practices of Latin American Italians". *International Migration*, 49 (3), pp. 168-188.

Torpey, J. 2000. *The Invention of the Passport*. Cambridge: Cambridge University Press.

Tsuda, T.K. 2010. "Ethnic Return Migration and the Nation-State: Encouraging the Diaspora to Return 'Home'". *Nations and Nationalism*, 16 (4), pp. 616-636.

Van Oers, R., B. de Hart y K. Groenendijk. 2010. "Country Report: The Netherlands". *EUDO Citizenship Observatory*.

Weil, P. 2013. *The Sovereign Citizen: Denaturalization and the Origins of the American Republic*. Filadelfia: University of Pennsylvania Press.

Wimmer, A. 2013. *Ethnic boundary making: Institutions, power, networks*. Oxford: Oxford University Press.

Sobre los autores

Luca Chao es maestra en Migraciones Internacionales especializada en Políticas Migratorias (2012) por la Universidad de A Coruña, y licenciada en Ciencias Políticas (2011) por la Universidad de Santiago de Compostela. Actualmente está realizando una tesis doctoral sobre los solicitantes de la nacionalidad española a través de la Ley de la Memoria Histórica, quienes pueden hacerlo como descendientes del exilio republicano español de 1939. Sus áreas de trabajo se centran principalmente en migraciones internacionales, la Ley de la Memoria Histórica, exilio, análisis de políticas públicas y participación ciudadana. Entre sus publicaciones destacan: "Epílogo" (2011), en A. Izquierdo (ed.), *La migración de la memoria histórica* y "Comunicación, integración e cidadanía; a expulsión de membros do colectivo xitano en Francia" (2010), *Migración e Medios*. Correo electrónico: luca.chao@udc.es

David Cook-Martín es doctor en Sociología por la Universidad de California, Los Ángeles (UCLA). Su trabajo de investigación examina las políticas de migración y nacionalidad en América y Europa para entender cuestiones políticas y de pertenencia desde una perspectiva transnacional. Sus intereses de investigación incluyen la raza y la etnicidad, las desigualdades sociales, la migración internacional, la ciudadanía, la sociología de América Latina, la sociología política, la sociología del derecho, la sociología de la religión, y métodos histórico-comparativos y etnográficos. Entre sus diversas publicaciones destacan: *The Scramble for Citizens: Dual Nationality and State Competition for Immigrant* y, en coautoría con D. FitzGerald, *Culling the Masses: The Democratic Roots of Racist Immigration Policy in the Americas*. Correo electrónico: cookd@grinnell.edu Web: https://davidcookmartin.wordpress.com/

Jorge Durand es doctor en Geografía y Ordenamiento Territorial por la Universidad de Toulouse-Le Mirail, Francia, miembro del Sistema Nacional de Investigadores de México (Nivel III), de la Academia Mexicana de Ciencias, de la National Academy of Sciences de Estados Unidos y de la American Philosophical Society. Desde 1987 codirige junto con Douglas S. Massey el *Mexican Migration Project* y desde 1996 el *Latin American Migration Project*. Su trabajo se ha centrado en el fenómeno migratorio entre México y Estados Unidos. Ha publicado una veintena de libros y más de cien artículos y capítulos de libros. Sus publicaciones más recientes, como autor o en coautoría, son: *Detrás de la trama; Políticas migratorias entre México y Estados Unidos* (2009); *Salvando fronteras; migración internacional en América Latina y el Caribe* (2010), y la serie de libros "Perspectivas Migratorias" en esta misma colección del CIDE. Correo electrónico: j.durand.mmp@gmail.com Web: https://www.princeton. edu/~jdurand/index.html

Agustín Escobar es doctor en Sociología por la Universidad de Manchester, Gran Bretaña. Es miembro del Sistema Nacional de Investigadores de México (Nivel III) y miembro de la Academia Mexicana de Ciencias. Es miembro electo del Consejo Nacional para la Evaluación de la Política de Desarrollo Social (Coneval) y actualmente es director general del Centro de Investigaciones y Estudios Superiores en Antropología Social (CIESAS). Sus intereses de investigación se enfocan fundamentalmente en la política social mexicana y la migración México-Estados Unidos, en particular en la migración de los mexicanos pobres y su impacto en la infraestructura física y social sobre las comunidades de origen en México. A lo largo de veinte años ha codirigido una sección del Estudio Binacional sobre Migración México-Estados Unidos. Ha publicado numerosos artículos, capítulos y libros. Entre sus libros recientes más relevantes destacan: *Pobreza y migración internacional* (2008), *México-U.S. Migration Management: A Binational Approach* (2008), *Acceso a la información, servicios y apoyo en zonas de atención prioritaria* (2012), *Pobreza, transferencias condicionadas y sociedad* (2012) y *Migración, pobreza y políticas públicas* (2012). Correo electrónico: ageslat@gmail.com Web: http://ciesasoccidente.edu.mx/investigacion/dr-agustin-escobar/

Cristina Escobar es doctora en Sociología por la Universidad de California, San Diego. Trabajó como investigadora asociada del Centro de Migración y Desarrollo de la Universidad de Princeton y ha sido profesora en Franklin and Marshall College, West Chester University y Rutgers University-Camden; actualmente es profesora asistente visitante en Temple University, Philadelphia. Ha hecho investigación sobre migración y ciudadanía, sobre organizaciones transnacionales de inmigrantes latinos en Estados Unidos y sobre el voto externo. Entre sus publicaciones más recientes destacan: "Dual Citizenship and Political Participation: Migrants in the Interplay of American and Colombian politics" (2004), *Latino Studies*, 2, pp. 45-69; "Migration and Citizen Rights: The Mexican Case" (2006), *Citizenship Studies*, 10 (5), pp. 503-523; "Exploring Transnational Civil Society: A Comparative Study of Colombian, Dominican and Mexican Immigrant Organizations in the United States" (2010), *Journal of Civil Society*, 6 (3), pp. 205-235 y, en coautoría con R. Arana y J. McCann, "Transnational Participation in Colombian Elections: Assessing the Impact of Reception Site", *Migration Studies* (2014). Correo electrónico: solcescobar@gmail.com

Thomas Faist es profesor de Relaciones Transnacionales y Sociología del Desarrollo, y deán de la Facultad de Sociología de la Universidad de Bielefeld, Alemania, donde dirige el Centre on Migration, Citizenship and Development (Comcad). Su investigación se centra en migraciones internacionales, espacios transestatales, relaciones étnicas, política social y desarrollo, sobre los que ha publicado varios libros y más de cien artículos. Entre sus libros recientes sobre el tema de ciudadanía múltiple destacan: en coautoría con Fauser y Reisenauer, *Transnational Migration Polity Press* (2013); "The Mobility Turn: A New Paradigm for the Social Sciences?" (2013), *Ethnic and Racial Studies*, 36 (11), pp. 1637-1646; en coautoría con P. Kivisto, *Dual Citizenship in Global Perspective: From Unitary to Multiple Citizenship* (2008) y *Dual Citizenship in Europe: From Nationhood to Societal Integration* (coord.) (2007). Correo electrónico: thomas.faist@uni-bielefeld.de Web: http://www.uni-bielefeld.de/(en)/tdrc/ag_comcad/team/faist.html

David Scott FitzGerald es profesor de Sociología en la Universidad de California, San Diego. Ocupa la cátedra Theodore E. Gildred en relaciones Estados Unidos y México, y es codirector del Center for Comparative Immigration Studies en la misma universidad. Su trabajo versa sobre políticas de migración internacional en varios países del continente americano y las conexiones con sus países de origen, centrándose en el impacto social de aspectos legislativos a través de análisis comparativos en el espacio y el tiempo. Entre sus libros más recientes se encuentran: en coautoría con D. Cook-Martín, *Culling the Masses: The Democratic Origins of Racist Immigration Policy in the Americas* (2014) y *A Nation of Emigrants: How Mexico Manages its Migration* (2009). Correo electrónico: dfitzger@ucsd.edu Web: http://ccis.ucsd.edu/people/david-fitzgerald/

Yossi Harpaz es maestro en Sociología y Antropología por la Universidad de Tel-Aviv, Israel, y candidato a doctor por el Departamento de Sociología de la la Princeton University, Estados Unidos. Sus intereses de investigación versan sobre etnicidad, nacionalismo, migración e identidad. Su proyecto de investigación actual se enfoca en la ciudadanía múltiple en Europa del Este, Israel y Estados Unidos, utilizando un enfoque comparativo de este fenómeno global. Entre sus publicaciones recientes destaca: "Rooted Cosmopolitans: Israelis with a European Passport. History, Property, Identity" (2013), *International Migration Review*, 47 (1), pp. 166-206. Correo electrónico: yharpaz@princeton.edu

Antonio Izquierdo es profesor de Sociología en la Universidad de A Coruña, España. Licenciado y doctor en Sociología por la Universidad Complutense de Madrid. Ha realizado una intensa actividad investigadora en materia de migraciones internacionales, ha dirigido más de cuarenta proyectos de investigación y publicado más de veinte libros y 145 capítulos de libros y artículos científicos en revistas y monográficos. Fundó el Equipo de Investigación de Sociología de las Migraciones Internacionales (Esomi) del que fue coordinador durante el periodo 2004-2011. Ha sido decano de la Facultad de Sociología de la Universidad de A Coruña y director de la Escuela Gallega de Administración Pública. Ha sido representante de España en la OCDE, en calidad de experto en Migraciones Internacionales (1989-2008). Es académico en la Real Academia de Ciencias Morales y Políticas, y miembro de la Académie Européene des Sciences, des Arts et des Lettres. Correo electrónico: anizes@udc.es Web: http://esomi.es/index.php/es/equipo/miembros/9-antonioizquierdoescribano

Pablo Mateos es doctor en Geografía Social por la Universidad de Londres, Reino Unido y miembro del Sistema Nacional de Investigadores de México (Nivel II). Actualmente es profesor-investigador titular del Centro de

Investigaciones y Estudios Superiores en Antropología Social (CIESAS), en Guadalajara, México. Ha sido profesor-investigador (Lecturer) en Geografía Humana en la University College London (UCL), Reino Unido (2008-2012), donde desde 2013 tiene una afiliación como Honorary Lecturer. En UCL es miembro de la Migration Research Unit (MRU) y Research Fellow del Centre for Research and Analysis of Migration (CReAM). Sus intereses de investigación versan sobre la geografía de la etnicidad, identidad, ciudadanía y migraciones contemporáneas en Reino Unido, España, Estados Unidos y México, y el desarrollo de nuevos métodos de investigación multidisciplinaria en dichas áreas. Es autor de más cuarenta artículos publicados en revistas internacionales y de diversos capítulos de libros publicados por editoriales reconocidas, su más reciente libro es: *Names, Ethnicity and Populations: Tracing Identity in Space* (2014). Correo electrónico: pmateos@ciesas.edu.mx Web: http://ciesasoccidente.edu.mx/investigacion/dr-pablo-mateos/

Ciudadanía múltiple y migración
Perspectivas latinoamericanas
se terminó de imprimir en agosto de 2015 en los
talleres de Impresión y Diseño, Suiza 23 bis, col.
Portales, C.P. 03300, México, D.F. El tiraje consta
de 1 000 ejemplares. El cuidado editorial estuvo a
cargo de Nancy Rubio y Pilar Tapia.